Cours familier de Lit

Volume 18

Alphonse de Lamartine

Alpha Editions

This edition published in 2023

ISBN : 9789357963442

Design and Setting By
Alpha Editions
www.alphaedis.com
Email - info@alphaedis.com

Contents

CIIIe ENTRETIEN.
ARISTOTE.
TRADUCTION COMPLÈTE
PAR
M. BARTHÉLEMY SAINT-HILAIRE.
(PREMIÈRE PARTIE.)

I.

Aristote est un des grands types de l'esprit humain, peut-être le plus grand, si la justesse de l'esprit fait partie de sa perfection.

Nous allons l'étudier ensemble; mais je dois d'abord vous dire comment j'ai pu le connaître et lui donner sa place, la première de toutes, dans le catalogue des grandes et saines intelligences.

Il lui fallait un traducteur digne de lui. Je ne savais du grec classique que ce que l'enfance en apprend dans les premières études, et ce que l'âge mûr en fait oublier. J'étais incapable d'interpréter sans guide et sans maître ni Homère, ni Platon, ni Aristote. Je cherchais quelqu'un; le hasard, cette providence des hommes qui cherchent, me le fit rencontrer au milieu des flots turbulents d'une révolution populaire, à la tête de laquelle j'avais été jeté; voici comment:

II.

En 1848, pendant que j'étais submergé par des masses de citoyens agités, tantôt à l'hôtel de ville de Paris, tantôt dans les rues ou sur les places publiques, tantôt à la tribune de la chambre des députés ou de l'Assemblée constituante: 24 février, 27 février, 28 février, journée du drapeau rouge; 16 avril, journée des grands assauts des factions combinées contre les hommes d'ordre; 15 mai, journée où la chambre nouvelle violée est dissoute un moment par les Polonais, ferment éternel de l'Europe; journées décisives de juin où nous combattîmes contre les insensés frénétiques de la démagogie, et où nous donnâmes du sang au lieu de paroles à notre pays: je fus frappé par la physionomie belle, grande, honnête et intrépide d'un homme de bien et de vertu, que je ne connaissais pas, mais que j'avais eu le temps de remarquer autour de moi aux éclairs de son regard. Ce regard d'honnête homme, en tombant calme et serein sur les foules, semblait les contenir, les éclairer et les calmer, comme un beau rayon de soleil sur les vagues écumeuses d'une mer d'équinoxe. Je lui parlais, il me parlait, nous nous entendions à demi-mot; mais je n'osais pas lui demander son nom, de peur de paraître ignorer ce qu'on devait supposer que je connaissais. Ce ne fut que longtemps après que je demandai tout bas à un des témoins de ces scènes, qui était cet homme si dévoué et si calme, et qu'on me répondit: «C'est Barthélemy Saint-Hilaire, le traducteur d'Aristote.—Cela ne me surprend pas,» dis-je à mon tour: «il y a du grec dans cette intelligence, et de la philosophie dans ce courage.»

III.

Nous nous perdîmes de vue pendant quelque temps; je m'informai avec anxiété de lui; j'appris que, retiré dans un petit jardin de légumes au milieu d'un faubourg de la banlieue de Meaux, résidence de Bossuet, Barthélemy Saint-Hilaire, après avoir refusé ce qu'on le conjurait d'accepter comme gage de son silence, vivait à Meaux du travail de ses mains dans une hutte de son jardin, et nourrissait sa vieille tante de quatre-vingt-six ans des carottes et des pommes de terre cultivées par lui. Il se réservait quelques heures du milieu du jour pour continuer religieusement sa traduction d'Aristote, commencée en 1832. Cette traduction était l'âme de sa vie. Il venait me voir de temps en temps pendant ses courses à Paris. Bientôt il fut nommé à une place honorable et lucrative d'administrateur libre dans la Compagnie de l'Isthme de Suez. Il ne l'occupa qu'un moment. Son extrême délicatesse ayant cru voir dans les conditions de l'entreprise des éventualités compromettantes pour la Compagnie ou pour le pacha d'Égypte, auquel elle lui paraissait devoir de la reconnaissance au lieu d'un procès, il envoya à la Compagnie sa démission, préférant son indigente indépendance à une situation ambiguë. Il reprit avec plus d'assiduité sa traduction d'Aristote. Il avait les quatre conditions nécessaires pour donner à l'Europe ce chef-d'œuvre si longtemps inconnu: la philosophie pratique, la passion de son modèle, la connaissance du grec et la vertu antique, cette condition supérieure qui force l'homme de ressembler à ce qu'il admire. Voilà le traducteur d'Aristote. Heureux, dans sa médiocrité, de n'avoir point à hésiter entre deux devoirs également impératifs:—la liberté de son travail et le remboursement d'immenses dettes dont la responsabilité pèserait sur sa plume,—il est libre, donc il est heureux. La dignité de son travail est entière, et il n'a rien à demander à ses amis que leur amitié. Quel trésor vaut celui-là? Il l'a mérité.

Quand j'ai songé à étudier pièce à pièce cet homme encyclopédique, qui a laissé à lui tout seul d'Athènes un monument homogène plus complet et plus divin mille fois que cette encyclopédie de plusieurs mains inspirée en France par Voltaire, Diderot et leurs amis, travaillant sans plan à détruire plus qu'à édifier, je suis allé d'abord chercher dans sa retraite Barthélemy Saint-Hilaire. Qu'il y avait loin de cette commotion révolutionnaire de trois mois où nous nous étions rencontrés, et j'oserai dire aimés pour la première fois, au branle de la roue du temps! Qu'il y avait loin des orages incessants du mont Aventin de Paris en 1848, à ce cabinet recueilli, dans une rue éloignée du centre, sans autres ornements que ses livres et ses dictionnaires, comme la tente d'un guerrier qui n'a de parure que ses armes! Il était là, travaillant une partie du jour à sa traduction d'Aristote ou à ses autres œuvres scientifiques, dans la joie d'un homme de vertu. Pendant l'été, il empruntait un asile champêtre à quelqu'un de ses amis, fiers de garder sous leur toit un représentant du désintéressement antique.

IV.

Quant à Aristote, nous connaissons assez de son histoire pour vous la redire avec les certitudes et les détails que la distance du temps et des lieux et la célébrité de l'homme ont laissés, de traditions en traditions, rayonner autour de ce grand nom, héritage de deux mondes, le monde ancien et le monde scolastique moderne.

La voici, réduite en peu de mots: mais ces mots sont clairs, positifs, précis, et ne laissent ni ombre pour les obscurcir, ni fables pour les dénaturer. La Providence n'a pas permis que le philosophe de la raison pure servît de texte aux erreurs de la mémoire ou aux écarts de l'imagination populaire.

V.

Aristote naquit, en 350, à Stagire, petite ville de la Macédoine. Le père d'Aristote était un médecin. Ce médecin était si honoré que le roi de Macédoine, Philippe, père du grand Alexandre, l'appela à sa cour et lui confia sa santé. On sait que la Macédoine, à cette époque, était une espèce de Grèce monarchique, tantôt alliée, tantôt ennemie du Péloponnèse. Le caractère belliqueux de ses habitants et l'unité du pouvoir héréditaire concentré dans la main d'un roi guerrier la rendait tantôt secourable, tantôt redoutable à la Grèce républicaine.

Philippe était digne par son génie et par son caractère d'être le père d'Alexandre. Il élevait en lui un oppresseur des Grecs et un conquérant des Perses. Le père d'Aristote était son ami autant que son médecin. Il acquit une fortune honorable dans cette intimité, comme on peut le conclure de son testament qui laissa son fils, Aristote, dans les meilleures conditions pour un philosophe, absorbé dans les études universelles, libre, aisé et désintéressé de tout, excepté du progrès de l'esprit humain en tous genres. On a dit et écrit que Philippe, à la naissance de son fils Alexandre, adressa à Aristote une lettre où il se réjouissait *non pas tant d'avoir un fils, mais que ce fils fût né à une époque où il pouvait lui donner pour précepteur Aristote.* Cette lettre est possible, mais peu vraisemblable. La chronologie en fait douter. Alexandre, dans sa première enfance, réclamait alors les soins des femmes sous sa mère Olympias, et non le lait encore lointain d'un sage instituteur. Il est plus probable que Philippe écrivit, longtemps après, quelque chose d'analogue au fils de son médecin. Il était digne d'avoir écrit cette lettre, comme Aristote était digne de l'avoir reçue.

VI.

À l'âge de dix-sept ans Aristote quitta la Macédoine pour venir à Athènes, capitale alors du génie humain, étudier sous les plus grands maîtres en tous genres de vertus, de sciences et d'arts, non-seulement la médecine, qu'il cultiva toujours comme Hippocrate, mais la philosophie sous Socrate, la poésie sous les commentateurs d'Homère, la métaphysique sous Platon, l'éloquence sous Démosthène, la politique sous Périclès, l'architecture et la sculpture sous Phidias, le drame sous Sophocle, Eschyle et même Euripide, toute la civilisation enfin sous le peuple athénien. C'était certainement, en effet, le plus étonnant spectacle que la Providence ait jamais offert aux hommes sur un point presque imperceptible du globe, que d'avoir non pas donné à un petit peuple une telle réunion de vertus, de talents et de génies dans ces grands hommes, mais que d'avoir donné à ces grands hommes, dans Athènes, quatre cents ans avant Jésus-Christ, un peuple capable de les discuter et de les admirer. Reverra-t-on jamais une telle époque, où tant de génies concentrés dans une petite ville étaient le premier miracle, et où un peuple plus miraculeux était digne de les voir, de les entendre et de les admirer, lors même que ses passions civiques et religieuses pouvaient de temps en temps, témoin Socrate, témoin Démosthène, témoin Aristote lui-même, les forcer à accepter ou à se préparer la ciguë?

VII.

Aristote, remarqué alors pour son aptitude, pour ses travaux et pour sa modestie, dans l'école de Platon, suivit, pendant seize ans, les leçons de ce philosophe ou plutôt de ce poëte de l'immortalité. Mais, quand Platon voulut transporter sur la terre ses rêves impossibles et introduire ses fantaisies dans le domaine des réalités, Aristote le plaignit, repoussa modestement ses doctrines politiques, aigrit son maître, qui tenait plus à ses chimères qu'aux vraies doctrines de Socrate, et s'éloigna respectueusement de lui. Il crut qu'il ne convenait pas de donner au peuple des rêves dont le réveil pourrait être funeste. Il soutint que le caractère de toute vérité était d'être pratique, et que la moindre découverte en ce genre valait mieux pour lui et pour l'État que les plus beaux songes.

VIII.

Mais cette époque de sa vie allait finir; la Grèce allait changer. Rien ne dure, surtout les prodiges. La guerre aux Perses, méditée par Philippe, fanatisait le Péloponnèse; Démosthène, plus sophiste d'opposition que véritablement patriote, tonnait contre le roi de Macédoine; tout était troubles et factions dans Athènes. Philippe, dont le fils Alexandre touchait à l'âge des études sérieuses, rappela Aristote à sa cour pour lui confier la dernière éducation de son fils. Aristote, que son devoir comme sujet macédonien forçait autant que son affection pour Philippe à se consacrer à Alexandre, se rendit aux vœux du roi et se dévoua pendant cinq ans à élever le maître futur du monde. Ce fut alors qu'il se maria. Il épousa Pythias, jeune Grecque qui mourut peu d'années après son mariage, et dont il n'eut qu'un fils. Il prit alors, non comme femme légitime, mais comme concubine légale, Herpyllide. Il en eut un fils auquel il donna le nom de Nicomaque, et qu'il aima tendrement comme il avait aimé la mère.

IX.

Pendant ces événements domestiques Aristote succéda à Platon, et, au lieu de suivre la route des chimères, professa à Athènes la raison des choses et les réalités de la vie. Socrate avait ouvert le ciel; Aristote, sans méconnaître le ciel, et en plaçant toujours Dieu et la providence au-dessus des phénomènes terrestres, professa la spiritualité de l'âme comme suprême espérance de tout. Cet enseignement dura environ quinze ans; il fut suivi par une foule de jeunes Athéniens; il fit à Aristote la plus solide et la plus éclatante renommée après celle de Pythagore. Il continua, pendant la guerre d'Alexandre en Syrie, en Égypte et en Perse, à recevoir de lui des lettres et à lui répondre. L'éducation de ce plus grand des hommes avait été l'heureux chef-d'œuvre de sa vie. Alexandre avait emmené avec lui dans ses campagnes le philosophe Callisthène, neveu d'Aristote. Il contribua puissamment à enrichir les sciences naturelles, dont son maître, alors en Perse, lui envoyait les plus beaux modèles vivants ou morts pour être étudiés, ou décrits, ou disséqués, dans son *Histoire des animaux*. Qu'on se figure Napoléon, dans ses campagnes d'Allemagne, d'Espagne, de Russie, fournissant à Cuvier, avec lequel il aurait été en correspondance, les dépouilles de ces provinces et les éléments de ses recherches anatomiques: tel était Alexandre, en rapport journalier avec son ancien précepteur.

X.

Aristote jouissait alors à Athènes de tout le crédit que la victoire du conquérant, son disciple, donnait aux alliés grecs du vainqueur du monde. Il était puissant sur les Athéniens, riche, heureux, occupé de ses travaux, couvert des reflets de la gloire de son élève.

Mais le soleil de Perse, la jeunesse facilement irritable, l'ivresse d'une constante fortune, les femmes et le vin, emportèrent dans les derniers temps Alexandre jusqu'à des excès d'actes et de paroles qui excitaient de grands murmures parmi les Grecs et parmi les Macédoniens. Le neveu d'Aristote, le philosophe Callisthène, avait suivi le héros en Perse comme conseil, comme historien de l'expédition. Après le meurtre de Clitus, Alexandre désespéré s'enferma dans sa tente et ne voulut voir personne. Callisthène cependant pénétra près de lui avec Anaxarque et tâcha d'abord doucement, et selon les règles de la morale, de se rendre maître de sa douleur en s'insinuant peu à peu auprès de lui par ses discours et en tournant adroitement tout autour, sans toucher à la plaie et sans lui rien dire qui pût réveiller son affliction.

Mais Anaxarque, qui, dès le commencement, avait suivi dans la philosophie une route toute particulière, et qui avait la réputation de dédaigner et de mépriser tous ses compagnons, se mit à crier dès l'entrée: «Quoi! est-ce cet Alexandre sur qui la terre entière a les yeux? Et le voilà étendu sur le plancher, fondant en larmes, comme un vil esclave, craignant la loi et le blâme des hommes, lui qui doit être la loi des autres et la règle de toute justice, puisqu'il n'a vaincu que pour être seigneur et maître, et nullement pour servir et pour se soumettre à une vaine opinion!—Ne savez-vous pas, continua-t-il en s'adressant à lui-même, ne savez-vous pas que Jupiter a auprès de lui, sur son trône, d'un côté la justice et de l'autre côté Thémis? Pourquoi cela, sinon pour faire entendre que tout ce que le prince fait est toujours équitable et juste?»

Par ces discours et autres semblables, ce philosophe allégea véritablement l'affliction du roi, mais il le rendit plus orgueilleux et plus injuste. En même temps il s'insinua merveilleusement dans ses bonnes grâces, et lui rendit très-insupportable et très-odieuse la conversation de Callisthène, qui n'était déjà pas trop agréable, à cause de sa grande austérité.

XI.

Callisthène, d'une humeur austère, voyait avec peine aussi le projet d'Alexandre d'aller conquérir les Indes et de remplacer les Macédoniens dans son armée pour fonder en Perse un nouvel empire.

Callisthène s'imaginait être le dispensateur de la gloire et le seul homme capable de transmettre à la postérité les hauts faits d'Alexandre. L'amour-propre des sophistes que ce prince avait à sa suite fut irrité, et ils n'oublièrent rien pour desservir auprès de lui Callisthène. Ce philosophe perdit peu à peu son crédit, et il paraît que, se voyant disgracié, il devint le défenseur des mœurs anciennes et des usages de ses pères, en s'opposant aux honneurs divins qu'on voulait rendre au conquérant macédonien. Il ne se souvenait donc plus d'avoir promis d'accréditer par ses écrits l'opinion qui faisait de ce prince un fils de Jupiter Ammon? Peut-être s'en repentait-il, et croyait-il qu'en changeant de langage et de conduite le philosophe ferait oublier le courtisan. Mais une marche si rétrograde se pardonne rarement, et la mort en est quelquefois la punition.

Anaxarque, les sophistes grecs et les grands de Perse, de concert avec Alexandre, avaient résolu de décerner les honneurs divins à ce prince. La proposition en ayant été faite dans un repas, Callisthène prononça sur ce sujet un discours dont Arrien nous a conservé les principales idées. Il ne paraît pas les avoir supposées; du moins la convenance y est parfaitement gardée. Après avoir fait sentir la différence qu'on devait mettre entre le culte des dieux et les hommages rendus aux grands hommes, Callisthène dit que, comme Alexandre ne permettrait pas qu'on usurpât les honneurs attachés à sa dignité, de même les dieux s'indigneraient qu'on s'arrogeât ceux qui leur appartenaient. S'adressant ensuite à Anaxarque, il l'engage à considérer qu'une pareille proposition pouvait convenir à Cambyse ou à Xerxès, et non au fils de Philippe, qui descendait d'Hercule et d'Éacus. «Les Grecs, ajouta Callisthène, ne décernèrent point les honneurs divins à Hercule de son vivant, mais après sa mort, lorsque l'oracle de Delphes, consulté sur ce sujet, l'eut ainsi ordonné. Faut-il donc aujourd'hui que quelques hommes, dans un pays barbare, pensent comme des barbares? Je dois, Alexandre, rappeler à ton souvenir la Grèce, pour laquelle tu as entrepris cette expédition qui lui soumet l'Asie. À ton retour exigeras-tu des Grecs, le peuple le plus libre de l'univers, qu'ils se prosternent devant toi? ou en seront-ils dispensés, et les Macédoniens subiront-ils seuls alors cette humiliation? ou bien encore les uns et les autres ne continueront-ils à t'honorer que suivant leur usage, et comme il convient à des hommes, tandis que les barbares le feront à leur manière, etc.?»

Ce discours eut l'effet qu'on devait en attendre; les Macédoniens ne voulurent point se prêter à la cérémonie de l'adoration, tandis que les Perses s'y soumirent avec d'autant plus de facilité qu'elle était en usage chez eux depuis le règne des Grecs. Quoique cette cérémonie ne passât pas à leurs yeux pour une marque d'idolâtrie, elle n'était pas moins étrangère aux mœurs des Macédoniens, et devait nécessairement leur paraître un acte humiliant et digne de vils esclaves. Mais il n'est guère possible d'accorder les écrivains entre eux sur plusieurs détails relatifs à cet événement. Plutarque rapporte les divers témoignages sans rien prononcer. La partialité d'Arrien en faveur d'Alexandre n'est au contraire que trop sensible. «Je regarde, dit-il, comme juste la haine qu'Alexandre avait pour Callisthène, à cause de sa liberté inconsidérée et de son orgueil insensé. C'est pourquoi j'ajoute foi sans peine à ceux qui disent que ce philosophe entra dans la conjuration des jeunes gens contre Alexandre ou qu'il les excita à la tramer.» Quelle conséquence! Arrien raconte ensuite cette conjuration, dont Hermolaüs, un des pages d'Alexandre, fut l'auteur.

Accompagnant ce prince à la chasse, il l'avait prévenu et avait tué devant lui un sanglier. Battu de verges et privé de son cheval à cause de cette étourderie, il en témoigna tout son chagrin à Sostrate, fils d'Amyntas, et le fit entrer dans ses projets de vengeance. Quinte-Curce dit la même chose; mais il ajoute plusieurs circonstances et ne manque pas de saisir cette occasion pour mettre dans la bouche d'Hermolaüs et dans celle d'Alexandre des discours où il cherche à faire briller son éloquence. Il fait surtout bien parler Alexandre, qui répond à l'accusé avec autant de dignité que de sagesse. Dans tout le récit de Quinte-Curce on ne trouve pourtant rien à la charge de Callisthène. Il assure même que ce philosophe était innocent de l'attentat contre la personne du roi. «Aussi, ajoute-t-il, nulle autre mort ne rendit Alexandre plus odieux aux Grecs, parce qu'il fit périr au milieu des tourments, et sans l'avoir entendu, un homme très-recommandable par ses vertus et ses talents, qui l'avait rappelé à la vie lorsqu'après le meurtre de Clitus il persistait à vouloir se tuer. À la vérité il se ressentit de cette atrocité; mais il n'était plus temps.»

Quoique Plutarque rapporte tous les faits soit à la charge, soit à la décharge de Callisthène, sans en discuter aucun et sans rien prononcer, il paraît néanmoins s'intéresser beaucoup à ce philosophe. Il assure qu'Hermolaüs et ses complices, appliqués à la torture, ne dirent pas un seul mot contre Callisthène. Il cite des lettres écrites par Alexandre lui-même à Cratère, à Attalus et à Alcétas, qui confirment ce fait important. Si Ptolémée et Aristobule avaient eu connaissance de ces lettres, ils n'auraient pas sans doute donné un démenti formel à leur héros en avançant que les conjurés accusèrent Callisthène de les avoir engagés dans leur entreprise criminelle.

L'envie seule de justifier Alexandre a pu leur dicter un pareil mensonge. Arrien, toujours disposé à se laisser entraîner par leur autorité, ne dissimule pas qu'un grand nombre d'écrivains s'étaient contentés de remarquer que la familiarité de Callisthène avec Hermolaüs avait fait naître des soupçons que la haine de ses ennemis érigea en preuves. Le même historien ajoute que quelques autres écrivains prétendaient qu'Hermolaüs, dans son discours, avait reproché à Alexandre la mort injuste de Philotas, celle plus injuste encore de Parménion et de ses amis, le meurtre de Clitus, le changement de costume et l'habillement à la manière des Mèdes, la tentative de se faire adorer à laquelle il n'avait pas renoncé, enfin ses veilles passées dans la débauche.

Les mêmes choses se lisent dans le discours que Quinte-Curce fait prononcer à Hermolaüs; ce qui est très-digne de remarque, puisqu'il en résulte que cet historien n'imaginait pas toujours les harangues dont il a rempli son ouvrage, et qu'il ne les composait pour l'ordinaire qu'après en avoir trouvé le sujet, soit dans Clitarque, soit dans d'autres écrivains qui ne sont pas parvenus jusqu'à nous.

Peut-être verrait-on encore, dans le dix-septième livre de Diodore de Sicile, ces reproches faits par Hermolaüs à Alexandre, si la grande lacune de ce livre ne tombait pas précisément à l'endroit où il devait être question du meurtre de Clitus et de la conjuration qui causa la perte de Callisthène.

Ce philosophe fut-il condamné sans avoir été entendu, comme il résulte du récit de Quinte-Curce? Cette question semble d'abord être décidée par la loi macédonienne, d'après laquelle aucune peine ne pouvait être infligée à un accusé sans que son procès lui eût été fait dans une assemblée de Macédoniens; mais cette loi n'était point applicable à Callisthène. Dans le discours que Quinte-Curce met dans la bouche d'Alexandre, en présence de son armée, ce prince s'adresse à Hermolaüs:

«À l'égard de ton Callisthène, aux yeux duquel tu parais un homme de cœur parce que tu as l'audace d'un brigand, je sais pourquoi tu voulais qu'on l'introduisît dans cette assemblée: c'était pour qu'il y débitât les mêmes horreurs que tu as vomies contre moi ou celles que tu lui as ouï dire. S'il était Macédonien, j'aurais fait entrer avec toi un maître digne de t'avoir pour disciple; mais, étant Olynthien, il n'a pas aujourd'hui un pareil droit.»

Ptolémée assurait que Callisthène avait été appliqué à la torture, ensuite mis en croix. Quelques-uns prétendaient que, ayant été renfermé dans une cage de fer, on l'y laissa dévorer par les poux; d'autres, qu'on lui avait coupé le nez, les oreilles et d'autres membres, supplices usités chez les Orientaux et les nations barbares, qui ne comptent pour rien la plus grande peine que la société puisse infliger s'ils n'y ajoutent la durée et l'intensité de la douleur.

Aristobule disait au contraire que Callisthène, chargé de chaînes, avait été traîné à la suite de l'armée et était mort de maladie. Suivant Charès, ce philosophe fut gardé sept mois aux fers, parce qu'Alexandre avait dessein de le faire juger devant un tribunal en présence d'Aristote, c'est-à-dire lorsque ce prince aurait été de retour dans la Grèce. Selon ce même Charès, au temps où Callisthène mourut d'inanition et de la maladie pédiculaire, Alexandre était occupé à la guerre des Malliens et des Oxydraques. Enfin Plutarque nous a conservé le fragment d'une lettre de ce prince à Antipater, dans lequel on lit:

«Les jeunes gens ont été lapidés. Je châtierai moi-même le sophiste (Callisthène), les hommes qui me l'ont envoyé, et ceux qui reçoivent dans leur ville des personnes qui conspirent contre moi.» Les derniers sont évidemment Démosthène et les autres démagogues d'Athènes, Aristote et les philosophes.

On voit ici, d'après les paroles mêmes d'Alexandre plaidant sa propre cause devant l'assemblée des Macédoniens de son camp, que le gouvernement représentatif de Macédoine subsistait encore en Asie dans l'armée, et que les procès même d'État étaient jugés avec publicité et liberté par le tribunal populaire ou militaire.

Alexandre gagna le procès contre les jeunes conspirateurs et contre Callisthène, leur complice. Il laissa exécuter les conspirateurs contre sa vie; il épargna Callisthène, dont la complicité n'était que morale. Il ne livra pas le philosophe aux bourreaux; il se contenta de l'emprisonner et de le réserver, comme on le lit dans une de ses lettres à Olympias, sa mère, «pour être jugé à Athènes par ses concitoyens, et selon les lois de son pays.» Cette lettre d'Alexandre à Olympias subsiste, et elle disculpe assez Alexandre du prétendu supplice du philosophe athénien, inventé par les calomniateurs macédoniens ou grecs de l'armée. Callisthène mourut de sa mort naturelle, plusieurs années après le procès, en revenant avec l'armée dans sa patrie.

Quoi qu'il en soit, cette querelle d'Alexandre avec le neveu d'Aristote, son emprisonnement et sa mort pendant qu'on le ramenait à Olynthe pour être jugé, affligèrent et aigrirent Aristote. Ses malheurs commencent là.

XII.

Il y avait en Grèce un nombreux parti populaire et soi-disant politique, que la mort soudaine d'Alexandre avait exalté, que le retour de l'armée grecque à travers l'Asie Mineure, appelée la retraite des *dix mille*, animait contre la mémoire du héros. Ces sentiments grecs amenaient une réaction ingrate et acharnée parmi le peuple athénien, le plus léger et le plus mobile de tous les peuples. C'est le moment que choisirent les ennemis naturels d'Alexandre pour s'élever contre sa mémoire et pour tourner contre lui des rancunes et des reproches égaux au moins à l'immensité de sa gloire. Cette colère du bas peuple retomba sur les partisans du héros et s'attaqua surtout à son précepteur Aristote. On lui imputa tous les crimes et tous les revers de son élève, devenu le tyran de la Grèce. Le parti des hiérophantes, qui accusait Aristote de chercher la foi dans la raison pieuse, se souvint que cette même accusation avait fait mourir Socrate. Il entreprit de la renouveler contre le disciple de Socrate et de Platon, et intenta contre Aristote une accusation insensée au sujet d'un hymne que ce philosophe, quelquefois poëte, avait adressé peu de temps avant à Phormias, un de ses amis, qui était alors gouverneur sous Alexandre d'une ville de Macédoine. Il l'accusait d'avoir employé dans son hymne des expressions telles qu'on ne devait les adresser qu'aux dieux. Cette inculpation puérile servit de prétexte à toutes les malveillances de la populace.

XIII.

Mais pendant qu'Athènes s'insurgeait ainsi à cause du philosophe de Stagire, l'armée d'Alexandre, irritée contre son prisonnier Callisthène, le fouettait et le laissait mourir en chemin, en punition des conspirations qu'il avait ou semées ou nourries dans les derniers temps de la campagne d'Alexandre contre son chef, devenu dieu par sa mort.

Ainsi, soit que le peuple d'Athènes l'emportât, soit que l'armée en retraite passât l'Hellespont et rentrât à Athènes, Aristote se trouvait également compromis. Il ne lui restait d'autre parti à prendre que la fuite. Il y a des moments, en révolution, où l'on a également à redouter ses amis et ses ennemis. Trop indulgent pour la tyrannie nécessaire aux yeux des uns, trop ennemi des tyrans aux yeux des autres, on n'a plus qu'à périr ou par ses premiers amis ou par ses récents ennemis. Tel devait être le destin du plus modéré des hommes, Aristote.

XIV.

Il quitta Athènes nuitamment, et il se retira dans l'île d'Eubée, à Chalcis, avec sa femme et sa fille. Mais, trop près d'Athènes pour échapper à la persécution des Athéniens, trop voisin de la Macédoine pour éviter la vengeance des ennemis de son neveu Callisthène, il reçut, selon les uns, la ciguë de Socrate; selon d'autres, il la devança en la buvant de lui-même, dans la soixante et onzième année de sa vie. Tous assurent qu'il mourut d'une mort violente, forcée ou volontaire: triste récompense pour un homme qui avait toujours cherché à tenir son destin et son âme en équilibre et comme dans un juste milieu, entre l'espérance et le désespoir.

Quoi qu'il en soit, il ne mourut pas sans avoir laissé à sa femme et à son fils une fortune dérobée à ses ennemis. Cette fortune, venue de son père, n'était ni trop modique ni trop considérable. Elle leur laissa un témoignage de sa vie, qui leur assurait leur propre existence.

Telle est l'histoire d'Aristote, sans autre événement que sa mort.

Avec lui ne mourut pas un homme, mais une doctrine, qui ne disparut un moment que pour faire explosion dans le monde, lorsque plus tard Sylla vint s'emparer d'Athènes, et qu'ayant retrouvé les innombrables manuscrits d'Aristote, il les remit à des collecteurs de dépouilles opimes pour les transporter à Rome et en remplir, jusqu'à nos jours, l'univers.

XV.

Nous allons voir en quoi consistent aujourd'hui les reliques de ce puissant génie qui attache sur sa trace, quatre siècles avant le christianisme, les plus fortes et les plus sages pensées du monde antique et moderne. Les secrétaires de Sylla ne les ont pas replacées dans leur ordre; mais voici l'ordre que leur assignent les traducteurs et les commentateurs les plus éclairés et les plus accrédités des derniers siècles: Politique, Logique, Physique, Rhétorique, Météorologie, Morale, Histoire naturelle, etc. C'est dans cet ordre de composition que nous allons le parcourir avec vous. Depuis Pascal jusqu'à Buffon, nous avons dans Aristote l'arbre encyclopédique tout entier. Il ne faut pas chercher en lui, excepté la sagacité et la justesse d'idées, les perfections de forme de Platon, de Cicéron, d'Homère, de Virgile, de Théocrite, génies employés à fasciner les hommes par l'agrément. Aristote, semblable au mathématicien dont il parle, ne reconnaît d'autre agrément que la vérité. Bien que les traités énumérés plus haut soient strictement enchaînés par l'ordre et la logique les plus rigoureux, ces traités n'étaient point des écrits perfectionnés avec l'intention de charmer ou de séduire les hommes. Tout indique et ses contemporains affirment que ses écrits, même les plus soignés, n'étaient que les notes réfléchies des discours qu'il prononçait dans son école. De là, leur grand nombre et leur diversité durant les dix-sept ans que dura son enseignement à Athènes, pendant et après la disparition de Platon. Ce n'est pas un homme de style, c'est l'homme des réalités. Comme Solon, il a écrit un petit nombre de poésies, dont l'une fut la cause de sa mort. Mais il n'estimait la poésie que comme le plus beau vêtement de la vérité dans le sentiment.

XVI.

De toutes les sciences qu'il a touchées, la plus universelle est la politique. C'est à cause de cette universalité même que nous allons l'étudier avec vous la première.

La politique est la science du présent.

À ce titre elle intéresse tout le monde.

Mais, avant d'examiner celle d'Aristote, et en fermant le livre dans lequel je viens de l'étudier, une réflexion me frappe et me confond: c'est l'antiquité prodigieuse, ou plutôt c'est la presque éternité de cette science. Aristote écrivait, pensait, parlait quatre cents ans avant la naissance de Jésus-Christ. Nous aimons à nous figurer qu'à des époques aussi reculées et dans des pays aussi barbares, la politique n'était qu'un vague instinct de la société humaine, sans morale, sans règle, sans définition, sans dénomination, sans tendance, agitant confusément l'humanité au gré de la force et de la ruse, tel, par exemple, que Machiavel dans *le Prince* l'entendait deux mille ans après. J'avoue, quant à moi, qu'en lisant la *Politique* d'Aristote, je croyais lire les publicistes les plus raffinés du temps présent. Montesquieu, J.-J. Rousseau, M. de Bonald, Royer-Collard, n'emploient ni d'autres idées ni d'autres termes. La monarchie à mille formes, l'aristocratie, l'oligarchie, la démocratie, la démagogie, l'anarchie, la république dérivée de la représentation ou des décrets directs du peuple, l'État, la souveraineté de l'État, les changements violents ou les révolutions lentes, les passions du peuple ou les factions des grands, les combinaisons variées de ces divers principes de gouvernement, les décadences ou les renaissances qui les précipitent ou qui les relèvent, tout cela est écrit dans la Politique d'Aristote aussi nettement que dans les cent mille brochures des doctrinaires de nos jours; à l'exception du principe de l'esclavage, passé en loi et en morale par l'habitude, et considéré par le publiciste d'Athènes comme l'œuvre de la nature et non comme une erreur des lois, il n'y a rien dans Aristote qui ne soit dans les mêmes termes aujourd'hui dans nos philosophes politiques. Où est donc le progrès de ces deux mille quatre cents ans? Encore une fois, à l'exception de l'esclavage, Mirabeau, à la tribune de l'Assemblée constituante, raisonne-t-il autrement qu'Aristote? Et, si l'on remonte par la pensée à deux ou trois mille ans plus loin que sa *Politique*, ne sera-t-on pas tenté de croire que le monde est né vieux et que les mêmes mots ont exprimé les mêmes choses depuis l'origine inconnue des mots et des choses? Antiquité et éternité ne sont-ils pas synonymes, et les mêmes phénomènes que nous pose aujourd'hui le point d'interrogation n'étaient-ils pas résolus dans les jours infiniment plus reculés d'Homère? Rien de nouveau sous le soleil, pas même les raffinements et les proverbes de la politique. Cela doit nous rendre modestes, car on devait l'être déjà du temps d'Aristote. La terre tourne, mais les vérités ne changent pas de place. Il y a dans les faits une réalité occulte qui est aux choses politiques ce que la gravitation est aux choses physiques, et qui leur assigne leur poids et détermine leur équilibre divin. Platon le rêveur dans le temps d'Aristote, Rousseau et les utopistes de nos jours, ont prétendu s'inscrire en faux contre ce *fatum* des choses, et, quand nous voulons revenir à Dieu, nous revenons à Aristote.

Voici l'analyse raisonnée de sa Politique: trouvez mieux, et étonnez-vous que ce livre, bien supérieur à Rousseau et à Montesquieu, ait été recueilli il y a tant de milliers d'années comme l'évangile infaillible de la politique.

XVII.

«Tout État est une association, dit-il en commençant, et, comme les hommes ne s'associent qu'en vue de quelque bien, il est donc évident que le plus important de tous les biens doit être l'objet de la plus capitale des associations. Et celle-là, on l'appelle précisément État, ou association politique.»

Du premier mot voilà la vérité qui apparaît dans tout son jour. Qu'est-ce, à côté de cette sublime réalité, que les sophismes antiques et modernes de Platon ou de J.-J. Rousseau argumentant contre l'éternelle sagesse, et plaçant l'homme sauvage au-dessus de l'homme civilisé? Comment tout homme doué de raisonnement n'a-t-il pas conclu, au premier coup d'œil, qu'il n'y a rien au-dessus de ces deux pouvoirs, inégaux dans leur origine, égaux dans leurs effets, qu'on appelle commandement et obéissance, et que le phénomène qui en résulte, le gouvernement politique, est le chef-d'œuvre de l'humanité? Sans gouvernement point de peuple, sans gouvernement point de volonté, sans volonté point d'action! Le néant partout! L'anarchie est la constitution de la mort! Un gouvernement est donc le premier cri et le dernier cri de l'homme! Malheur à qui ne le voit pas! Le plus grand titre d'Aristote est de l'avoir senti. C'est une gloire pour un homme quelconque de l'avoir conclu, et d'avoir sacrifié, soit comme soldat, soit comme magistrat, soit comme philosophe, une partie de lui-même à cette nécessité de tous ses semblables! Si les sophismes de Platon ou de Rousseau pouvaient être adoptés par la majorité des mortels, la terre entière ne serait pas assez grande pour emprisonner l'humanité folle dans un *Bedlam* universel! Quand l'homme le plus criminel paraîtra après sa mort au jugement de son créateur, et que Dieu l'interrogera sur ses doctrines politiques, s'il peut lui répondre: «J'ai fait tous les crimes, mais j'ai contribué à préserver le gouvernement en me sacrifiant,» Dieu pourra lui pardonner, car ce criminel n'aura pas péché contre le Saint-Esprit!

XVIII.

Aristote démontre la nécessité de l'association par la nature. «L'homme ne peut se perpétuer, sur ce globe, sans l'union des sexes, car c'est un désir naturel que de vouloir laisser après soi un être fait à son image. La femme est plus faible, donc elle doit être subordonnée. La nature a donc déterminé la condition spéciale de la femme et de l'esclave. Ces deux premières associations de l'époux et de la femme, du maître et de l'esclave, sont donc les bases de la famille. Hésiode l'a fort bien dit dans ce vers:

La maison, puis la femme et le bœuf laboureur;

car le pauvre n'a pas d'autre esclave que le bœuf. Manger à la même table, se chauffer au même foyer, c'est la famille! Plusieurs familles s'associent, c'est le village; ils ont sucé le même lait, ce sont les enfants et les enfants des enfants; le plus âgé est le roi. L'association des villages forme l'État, la nation. Ainsi l'État vient toujours de la nature. De là cette conclusion évidente: que celui qui se refuse aux lois naturelles de l'association est un être dégradé.

«On ne peut douter que l'État ne soit naturellement au-dessus de la famille et de chaque individu; car le tout l'emporte nécessairement sur la partie, puisque, le tout une fois détruit, il n'y a plus de partie, plus de pieds, plus de mains, si ce n'est par une pure analogie de mots, comme on dit une main de pierre; car la main, séparée du corps, est tout aussi peu une main réelle. Les choses se définissent en général par les actes qu'elles accomplissent et ceux qu'elles peuvent accomplir; dès que leur aptitude antérieure vient à cesser, on ne peut plus dire qu'elles sont les mêmes: elles sont seulement comprises sous un même nom.

«Ce qui prouve bien la nécessité naturelle de l'État et sa supériorité sur l'individu, c'est que, si on ne l'admet pas, l'individu peut alors se suffire à lui-même dans l'isolement du tout, ainsi que du reste des parties; or, celui qui ne peut vivre en société, et dont l'indépendance n'a pas de besoins, celui-là ne saurait jamais être membre de l'État. C'est une brute ou un dieu.

«La nature pousse donc instinctivement tous les hommes à l'association politique. Le premier qui l'institua rendit un immense service; car, si l'homme, parvenu à toute sa perfection, est le premier des animaux, il en est aussi le dernier quand il vit sans loi et sans justice. Il n'est rien de plus monstrueux, en effet, que l'injustice armée. Mais l'homme a reçu de la nature les armes de la sagesse et de la vertu, qu'il doit surtout employer contre ses passions mauvaises. Sans la vertu, c'est l'être le plus pervers et le plus féroce; il n'a que les emportements brutaux de l'amour et de la faim. La justice est une nécessité sociale car le droit est la règle de l'association politique, et la dérision du juste est ce qui constitue le droit.»

XIX.

Ici il tombe, pour la seule fois, de sa logique dans le sophisme d'habitude du paganisme et même du christianisme, la justification de l'esclavage, instrument, dit-il, donné par la nature pour faciliter au maître l'usage de la propriété. «La nature, dit-il, a fait la propriété nécessaire: donc elle a nécessairement créé l'espèce d'homme nécessaire à la culture de cette propriété.» C'est encore l'argumentation des blancs possesseurs des noirs dans nos colonies, et il a fallu une révolution pour saper ce faux raisonnement.

Il cherche à relever le sophisme par la raison, mais il ne peut, malgré son génie, prévaloir sur l'égalité divine.

«On peut évidemment, dit-il, élever cette discussion avec quelque raison, et soutenir qu'il y a des esclaves et des hommes libres par le fait de la nature; on peut soutenir que cette distinction subsiste bien réellement toutes les fois qu'il est utile pour l'un de servir en esclave, pour l'autre de régner en maître;

on peut soutenir enfin qu'elle est juste et que chacun doit, suivant le vœu de la nature, exercer ou subir le pouvoir. Par suite, l'autorité du maître sur l'esclave est également juste et utile; ce qui n'empêche pas que l'abus de cette autorité ne puisse être funeste à tous les deux. L'intérêt de la partie est celui du tout; l'intérêt du corps est celui de l'âme; l'esclave est une partie du maître; c'est comme une partie de son corps, vivante, bien que séparée. Aussi, entre le maître et l'esclave, quand c'est la nature qui les a faits tous deux, il existe un intérêt commun, une bienveillance réciproque; il en est tout différemment quand c'est la loi et la force seule qui les ont faits l'un et l'autre.»

XX.

Les chapitres suivants traitent de l'économie domestique et politique à peu près suivant les mêmes principes que les économistes d'aujourd'hui. Le premier de ces principes est le commerce: la terre, l'exploitation des bois, des mines, les métiers admirablement définis et analysés, la spéculation sur les grains qui avait enrichi Thalès de Milet.

Il définit plus loin les trois genres d'autorité du père de famille sur les esclaves, la femme et les enfants, et sur la nature des vertus nécessaires à tous.

«Cette relation s'étend évidemment au reste des êtres; et, dans le plus grand nombre, la nature a établi le commandement et l'obéissance. Ainsi l'homme libre commande à l'esclave tout autrement que l'époux à la femme et le père à l'enfant; et pourtant les éléments essentiels de l'âme existent dans tous ces êtres, mais ils y sont à des degrés bien divers. L'esclave est absolument privé de volonté, la femme en a une, mais en sous-ordre; l'enfant n'en a qu'une incomplète.

«Il en est nécessairement de même des vertus morales. On doit les supposer dans tous ces êtres, mais à des degrés différents, et seulement dans la proportion indispensable à la destination de chacun d'eux. L'être qui commande doit avoir la vertu morale dans toute sa perfection; sa tâche est absolument celle de l'architecte qui ordonne, et l'architecte, ici, c'est la raison. Quant aux autres, ils ne doivent avoir de vertus que suivant les fonctions qu'ils ont à remplir.

«Reconnaissons donc que tous les individus dont nous venons de parler ont leur part de vertu morale, mais que la sagesse de l'homme n'est pas celle de la femme, que son courage, son équité, ne sont pas les mêmes, comme le pensait Socrate, et que la force de l'un est toute de commandement, celle de l'autre, toute de soumission. Et j'en dis autant de toutes leurs autres vertus; car ceci est encore bien plus vrai, quand on se donne la peine d'examiner les choses en détail. C'est se faire illusion à soi-même que de dire, en se bornant à des généralités, que «da vertu est une bonne disposition de l'âme», et la pratique de la sagesse, ou de répéter telle autre explication tout aussi vague. À de pareilles définitions, je préfère beaucoup la méthode de ceux qui, comme Gorgias, se sont occupés de faire le dénombrement de toutes les vertus. Ainsi, en résumé, ce que dit le poëte d'une des qualités féminines:

Un modeste silence est l'honneur de la femme,

est également juste de toutes les autres; cette réserve ne siérait pas à un homme.

«L'enfant étant un être incomplet, il s'ensuit évidemment que la vertu ne lui appartient pas véritablement, mais qu'elle doit être rapportée à l'être accompli qui le dirige. Le rapport est le même du maître à l'esclave. Nous avons établi que l'utilité de l'esclave s'appliquait aux besoins de l'existence; la vertu ne lui sera donc nécessaire que dans une proportion fort étroite, il n'en aura que ce qu'il en faut pour ne point négliger ses travaux par intempérance ou paresse.

«Ceci étant admis, pourra-t-on dire: Les ouvriers aussi devront donc avoir de la vertu, puisque souvent l'intempérance les détourne de leurs travaux? Mais n'y a-t-il point ici une énorme différence? L'esclave partage notre vie; l'ouvrier, au contraire, vit loin de nous et ne doit avoir de vertu qu'autant précisément qu'il a d'esclavage; car le labeur de l'ouvrier est en quelque sorte un esclavage limité. La nature fait l'esclave; elle ne fait pas le cordonnier ou tel autre ouvrier.

«Il faut donc avouer que le maître doit être pour l'esclave l'origine de la vertu qui lui est spéciale, bien qu'il n'ait pas, en tant que maître, à lui communiquer l'apprentissage de ses travaux. Aussi est-ce bien à tort que quelques personnes refusent toute raison aux esclaves et ne veulent jamais leur donner que des ordres; il faut au contraire les reprendre avec plus d'indulgence encore que les enfants. Du reste, je m'arrête ici sur ce sujet.

«Quant à ce qui concerne l'époux et la femme, le père et les enfants, et la vertu particulière de chacun d'eux, les relations qui les unissent, leur conduite bonne ou blâmable, et tous les actes qu'ils doivent rechercher comme louables ou fuir comme répréhensibles, ce sont là des objets dont il faut nécessairement s'occuper dans les études politiques.

«En effet, tous ces individus tiennent à la famille, aussi bien que la famille tient à l'État; or la vertu des parties doit se rapporter à celle de l'ensemble; il faut donc que l'éducation des enfants et des femmes soit en harmonie avec l'organisation politique, s'il importe réellement que les enfants et les femmes soient bien réglés pour que l'État le soit comme eux. Or c'est là nécessairement un objet de grande importance; car les femmes composent la moitié des personnes libres, et ce sont les enfants qui formeront un jour les membres de l'État.»

XXI.

Voici ce qu'il pense de la communauté des biens et des femmes, promulguée par Socrate et Platon. Voyez combien de bon sens!

«Fausse égalité! fausse unité! destruction de l'égalité et de l'unité véritables! Car, si la communauté des femmes, des biens, des enfants paraît à Socrate plus utile pour l'ordre des laboureurs que pour celui des guerriers, gardiens de l'État, c'est qu'elle détruira tout accord dans cette classe, qui ne doit songer qu'à obéir et non à tenter des révolutions.

«En général, cette loi de communauté produira nécessairement des effets tout opposés à ceux que des lois bien faites doivent amener, et précisément par le motif qui inspire à Socrate ses théories sur les femmes et les enfants. À nos yeux, le bien suprême de l'État, c'est l'union de ses membres, parce qu'elle prévient toute dissension civile; et Socrate aussi ne se fait pas faute de vanter l'unité de l'État, qui nous semble, et lui-même l'avoue, n'être que le résultat de l'union des citoyens entre eux. Aristophane, dans sa discussion sur l'amour, dit précisément que la passion, quand elle est violente, nous donne le désir de fondre notre existence dans celle de l'objet aimé, et de ne faire qu'un seul et même être avec lui.

«Or ici il faut de toute nécessité que les deux individualités, ou du moins que l'une des deux disparaisse; dans l'État au contraire, où cette communauté prévaudra, elle éteindra toute bienveillance réciproque; le fils n'y pensera pas le moins du monde à chercher son père, ni le père à chercher son fils. Ainsi que la douce saveur de quelques gouttes de miel disparaît dans une vaste quantité d'eau, de même l'affection que font naître ces noms si chers se perdra dans un État où il sera complétement inutile que le fils songe au père, le père au fils, et les enfants à leurs frères. L'homme a deux grands mobiles de sollicitude et d'amour, c'est la propriété et les affections; or il n'y a place ni pour l'un ni pour l'autre de ces sentiments dans la République de Platon. Cet échange des enfants passant, aussitôt après leur naissance, des mains des laboureurs et des artisans leurs pères entre celles des guerriers, et réciproquement, présente encore bien des embarras dans l'exécution. Ceux qui les porteront des uns aux autres sauront, à n'en pas douter, quels enfants ils donnent et à qui ils les donnent. C'est surtout ici que se reproduiront les graves inconvénients dont j'ai parlé plus haut: ces outrages, ces amours criminels, ces meurtres dont les liens de parenté ne sauraient plus garantir, puisque les enfants passés dans les autres classes de citoyens ne connaîtront plus, parmi les guerriers, ni de pères, ni de mères, ni de frères, et que les enfants entrés dans la classe des guerriers seront de même dégagés de tout lien envers le reste de la cité.

«Mais je m'arrête ici en ce qui concerne la communauté des femmes et des enfants.

«À ce premier inconvénient, la communauté des biens en joint encore d'autres non moins grands. Je lui préfère de beaucoup le système actuel complété par les mœurs publiques, et appuyé sur de bonnes lois. Il réunit les avantages des deux autres, je veux dire, de la communauté et de la possession exclusive. Alors la propriété devient commune en quelque sorte, tout en restant particulière; les exploitations, étant toutes séparées, ne donneront pas naissance à des querelles; elles prospéreront davantage, parce que chacun s'y attachera comme à un intérêt personnel, et la vertu des citoyens en réglera l'emploi, selon le proverbe: Entre amis tout est commun.

«Aujourd'hui même on retrouve dans quelques cités des traces de ce système, qui prouvent bien qu'il n'est pas impossible; et, surtout dans les États bien organisés, où il existe en partie, où il pourrait être aisément complété. Les citoyens, tout en y possédant personnellement, abandonnent à leurs amis ou leur empruntent l'usage commun de certains objets. Ainsi, à Lacédémone, chacun emploie les esclaves, les chevaux et les chiens d'autrui, comme s'ils lui appartenaient en propre; et cette communauté s'étend jusque sur les provisions de voyage, quand on est surpris aux champs par le besoin.

«Il est donc évidemment préférable que la propriété soit particulière et que l'usage seul la rende commune. Amener les esprits à ce point de bienveillance regarde spécialement le législateur.

«Du reste, on ne saurait dire tout ce qu'a de délicieux l'idée et le sentiment de la propriété. L'amour de soi, que chacun de nous possède, n'est point un sentiment répréhensible; c'est un sentiment tout à fait naturel; ce qui n'empêche pas qu'on blâme à bon droit l'égoïsme, qui n'est plus ce sentiment lui-même et qui n'en est qu'un coupable excès; comme on blâme l'avarice, quoiqu'il soit naturel, on peut dire, à tous les hommes d'aimer l'argent. C'est un grand charme que d'obliger et de secourir des amis, des hôtes, des compagnons; et ce n'est que la propriété individuelle qui nous assure ce bonheur-là.

«On le détruit, quand on prétend établir cette unité excessive de l'État, de même qu'on enlève encore à deux autres vertus toute occasion de s'exercer: d'abord à la continence, car c'est une vertu que de respecter par sagesse la femme d'autrui; et en second lieu, à la générosité, qui ne va qu'avec la propriété; car, dans cette république, le citoyen ne peut jamais se montrer libéral, ni faire aucun acte de générosité, puisque cette vertu ne peut naître que de l'emploi de ce qu'on possède.

«Le système de Platon a, je l'avoue, une apparence tout à fait séduisante de philanthropie; au premier aspect, il charme par la merveilleuse réciprocité de bienveillance qu'il semble devoir inspirer à tous les citoyens, surtout quand on entend faire le procès aux vices des constitutions actuelles, et les attribuer tous à ce que la propriété n'est pas commune: par exemple, les procès que font naître les contrats, les condamnations pour faux témoignages, les vils empressements auprès des gens riches; toutes choses qui tiennent, non point à la possession individuelle des biens, mais à la perversité des hommes.

«Et, en effet, ne voit-on pas les associés et les propriétaires communs bien plus souvent en procès entre eux que les possesseurs de biens personnels? et encore, le nombre de ceux qui peuvent avoir de ces querelles dans les associations est-il bien faible comparativement à celui des possesseurs de propriétés particulières. D'un autre côté, il serait juste d'énumérer, non pas seulement les maux, mais aussi les avantages que la communauté détruit; avec elle, l'existence me paraît tout à fait impraticable. L'erreur de Socrate vient de la fausseté du principe d'où il part. Sans doute l'État et la famille doivent avoir une sorte d'unité, mais non point une unité absolue. Avec cette unité poussée à un certain point, l'État n'existe plus; ou, s'il existe, sa situation est déplorable; car il est toujours à la veille de ne plus être. Autant vaudrait prétendre faire un accord avec un seul son, un rhythme avec une seule mesure.

«C'est par l'éducation qu'il convient de ramener à la communauté et à l'unité l'État qui est multiple, comme je l'ai déjà dit; et je m'étonne qu'en prétendant introduire l'éducation, et, par elle, le bonheur dans l'État, on s'imagine pouvoir le régler par de tels moyens, plutôt que par les mœurs, la philosophie et les lois. On pouvait voir qu'à Lacédémone et en Crète le législateur a eu la sagesse de fonder la communauté des biens sur l'usage des repas publics.

«On ne peut refuser non plus de tenir compte de cette longue suite de temps et d'années, où, certes, un tel système, s'il était bon, ne serait pas resté inconnu. En ce genre, tout, on peut le dire, a été imaginé; mais telles idées n'ont pas pu prendre, et telles autres ne sont pas mises en usage, bien qu'on les connaisse.

«Ce que nous disons de la République de Platon serait encore bien autrement évident si l'on voyait un gouvernement pareil exister en réalité. On ne pourrait d'abord l'établir qu'à cette condition, de partager et d'individualiser la propriété en en donnant une portion, ici aux repas communs, là à l'entretien des phratries et des tribus. Alors toute cette législation n'aboutirait qu'à interdire l'agriculture aux guerriers; et c'est précisément ce que de nos jours cherchent à faire les Lacédémoniens. Quant au gouvernement général de cette communauté, Socrate n'en dit mot, et il nous serait tout aussi difficile qu'à lui d'en dire davantage; et cependant la masse de la cité se composera de cette masse de citoyens pour lesquels on n'aura rien statué. Pour les laboureurs, par exemple, la propriété sera-t-elle particulière, ou sera-t-elle commune? leurs femmes et leurs enfants seront-ils ou ne seront-ils pas en commun?

«Si les règles de la communauté sont les mêmes pour tous, où sera la différence des laboureurs aux guerriers? où sera pour les premiers la compensation de l'obéissance qu'ils doivent aux autres? qui leur apprendra même à obéir? à moins qu'on n'emploie à leur égard l'expédient des Crétois, qui ne défendent que deux choses à leurs esclaves, se livrer à la gymnastique, et posséder des armes. Si tous ces points sont réglés ici comme ils le sont dans les autres États, que deviendra dès lors la communauté? On aura nécessairement constitué dans l'État deux États ennemis l'un de l'autre: car, des laboureurs et des artisans, on aura fait des citoyens; et, des guerriers, on aura fait des surveillants chargés de les garder perpétuellement.

«Quant aux dissensions, aux procès et aux autres vices que Socrate reproche aux sociétés actuelles, j'affirme qu'ils se retrouveront tous, sans exception, dans la sienne. Il soutient que, grâce à l'éducation, il ne faudra point dans sa République tous ces règlements sur la police, la tenue des marchés et autres matières aussi peu importantes; et cependant il ne donne d'éducation qu'à ses guerriers.

«D'un autre côté, il laisse aux laboureurs la propriété des terres, à la condition d'en livrer les produits; mais il est fort à craindre que ces propriétaires-là ne soient bien autrement indociles, bien autrement fiers que les hilotes, les pénestes ou tant d'autres esclaves.

«Socrate, au reste, n'a rien dit sur l'importance relative de toutes ces choses. Il n'a point parlé davantage de plusieurs autres qui leur tiennent de bien près, telles que le gouvernement, l'éducation et les lois spéciales à la classe des laboureurs: or il n'est ni plus facile ni moins important de savoir comment on l'organisera, pour que la communauté des guerriers puisse subsister à côté d'elle. Supposons que pour les laboureurs ait lieu la communauté des femmes avec la division des biens: qui sera chargé de l'administration, comme les maris le sont de l'agriculture? Qui en sera chargé, en admettant pour les laboureurs l'égale communauté des femmes et des biens?

«Certes, il est fort étrange d'aller ici chercher une comparaison parmi les animaux, pour soutenir que les fonctions des femmes doivent être absolument celles des maris, auxquels on interdit, du reste, toute occupation intérieure.

«L'établissement des autorités, tel que le propose Socrate, offre encore bien des dangers: il les veut perpétuelles; cela seul suffirait pour causer des guerres civiles, même chez des hommes peu jaloux de leur dignité, à plus forte raison parmi des gens belliqueux et pleins de cœur. Mais cette perpétuité est indispensable dans la théorie de Socrate: «Dieu verse l'or, non point tantôt dans l'âme des uns, tantôt dans l'âme des autres, mais toujours dans les mêmes âmes.» Ainsi Socrate soutient qu'au moment même de la naissance, Dieu mêle de l'or dans l'âme de ceux-ci; de l'argent, dans l'âme de ceux-là; de l'airain et du fer, dans l'âme de ceux qui doivent être artisans et laboureurs.

«Il a beau interdire tous plaisirs à ses guerriers, il n'en prétend pas moins que le devoir du législateur est de rendre heureux l'État tout entier; mais l'État tout entier ne saurait être heureux, quand la plupart ou quelques-uns de ses membres, sinon tous, sont privés de bonheur. C'est que le bonheur ne ressemble pas aux nombres pairs, dans lesquels la somme peut avoir telle propriété que n'a aucune des parties. En fait de bonheur, il en est tout autrement; et si les défenseurs mêmes de la cité ne sont pas heureux, qui donc pourra prétendre à l'être? Ce ne sont point apparemment les artisans, ni la masse des ouvriers attachés aux travaux mécaniques.

«Voilà quelques-uns des inconvénients de la république vantée par Socrate; j'en pourrais indiquer encore plus d'un autre non moins grave.»

XXII.

«Il ne faut pas oublier, quand on porte des lois semblables, un point négligé par Phaléas et Platon: c'est qu'en fixant ainsi la quotité des fortunes, il faut aussi fixer la quantité des enfants. Si le nombre des enfants n'est plus en rapport avec la propriété, il faudra bientôt enfreindre la loi; et même, sans en venir là, il est dangereux que tant de citoyens passent de l'aisance à la misère, parce que ce sera chose difficile, dans ce cas, qu'ils n'aient point le désir des révolutions.

«Cette influence de l'égalité des biens sur l'association politique a été comprise par quelques-uns des anciens législateurs; témoin Solon dans ses lois, témoin la loi qui interdit l'acquisition illimitée des terres. C'est d'après le même principe que certaines législations, comme celle de Locres, interdisent de vendre son bien, à moins de malheur parfaitement constaté, ou qu'elles prescrivent encore de maintenir les lots primitifs. L'abrogation d'une loi de ce genre, à Leucade, rendit la constitution complétement démocratique, parce que, dès lors, on parvint aux magistratures sans les conditions de cens autrefois exigées.

«Mais cette égalité même, si on la suppose établie, n'empêche pas que la limite légale des fortunes ne puisse être ou trop large, ce qui amènerait dans la cité le luxe et la mollesse; ou trop étroite, ce qui amènerait la gêne parmi les citoyens. Ainsi, il ne suffit pas au législateur d'avoir rendu les fortunes égales, il faut qu'il leur ait donné de justes proportions. Ce n'est même avoir encore rien fait que d'avoir trouvé cette mesure parfaite pour tous les citoyens; le point important, c'est de niveler les passions bien plutôt que les propriétés; et cette égalité-là ne résulte que de l'éducation réglée par de bonnes lois.

«Phaléas pourrait ici répondre que c'est là précisément ce qu'il a dit lui-même: car, à ses yeux, les bases de tout État sont l'égalité de fortune et l'égalité d'éducation. Mais cette éducation, que sera-t-elle? C'est là ce qu'il faut dire. Ce n'est rien que de l'avoir faite une et la même pour tous. Elle peut être parfaitement une et la même pour tous les citoyens, et être telle cependant qu'ils n'en sortent qu'avec une insatiable avidité de richesses ou d'honneurs, ou même avec ces deux passions à la fois.

«De plus, les révolutions naissent tout aussi bien de l'inégalité des honneurs que de l'inégalité des fortunes. Les prétendants seuls seraient ici différents. La foule se révolte de l'inégalité des fortunes, et les hommes supérieurs s'indignent de l'égale répartition des honneurs; c'est le mot du poëte:

> Quoi! le lâche et le brave être égaux en estime?

C'est que les hommes sont poussés au crime non pas seulement par le besoin du nécessaire, que Phaléas compte apaiser avec l'égalité des biens, excellent moyen, selon lui, d'empêcher qu'un homme n'en détrousse un autre pour ne pas mourir de faim ou de froid; ils y sont poussés encore par le besoin d'éteindre leurs désirs dans la jouissance. Si ces désirs sont désordonnés, les hommes auront recours au crime pour guérir le mal qui les tourmente; et j'ajoute même qu'ils s'y livreront non-seulement par cette raison, mais aussi par le simple motif, si leurs caprices les y portent, de n'être point troublés dans leurs jouissances.

«À ces trois maux, quel sera le remède? D'abord la propriété, quelque mince qu'elle soit, et l'habitude du travail, puis la tempérance; et, enfin, pour celui qui veut trouver le bonheur en lui-même, le remède ne sera point à chercher ailleurs que dans la philosophie: car les plaisirs autres que les siens ne peuvent se passer de l'intermédiaire des hommes. C'est le superflu et non le besoin qui fait commettre les grands crimes. On n'usurpe pas la tyrannie pour se garantir de l'intempérie de l'air; et, par le même motif, les grandes distinctions sont réservées non pas au meurtrier d'un voleur, mais au meurtrier d'un tyran. Ainsi l'expédient politique proposé par Phaléas n'offre de garantie que contre les crimes de peu d'importance.

«Phaléas a eu tort aussi d'appeler, d'une manière générale, égalité des fortunes, l'égale répartition des terres, à laquelle il se borne; car la fortune comprend encore les esclaves, les troupeaux, l'argent et toutes ces propriétés qu'on nomme mobilières. La loi d'égalité doit être étendue à tous ces objets;

ou, du moins, il faut les soumettre à certaines limites régulières, ou bien ne statuer absolument rien à l'égard de la propriété.

«Sa législation paraît, au reste, n'avoir en vue qu'un État peu étendu, puisque tous les artisans doivent y être la propriété de l'État, sans y former une classe accessoire de citoyens. Si les ouvriers chargés de tous les travaux appartiennent à l'État, il faut que ce soit aux conditions établies pour ceux d'Épidamne, ou pour ceux d'Athènes par Diophante.

«Ce que nous avons dit de la constitution de Phaléas suffit pour qu'on en juge les mérites et les défauts.

XXIII.

Aristote met en poudre dans les chapitres suivants tous les systèmes de communauté, tous les rêves de Socrate et de Platon, toutes les législations de Crète et de Sparte, celle même de Solon faisant régir les hommes par le hasard du sort; il examine ensuite ce qu'est devenu le citoyen. «C'est, dit-il, l'habitant susceptible d'être élevé au pouvoir civil.» Il passe de là à l'État lui-même et aux différentes formes de constitution: monarchie, oligarchie, aristocratie, démagogie. Il les analyse comme nous le faisons aujourd'hui, il étudie les principes d'après lesquels on doit donner la souveraineté à un, ou à plusieurs, ou à tous les citoyens. On voit qu'il n'est satisfait d'aucun. Écoutez-le ici:

De plus, comme l'égalité et l'inégalité complètes sont injustes entre des individus qui ne sont égaux ou inégaux entre eux que sur un seul point, tous les gouvernements où l'égalité et l'inégalité sont établies sur des bases de ce genre sont nécessairement corrompus. Nous avons dit aussi plus haut que tous les citoyens ont raison de se croire des droits, mais que tous ont tort de se croire des droits absolus: les riches, parce qu'ils possèdent une plus large part du territoire commun de la cité et qu'ils ont ordinairement plus de crédit dans les transactions commerciales; les nobles et les hommes libres, classes fort voisines l'une de l'autre, parce que la noblesse est plus réellement citoyenne que la roture, et que la noblesse est estimée chez tous les peuples; et de plus, parce que des descendants vertueux doivent, selon toute apparence, avoir de vertueux ancêtres; car la noblesse n'est qu'un mérite de race.

«Certes, la vertu peut, selon nous, élever la voix non moins justement; la vertu sociale, c'est la justice, et toutes les autres ne viennent nécessairement que comme des conséquences après elle. Enfin la majorité aussi a des prétentions qu'elle peut opposer à celles de la minorité; car la majorité, prise dans son ensemble, est plus puissante, plus riche et meilleure que le petit nombre.

«Supposons donc la réunion, dans un seul État, d'individus distingués, nobles, riches, d'une part; et, de l'autre, d'une multitude à qui l'on peut accorder des droits politiques: pourra-t-on dire sans hésitation à qui doit appartenir la souveraineté? ou le doute sera-t-il encore possible? Dans chacune des constitutions que nous avons énumérées plus haut, la question de savoir qui doit commander n'en peut faire une, puisque leur différence repose précisément sur celle du souverain. Ici la souveraineté est aux riches; là, aux citoyens distingués; et ainsi du reste. Voyons cependant ce que l'on doit faire quand toutes ces conditions diverses se rencontrent simultanément dans la cité.

«En supposant que la minorité des gens de bien soit extrêmement faible, comment pourra-t-on statuer à son égard? Regardera-t-on si, toute faible qu'elle est, elle peut suffire cependant à gouverner l'État, ou même à former par elle seule une cité complète? Mais alors se présente une objection qui est également juste contre tous les prétendants au pouvoir politique, et qui semble renverser toutes les raisons de ceux qui réclament l'autorité comme un droit de leur fortune, aussi bien que de ceux qui la réclament comme un droit de leur naissance. En adoptant le principe qu'ils allèguent pour eux-mêmes, la prétendue souveraineté devrait évidemment passer à l'individu qui serait à lui seul plus riche que tous les autres ensemble; et, de même, le plus noble par sa naissance l'emporterait sur tous ceux qui ne font valoir que leur liberté.

«Même objection toute pareille contre l'aristocratie, qui se fonde sur la vertu; car, si tel citoyen est supérieur en vertu à tous les membres du gouvernement, gens eux-mêmes fort estimables, le même principe lui confère la souveraineté. Même objection encore contre la souveraineté de la multitude, fondée sur la supériorité de sa force relativement à la minorité; car, si un individu par hasard ou quelques individus, moins nombreux toutefois que la majorité, sont plus forts qu'elle, la souveraineté leur appartiendra de préférence plutôt qu'à la foule.

«Tout ceci semble démontrer clairement qu'il n'y a de complète justice dans aucune des prérogatives, au nom desquelles chacun réclame le pouvoir pour soi et l'asservissement pour les autres. Aux prétentions de ceux qui revendiquent l'autorité pour leur mérite ou pour leur fortune, la multitude pourrait opposer d'excellentes raisons. Rien n'empêche, en effet, qu'elle ne soit plus riche et plus vertueuse que la minorité, non point individuellement, mais en masse. Ceci même répond à une objection que l'on met en avant et qu'on répète souvent comme fort grave: on demande si, dans le cas que nous avons supposé, le législateur qui veut établir des lois parfaitement justes doit avoir en vue l'intérêt de la multitude ou celui des citoyens distingués. La justice ici, c'est l'égalité; et cette égalité de la justice se rapporte autant à l'intérêt général de l'État qu'à l'intérêt individuel des citoyens. Or le citoyen en général est l'individu qui a part à l'autorité et à l'obéissance publiques, la condition du citoyen étant d'ailleurs variable suivant la constitution; et, dans la république parfaite, c'est l'individu qui peut et qui veut librement obéir et gouverner tour à tour, suivant les préceptes de la vertu.

«Si dans l'État un individu, ou même plusieurs individus, trop peu nombreux toutefois pour former entre eux seuls une cité entière, ont une telle supériorité de mérite que le mérite de tous les autres citoyens ne puisse entrer en balance, et que l'influence politique de cet individu unique, ou de ces individus, soit incomparablement plus forte, de tels hommes ne peuvent être compris dans la cité. Ce sera leur faire injure que de les réduire à l'égalité commune, quand leur mérite et leur importance politiques les mettent si complétement hors de comparaison; de tels personnages sont, on peut dire, des dieux parmi les hommes.

«Nouvelle preuve que la législation ne doit nécessairement concerner que des individus égaux par leur naissance et par leurs facultés. Mais la loi n'est point faite pour ces êtres supérieurs; ils sont eux-mêmes la loi. Il serait ridicule de tenter de les soumettre à la constitution; car ils pourraient répondre ce que, suivant Antisthène, les lions répondirent au décret rendu par l'assemblée des lièvres sur l'égalité générale des animaux. Voilà aussi l'origine de l'ostracisme dans les États démocratiques, qui, plus que tous les autres, se montrent jaloux de l'égalité. Dès qu'un citoyen semblait s'élever au-dessus de tous les autres par sa richesse, par la foule de ses partisans, ou par tout autre avantage politique, l'ostracisme venait le frapper d'un exil plus ou moins long.

«Dans la mythologie, les Argonautes n'ont point d'autre motif pour abandonner Hercule; Argo déclare qu'elle ne veut pas le porter, parce qu'il est beaucoup plus pesant que le reste de ses compagnons. Aussi a-t-on bien tort de blâmer d'une manière absolue la tyrannie et le conseil que Périandre donnait à Thrasybule: pour toute réponse à l'envoyé qui venait lui demander conseil, il se contenta de niveler une certaine quantité d'épis, en cassant ceux qui dépassaient les autres. Le messager ne comprit rien au motif de cette action; mais Thrasybule, quand on l'en informa, entendit fort bien qu'il devait se défaire des citoyens puissants.

«Cet expédient n'est pas utile seulement aux tyrans; aussi ne sont-ils pas les seuls à en user. On l'emploie avec un égal succès dans les oligarchies et dans les démocraties. L'ostracisme y produit à peu près les mêmes résultats, en arrêtant par l'exil la puissance des personnages qu'il frappe. Quand on est en mesure de le pouvoir, on applique ce principe politique à des États, à des peuples entiers. On peut voir la conduite des Athéniens à l'égard des Samiens, des Chiotes et des Lesbiens. À peine leur puissance fut-elle affermie, qu'ils eurent soin d'affaiblir leurs sujets, en dépit de tous les traités; et le roi des

Perses a plus d'une fois châtié les Mèdes, les Babyloniens et d'autres peuples, tout fiers encore des souvenirs de leur antique domination.

«Cette question intéresse tous les gouvernements sans exception, même les bons. Les gouvernements corrompus emploient ces moyens-là dans un intérêt particulier; mais on ne les emploie pas moins dans les gouvernements d'intérêt général. On peut éclaircir ce raisonnement par une comparaison empruntée aux autres sciences, aux autres arts. Le peintre ne laissera point dans son tableau un pied qui dépasserait les proportions des autres parties de la figure, ce pied fût-il beaucoup plus beau que le reste; le charpentier de marine ne recevra pas davantage une proue, ou telle autre pièce du bâtiment, si elle est disproportionnée; et le choriste en chef n'admettra point, dans un concert, une voix plus forte et plus belle que toutes celles qui forment le reste du chœur.

«Rien n'empêche donc les monarques de se trouver en ceci d'accord avec les États qu'ils régissent, si de fait ils ne recourent à cet expédient que quand la conservation de leur propre pouvoir est dans l'intérêt de l'État.

«Ainsi les principes de l'ostracisme appliqué aux supériorités bien reconnues ne sont pas dénués de toute équité politique. Il est certainement préférable que la cité, grâce aux institutions primitives du législateur, puisse se passer de ce remède; mais, si le législateur reçoit de seconde main le gouvernail de l'État, il peut, dans le besoin, recourir à ce moyen de réforme. Ce n'est point ainsi, du reste, qu'on l'a jusqu'à présent employé: on n'a point considéré le moins du monde dans l'ostracisme l'intérêt véritable de la république, et l'on en a fait une simple affaire de faction.

«Pour les gouvernements corrompus, l'ostracisme en servant un intérêt particulier est aussi par cela même évidemment juste; mais il est tout aussi évident qu'il n'est point d'une justice absolue.

«Dans la cité parfaite, la question est bien autrement difficile. La supériorité sur tout autre point que le mérite, richesse ou influence, ne peut causer d'embarras; mais que faire contre la supériorité de mérite? Certes, on ne dira pas qu'il faut bannir ou chasser le citoyen qu'elle distingue. On ne prétendra pas davantage qu'il faut le réduire à l'obéissance; car prétendre au partage du pouvoir, ce serait donner un maître à Jupiter lui-même. Le seul parti que naturellement tous les citoyens semblent devoir adopter, est de se soumettre de leur plein gré à ce grand homme, et de le prendre pour roi durant sa vie entière.»

XXIV.

Il conclut ici que la royauté ne peut être reconnue à moins que l'individu couronné ne soit évidemment supérieur en talent et en vertu à tous les autres.

La république ou l'État parfait doit participer du pouvoir absolu par la vigueur de l'autorité, du pouvoir oligarchique par la sagesse des conseils. Il est cependant très-évident que sa qualité natale de sujet d'un roi comme Philippe, et de précepteur d'un héros-roi comme Alexandre, font garder à Aristote des ménagements discrets pour la royauté. De là sa perte.

Le philosophe parfait se retrouve dans des considérations merveilleusement sagaces sur l'éducation générale des citoyens:

«L'association politique étant toujours composée de chefs et de subordonnés, je demande si l'autorité et l'obéissance doivent être alternatives ou viagères. Il est clair que le système de l'éducation devra se rapporter à ces grandes divisions des citoyens entre eux. Si quelques hommes l'emportaient sur les autres hommes autant que, selon la croyance commune, les dieux et les héros peuvent différer des mortels, à l'égard du corps qu'un seul coup d'œil suffit pour juger, et même à l'égard de l'âme, de telle sorte que la supériorité des chefs fût aussi incontestable et aussi évidente pour les sujets, nul doute qu'il ne fallût préférer la perpétuité de l'obéissance pour les uns, et du pouvoir pour les autres.

«Mais ces dissemblances sont choses fort difficiles à constater; et il n'en est point du tout ici comme pour ces rois de l'Inde qui, selon Scylax, l'emportent si complétement sur les sujets qui leur obéissent. Il est donc évident que, par bien des motifs, l'alternative de l'autorité et de la soumission doit nécessairement être commune à tous les citoyens. L'égalité est l'identité d'attributions entre des êtres semblables, et l'État ne saurait vivre contre les lois de l'équité: les factieux que le pays renferme toujours trouveraient de constants appuis dans les sujets mécontents, et les membres du gouvernement ne sauraient jamais être assez nombreux pour résister à tant d'ennemis réunis.

«Cependant il est incontestable qu'il doit y avoir une différence entre les chefs et les subordonnés. Quelle sera cette différence, et quelle sera la répartition du pouvoir? Telles sont les questions que doit résoudre le législateur. Nous l'avons déjà dit: c'est la nature elle-même qui a tracé la ligne de démarcation, en créant dans une espèce identique les classes des jeunes et des vieux, les uns destinés à obéir, les autres capables de commander. Une autorité conférée par l'âge ne peut irriter la jalousie, ni enfler la vanité de personne, surtout lorsque chacun est assuré d'obtenir avec les années la même prérogative.

«Ainsi l'autorité et l'obéissance doivent être à la fois perpétuelles et alternatives; et, par suite, l'éducation doit être à la fois pareille et diverse; puisque, de l'aveu de tout le monde, l'obéissance est la véritable école du commandement.»

XXV.

On regrette de trouver ici la recommandation platonique de l'abandon des enfants difformes; loi humaine en opposition à la loi divine. Alexandre eût été abandonné, car il était difforme d'une épaule.

«On a coutume de donner le nom de république aux gouvernements qui inclinent à la démocratie, et celui d'aristocratie aux gouvernements qui inclinent à l'oligarchie; c'est que le plus ordinairement les lumières et la noblesse sont le partage des riches; ils sont comblés en outre de ces avantages que d'autres achètent si souvent par le crime, et qui assurent à leurs possesseurs un renom de vertu et une haute considération.

«Comme le système aristocratique a pour but de donner la suprématie politique à ces citoyens éminents, on a prétendu, par suite, que les oligarchies se composent en majorité d'hommes vertueux et estimables. Or il semble impossible qu'un gouvernement dirigé par les meilleurs citoyens ne soit pas un excellent gouvernement, un mauvais gouvernement ne devant peser que sur les États régis par des hommes corrompus. Et, réciproquement, il semble impossible que, là où l'administration n'est pas bonne, l'État soit gouverné par les meilleurs citoyens. Mais il faut remarquer que de bonnes lois ne constituent pas à elles seules un bon gouvernement, et qu'il importe surtout que ces bonnes lois soient observées. Il n'y a donc de bon gouvernement d'abord que celui où l'on obéit à la loi, ensuite que celui où la loi à laquelle on obéit est fondée sur la raison; car on pourrait aussi obéir à des lois déraisonnables. L'excellence de la loi peut du reste s'entendre de deux façons: la loi est, ou la meilleure possible relativement aux circonstances, ou la meilleure possible d'une manière générale et absolue.

«Le principe essentiel de l'aristocratie paraît être d'attribuer la prédominance politique à la vertu; car le caractère spécial de l'aristocratie, c'est la vertu, comme la richesse est celui de l'oligarchie, et la liberté, celui de la démocratie. Toutes trois admettent d'ailleurs la suprématie de la majorité, puisque, dans les unes comme dans les autres, la décision prononcée par le plus grand nombre des membres du corps politique a toujours force de loi. Si la plupart des gouvernements prennent le nom de république, c'est qu'ils cherchent presque tous uniquement à combiner les droits des riches et des pauvres, de la fortune et de la liberté; et la richesse semble presque partout tenir lieu de mérite et de vertu.

«Trois éléments dans l'État se disputent l'égalité: ce sont la liberté, la richesse et le mérite. Je ne parle pas d'un quatrième qu'on appelle la noblesse; car il n'est qu'une conséquence de deux autres, et la noblesse n'est qu'une ancienneté de richesse et de talent. Or la combinaison des deux premiers éléments donne évidemment la république, et la combinaison de tous les trois donne l'aristocratie plutôt que toute autre forme. Je classe toujours à part la véritable aristocratie dont j'ai d'abord parlé.

«Ainsi nous avons démontré qu'à côté de la monarchie, de la démocratie et de l'oligarchie, il existe encore d'autres systèmes politiques. Nous avons expliqué la nature de ces systèmes, les différences des aristocraties entre elles, et les différences des républiques aux aristocraties; enfin l'on doit voir que toutes ces formes sont moins éloignées qu'on ne pourrait le croire les unes des autres.»

XXV.

«Tout considéré, la fortune moyenne est la meilleure base du gouvernement. L'indiscipline corrompt les riches, l'indigence asservit le caractère des pauvres.

«Il est évident que l'association politique est surtout la meilleure quand elle est formée par des citoyens de fortune moyenne; les États bien administrés sont ceux où la classe moyenne est plus nombreuse et plus puissante que les deux autres réunies, ou du moins que chacune d'elles séparément. En se rangeant de l'un ou de l'autre côté, elle rétablit l'équilibre et empêche qu'aucune prépondérance excessive ne se forme. C'est donc un grand bonheur que les citoyens aient une fortune modeste, mais suffisant à tous leurs besoins. Partout où la fortune extrême est à côté de l'extrême indigence, ces deux excès amènent ou la démagogie absolue, ou l'oligarchie pure, ou la tyrannie; la tyrannie sort du sein d'une démagogie effrénée, ou d'une oligarchie extrême, bien plus souvent que du sein des classes moyennes, et des classes voisines de celles-là. Plus tard, nous dirons pourquoi, quand nous parlerons des révolutions.

«Un autre avantage non moins évident de la moyenne propriété, c'est qu'elle est la seule qui ne s'insurge jamais. Là où les fortunes aisées sont nombreuses, il y a bien moins de mouvements et de dissensions révolutionnaires. Les grandes cités ne doivent leur tranquillité qu'à la présence des fortunes moyennes, qui y sont si nombreuses. Dans les petites, au contraire, la masse entière se divise très-facilement en deux camps sans aucun intermédiaire, parce que tous, on peut dire, y sont ou pauvres ou riches. C'est aussi la moyenne propriété qui rend les démocraties plus tranquilles et plus durables que les oligarchies, où elle est moins répandue, et a moins de part au pouvoir politique, parce que, le nombre des pauvres venant à s'accroître, sans que celui des fortunes moyennes s'accroisse proportionnellement, l'État se corrompt et arrive rapidement à sa ruine.

«Il faut ajouter encore, comme une sorte de preuve à l'appui de ces principes, que les bons législateurs sont sortis de la classe moyenne. Solon en faisait partie, ainsi que ses vers l'attestent; Lycurgue appartenait à cette classe, car il n'était pas roi; Charondas et tant d'autres y étaient également nés.

«Ceci doit également nous faire comprendre pourquoi la plupart des gouvernements sont ou démagogiques ou oligarchiques; c'est que, la moyenne propriété y étant le plus souvent fort rare, et tous ceux qui y dominent, que ce soient d'ailleurs les riches ou les pauvres, étant toujours également éloignés du moyen terme, ils ne s'emparent du pouvoir que pour eux seuls, et constituent ou l'oligarchie ou la démagogie.

«En outre, les séditions et les luttes étant fréquentes entre les pauvres et les riches, jamais le pouvoir, quel que soit le parti qui triomphe de ses ennemis, ne repose sur l'égalité et sur des droits communs. Comme il n'est que le prix du combat, le vainqueur qui le saisit en fait nécessairement un des deux gouvernements extrêmes, démocratie ou oligarchie. C'est ainsi que les peuples mêmes qui tour à tour ont eu la haute direction des affaires de la Grèce, n'ont regardé qu'à leur propre constitution pour faire prédominer dans les États soumis à leur puissance, tantôt l'oligarchie, tantôt la démocratie, inquiets seulement de leurs intérêts particuliers, et pas le moins du monde des intérêts de leurs tributaires.

«Aussi n'en a-t-on jamais vu entre ces extrêmes de vraie république, ou du moins, en a-t-on vu rarement et pour bien peu de temps. Il ne s'est rencontré qu'un seul homme, parmi tous ceux qui jadis arrivèrent au pouvoir, qui ait établi une constitution de ce genre; et dès longtemps les hommes politiques ont renoncé dans les États à chercher l'égalité. Ou bien l'on tâche de s'emparer du pouvoir; ou bien l'on se résigne à l'obéissance quand on n'est pas le plus fort.

«Ces considérations suffisent pour montrer quel est le meilleur gouvernement, et ce qui en fait l'excellence.

«Quant aux autres constitutions, qui sont les diverses formes de démocraties et d'oligarchies admises par nous, il est facile de voir dans quel ordre on doit les classer, celle-ci la première, celle-là la seconde; et ainsi de suite, selon qu'elles sont meilleures ou moins bonnes, comparativement au type parfait que nous avons donné. Nécessairement elles seront d'autant meilleures qu'elles se rapprocheront davantage du moyen terme, d'autant moins bonnes qu'elles en seront plus éloignées. J'excepte toujours les cas spéciaux, et j'entends par là que telle constitution, bien que préférable en soi, est cependant moins bonne que telle autre pour un peuple particulier.»

XXVII.

Aristote recommande de tempérer la turbulence des meilleures démocraties par l'introduction des propriétaires ruraux dans les conseils du peuple.

«Quant à cette forme dernière de la démagogie, où l'universalité des citoyens prend part au gouvernement, tout État n'est pas fait pour la supporter; et l'existence en est fort précaire, à moins que les mœurs et les lois ne s'accordent à la maintenir. Nous avons indiqué plus haut la plupart des causes qui ruinent cette forme politique et les autres États républicains. Pour établir ce genre de démocratie et transférer tout le pouvoir au peuple, les meneurs tâchent ordinairement d'inscrire aux rôles civiques le plus de gens qu'ils peuvent; ils n'hésitent point à comprendre au nombre des citoyens non-seulement ceux qui sont dignes de ce titre, mais aussi tous les citoyens bâtards, et tous ceux qui ne le sont que d'un des deux côtés: je veux dire soit du côté du père, soit du côté de la mère. Tous ces éléments sont bons pour former le gouvernement que ces hommes-là dirigent.

«Ce sont des moyens tout à fait à la portée des démagogues. Toutefois, qu'ils n'en fassent usage que jusqu'à ce que les classes inférieures l'emportent en nombre sur les hautes classes et les classes moyennes; qu'ils se gardent bien d'aller au delà; car, en dépassant cette limite, on se donne une foule indisciplinable, et l'on exaspère les classes élevées, qui supportent si difficilement l'empire de la démocratie. La révolution de Cyrène n'eut point d'autres causes. On ne remarque point le mal tant qu'il est léger; mais il s'accroît, et il frappe alors tous les yeux.

«On peut, dans l'intérêt de cette démocratie, employer les moyens dont Clisthène fit usage à Athènes pour fonder le pouvoir populaire, et qu'appliquèrent aussi les démocrates de Cyrène. Il faut créer en plus grand nombre de nouvelles phratries; il faut substituer aux sacrifices particuliers des fêtes religieuses, peu fréquentes, mais publiques; il faut confondre autant que possible les relations des citoyens entre eux, en ayant soin de rompre toutes les associations antérieures.

«Toutes les ruses des tyrans peuvent même trouver place dans cette démocratie, par exemple, la désobéissance permise aux esclaves, chose peut-être utile jusqu'à certain point, la licence des femmes et des enfants. On accordera de plus à chacun la faculté de vivre comme bon lui semble. À cette condition, bien des gens ne demanderont pas mieux que de soutenir le gouvernement; car les hommes en général préfèrent une vie sans discipline à une vie sage et régulière.»

Il passe enfin à la théorie des révolutions, son chef-d'œuvre!

«Toutes les parties du sujet que nous nous proposions de traiter sont donc à peu près épuisées. Pour faire suite à tout ce qui précède, nous allons étudier, d'une part, le nombre et la nature des causes qui amènent les révolutions dans les États, les caractères qu'elles prennent selon les constitutions, et les relations qu'ont le plus ordinairement les principes qu'elles quittent avec ceux qu'elles adoptent; d'autre part, nous rechercherons quels sont, pour les États en général, et pour chaque État en particulier, les moyens de conservation; et enfin nous verrons quelles sont les ressources spéciales de chacun d'eux.

«Nous avons indiqué déjà la cause première à laquelle il faut rapporter la diversité de toutes les constitutions, la voici: tous les systèmes politiques, quelque divers qu'ils soient, reconnaissent des droits et une égalité proportionnelle entre les citoyens, mais tous s'en écartent dans l'application. La démagogie est née presque toujours de ce qu'on a prétendu rendre absolue et générale une égalité qui n'était réelle qu'à certains égards. Parce que tous sont également libres, ils ont cru qu'ils devaient l'être d'une manière absolue. L'oligarchie est née de ce qu'on a prétendu rendre absolue et générale une inégalité qui n'était réelle que sur quelques points, parce que, tout en n'étant inégaux que par la fortune, ils ont supposé qu'ils devaient l'être en tout et sans limite.

«Les uns, forts de cette égalité, ont voulu que le pouvoir politique, dans toutes ses attributions, fût également réparti; les autres, appuyés sur cette inégalité, n'ont pensé qu'à accroître leurs priviléges, car les augmenter, c'était augmenter l'inégalité. Tous les systèmes, bien que justes au fond, sont donc tous radicalement faux dans la pratique. Aussi, de part et d'autre, dès que l'on n'obtient pas en pouvoir politique tout ce que l'on croit si faussement mériter, on a recours à une révolution. Certes le droit d'en faire une appartiendrait bien plus légitimement aux citoyens d'un mérite supérieur, quoique ceux-là n'usent jamais de ce droit; mais, de fait, l'inégalité absolue n'est raisonnable que pour eux. Ce qui n'empêche pas que bien des gens, par cela seul que leur naissance est illustre, c'est-à-dire qu'ils ont pour eux la vertu et la richesse de leurs ancêtres qui leur assurent leur noblesse, se croient, en vertu de cette seule inégalité, fort au-dessus de l'égalité commune.

«Telle est la cause générale, et, l'on peut dire, la source des révolutions et des troubles qu'elles amènent. Dans les changements qu'elles produisent, elles procèdent de deux manières. Tantôt elles s'attaquent au principe même du gouvernement, afin de remplacer la constitution existante par une autre, substituant par exemple l'oligarchie à la démocratie, ou réciproquement; ou bien, la république et l'aristocratie à l'une et à l'autre; ou les deux premières aux deux secondes. Tantôt la révolution, au lieu de s'adresser à la constitution en vigueur, la garde telle qu'elle la trouve; mais les vainqueurs prétendent gouverner personnellement, en observant cette constitution; et les révolutions de ce genre sont surtout fréquentes dans les États oligarchiques et monarchiques.

«Parfois la révolution renforce ou amoindrit un principe. Ainsi, l'oligarchie existant, la révolution l'augmente ou la restreint; de même pour la démocratie, qu'elle fortifie ou qu'elle affaiblit; et pour tout autre système, soit qu'elle lui ajoute, soit qu'elle lui retranche. Parfois enfin, la révolution ne veut changer qu'une partie de la constitution, et, par exemple, n'a pour but que de fonder ou de renverser une certaine magistrature. C'est ainsi qu'à Lacédémone, Lysandre, assure-t-on, voulut détruire la royauté; et Pausanias, l'éphorie.

«C'est ainsi qu'à Épidamne un seul point de la constitution fut changé, et qu'un sénat fut substitué aux chefs des tribus. Aujourd'hui même, il y suffit du décret d'un seul magistrat pour que tous les membres du gouvernement soient tenus de se réunir en assemblée générale; et, dans cette constitution, l'archonte unique est un reste d'oligarchie. L'inégalité est toujours, je le répète, la cause des révolutions, quand rien ne la compense pour ceux qu'elle atteint. Entre égaux, une royauté perpétuelle est une inégalité insupportable; et c'est en général pour conquérir l'égalité que l'on s'insurge.

«Cette égalité si recherchée est double. Elle peut s'entendre du nombre et du mérite. Par le nombre, je comprends l'égalité, l'identité en multitude, en étendue; par le mérite, l'égalité proportionnelle. Ainsi, en nombre, trois surpasse deux comme deux surpasse un; mais, proportionnellement, quatre est à deux comme deux est à un. Deux est en effet à quatre dans le même rapport qu'un est à deux; c'est la moitié de part et d'autre. On peut être d'accord sur le fond même du droit, et différer sur la proportion dans laquelle il doit être donné. Je l'ai déjà dit plus haut: les uns, égaux en un point, se croient égaux d'une manière absolue; les autres, inégaux à un seul égard, veulent être inégaux à tous égards sans exception.

«De là vient que la plupart des gouvernements sont ou oligarchiques ou démocratiques. La noblesse, la vertu, sont le partage du petit nombre; et les qualités contraires, celui de la majorité. Dans aucune ville, on ne citerait cent hommes de naissance illustre, de vertu irréprochable; presque partout, au contraire, on trouvera des masses de pauvres. Il est dangereux de prétendre constituer l'égalité réelle ou proportionnelle dans toutes leurs conséquences; les faits sont là pour le prouver. Les gouvernements établis sur ces bases ne sont jamais solides, parce qu'il est impossible que, de l'erreur qui a été primitivement commise dans le principe, il ne sorte point à la longue un résultat vicieux. Le plus sage est de combiner ensemble, et l'égalité suivant le nombre, et l'égalité suivant le mérite.

«Quoi qu'il en soit, la démocratie est plus stable et moins sujette aux bouleversements que l'oligarchie. Dans les gouvernements oligarchiques, l'insurrection peut naître de deux côtés, de la minorité qui s'insurge contre elle-même ou contre le peuple; dans les démocraties, elle n'a que la minorité oligarchique à combattre. Le peuple ne s'insurge jamais contre lui-même, ou du moins les mouvements de ce genre sont sans importance. La république où domine la classe moyenne, et qui se rapproche de la démocratie plus que ne le fait l'oligarchie, est aussi le plus stable de tous ces gouvernements.»

XXVIII.

L'énumération raisonnée qu'Aristote fait en finissant des causes des révolutions dépasse immensément Fénelon, Rousseau et Montesquieu. L'imagination n'y est pour rien, tout est en faits. Sous la monarchie, c'est l'exagération du principe d'autorité et d'unité, aboutissant à la tyrannie qui humilie les sujets; sous l'oligarchie, le mépris des pauvres; sous la démocratie, la turbulence des multitudes, menaçant et dépouillant les riches. Dans la démagogie surtout il faut empêcher non-seulement qu'on en vienne au partage des biens des riches, mais même qu'on partage l'usufruit; ce qui, dans quelques États, a lieu par des moyens détournés. Il vaut mieux aussi ne pas accorder aux riches, même quand ils le demandent, le droit de subvenir aux dépenses publiques, considérables, mais sans utilité réelle, telles que les représentations théâtrales, les fêtes aux flambeaux et autres dépenses du même genre.

Dans les oligarchies, au contraire, la sollicitude du gouvernement doit être fort vive pour les pauvres; et, parmi les emplois, il faut qu'on leur accorde ceux qui sont rétribués. Il faut punir tout outrage des riches à leur égard beaucoup plus sévèrement que les outrages des riches entre eux.

Enlever, en un mot, tout vice, tout abus, toute violence de toute nature de gouvernement, c'est le moyen assuré de le faire durer autant que durent les choses mortelles; car Aristote ne fait point d'utopie et ne se dissimule pas que tout ce qui a duré doit finir. Il n'en appelle pas aux chimères, mais à la conscience. Il revient à la critique de Socrate.

«Dans la République, Socrate parle aussi des révolutions; mais il n'a pas fort bien traité ce sujet. Il n'assigne même aucune cause spéciale de révolutions à la parfaite république, au premier gouvernement. À son avis, les révolutions viennent de ce que rien ici-bas ne peut subsister éternellement, et que tout doit changer dans un certain laps de temps; et il ajoute que «ces perturbations dont la racine augmentée d'un tiers plus cinq donne deux harmonies, ne commencent que lorsque le nombre a été géométriquement élevé au cube, attendu que la nature crée alors des êtres vicieux et radicalement incorrigibles.» Cette dernière partie de son raisonnement n'est peut-être pas fausse; car il est des hommes naturellement incapables de recevoir de l'éducation et de devenir vertueux. Mais pourquoi cette révolution dont parle Socrate s'appliquerait-elle à cette république qu'il nous donne comme parfaite, plus spécialement qu'à tout autre État, ou à tout autre objet de ce monde?

«Mais dans cet instant qu'il assigne à la révolution universelle, même les choses qui n'ont point commencé d'être ensemble changeront cependant à la fois! et un être né le premier jour de la catastrophe y sera compris comme les autres! On peut demander encore pourquoi la parfaite république de Socrate passe en se changeant au système lacédémonien. Son autorité se change en tyrannie, et c'est ce qui arriva jadis à la plupart des oligarchies siciliennes. Qu'on se souvienne qu'à l'oligarchie succéda la tyrannie de Panætius à Léontium; à Géla, celle de Cléandre; à Rhéges, celle d'Anaxilas, et qu'on se rappelle tant d'autres qu'on pourrait citer également. C'est encore une erreur de faire naître l'oligarchie de l'avidité et des occupations mercantiles des chefs de l'État. Il faut bien plutôt en demander l'origine à cette opinion des hommes à grandes fortunes, qui croient que l'égalité politique n'est pas juste entre ceux qui possèdent et ceux qui ne possèdent pas. Dans presque aucune oligarchie les magistrats ne peuvent se livrer au commerce, et la loi le leur interdit. Bien plus, à Carthage, qui est un État démocratique, les magistrats font le commerce; et l'État cependant n'a point encore éprouvé de révolution.

«Il est encore fort singulier d'avancer que dans l'oligarchie l'État est divisé en deux partis, les pauvres et les riches; est-ce bien là une condition plus spéciale de l'oligarchie que de la république de Sparte, par exemple, ou de tout autre gouvernement, dans lequel les citoyens ne possèdent pas tous des fortunes égales, ou ne sont pas tous également vertueux? En supposant même que personne ne s'appauvrisse, l'État n'en passe pas moins de l'oligarchie à la démagogie, si la masse des pauvre s'accroît, et de la démocratie à l'oligarchie, si les riches deviennent plus puissants que le peuple, selon que les uns se relâchent et que les autres s'appliquent au travail. Socrate néglige toutes ces causes si diverses qui amènent les révolutions, pour s'attacher à une seule, attribuant exclusivement la pauvreté à l'inconduite et aux dettes, comme si tous les hommes ou du moins presque tous naissaient dans l'opulence.

«C'est une grave erreur. Ce qui est vrai, c'est que les chefs de la cité peuvent, quand ils ont perdu leur fortune, recourir à une révolution, et que, quand des citoyens obscurs perdent la leur, l'État n'en reste pas moins fort tranquille. Ces révolutions n'amènent pas non plus la démagogie plus fréquemment que tout autre système. Il suffit d'une exclusion politique, d'une injustice, d'une insulte, pour causer une insurrection et un bouleversement dans la constitution, sans que les fortunes des citoyens soient en rien délabrées. La révolution n'a souvent pas d'autre motif que cette faculté laissée à chacun de vivre comme il lui convient, faculté dont Socrate attribue l'origine à un excès de liberté. Enfin, au milieu de ces espèces si nombreuses d'oligarchies et de démocraties, Socrate ne parle de leurs révolutions que comme si chacune d'elles était unique en son genre.»

XXIX.

Telle est la *Politique* d'Aristote, le plus beau de ses traités pratiques.

À l'exception de ces deux erreurs qui ne sont pas siennes, mais celles de son temps et vieilles comme le genre humain, l'une relative à l'esclavage qu'il croit un crime de la nature, l'autre relative aux enfants nés difformes dont il admet l'infanticide par humanité, il n'y a pas une considération fausse dans tout le livre: c'est le catéchisme du monde social.

Quant à la forme du style de ce traité, elle est sans défaut; et il n'y manque aucune perfection du style pensé ou raisonné: ordre, liaison, logique, clarté, conséquence du principe avec la conclusion, cela semble écrit par la logique elle-même. On dirait qu'un esprit divin, descendu du ciel pour éclairer les hommes, a pris la plume d'or des séraphins pour révéler aux hommes de toutes les conditions, de toutes les dates, de toutes les professions sociales, les moyens de perfectionner et de conserver leur gouvernement.

Nous qui, dans une vie déjà longue, avons pu compter dix à douze révolutions d'empires, et qui avons même attaché involontairement notre nom à la dernière de ces convulsions sociales pour la modérer en la conseillant, il nous est impossible de ne pas nous élever à la plus haute admiration en lisant ce beau livre. Nous dirons même, sans aucune flatterie, que de tous les ouvrages politiques c'est incontestablement le plus parfait, et qu'il rend tous les autres ou dangereux ou inutiles. Supprimez-y deux chapitres et vous n'avez rien à ajouter, rien à retrancher pour que la *Politique* d'Aristote, écrite 350 ans avant Jésus-Christ, soit le manuel de l'homme d'État de toutes les époques, preuve que la vérité est éternelle et qu'il n'y a rien de nouveau sous le ciel que le mensonge et le sophisme destinés à soutenir toutes les tyrannies, celle du peuple comme celle des rois. Allez jusqu'à l'âme des hommes, vous y trouverez la conscience; allez jusqu'à la conscience, vous y trouverez la vérité; tout sophiste est un menteur, parce que tout sophiste est un flatteur.

LAMARTINE.

(La suite au prochain Entretien.)

CIV^e ENTRETIEN.
ARISTOTE.
TRADUCTION COMPLÈTE
PAR
M. BARTHÉLEMY SAINT-HILAIRE.
(DEUXIÈME PARTIE.)

LA LOGIQUE.
I.

Le mérite d'Aristote, dans ce traité de la Logique, du Syllogisme, de la Dialectique, est d'avoir transporté la conscience et l'esprit dans la science du raisonnement. La base de toute certitude est dans le fond et non dans la forme. L'homme ne remonte pas plus haut que l'instinct, la vérité pour lui n'est qu'un invincible instinct. On ne prouve pas qu'on existe, on le sent. Tous les sophismes échouent devant cette certitude. La forme seule de la dialectique est une science. Aristote part de là et il l'enseigne. Cette science est admirable, mais elle est cachée. Ce sont les mathématiques de la parole. On conçoit que, pour la démontrer, il faille se plonger dans les arcanes de la scolastique. Nous rebuterions nos lecteurs en repassant avec eux pas à pas sur les traces du philosophe de Stagire.

C'est un exercice de la vérité.

C'est une anatomie de la phrase.

C'est un démembrement de la pensée.

C'est la grammaire du raisonnement.

Passons!

II.

L'*Herménéia*, ou le traité de la *Proposition*, commence par ces remarquables définitions:

«Les mots dans la parole ne sont que l'image des modifications de l'âme, et l'écriture n'est que l'image des mots que la parole exprime.

«De même que l'écriture n'est pas identique pour tous les hommes, de même les langues ne sont pas non plus semblables. Mais les modifications de l'âme, dont les mots sont les signes immédiats, sont identiques pour tous les hommes, comme les choses, dont ces modifications sont la représentation fidèle, sont aussi les mêmes pour tous.

«Le nom est un mot qui signifie une chose, sans spécifier de temps.

«Le verbe est un mot qui embrasse l'idée de temps, et dont aucune partie isolée n'a de sens par soi-même.»

Toute la grammaire philosophique est ainsi définie.

Passons encore!

Ou plutôt passons tout, car le tout n'est que la grammaire du raisonnement.

On admire Aristote comme on admire Euclide; mais le suivre, ce serait le refaire. On ne peut le refaire qu'en chiffres: les chiffres ne se démontrent pas.

Ils sont la *sensation* du vrai.

Leur inventeur est plus qu'un homme.

Telle est l'opinion qu'on a d'Aristote après avoir étudié sa Logique.

C'est l'échafaudage de toute vérité.

Mais, la vérité de la démonstration obtenue, on renverse l'échafaudage, et l'on passe sur le pont que l'architecte a construit.

III.

Les quatre volumes de la Logique parcourue, on s'écrie avec Voltaire:

«Quel homme qu'Aristote, qui trace les règles de la Tragédie de la même main dont il a donné celles de la Dialectique, de la Morale, de la Politique, et dont il a levé, autant qu'il a pu, le grand voile de la nature! Peut-on s'empêcher de l'admirer, quand on voit qu'il a connu à fond tous les principes de l'éloquence et de la poésie? Où est le physicien de nos jours chez qui l'on puisse apprendre à composer un discours et une tragédie? Aristote fit voir après Platon que la véritable philosophie est le guide secret de l'esprit de tous les arts. Les lois qu'il donne sont encore aujourd'hui celles de nos bons auteurs.»

Au dix-huitième siècle, les plus grands et les plus exacts des historiens de la philosophie se taisent sur la Poétique d'Aristote. Brucker et Tennemann, sans parler de Tiedemann, la passent dédaigneusement sous silence. De nos jours même, M. Henri Ritter ne suppose pas davantage qu'elle soit digne d'un regard. On dirait vraiment que c'est la chose la plus simple du monde et la plus indifférente qu'un philosophe législateur du goût, et que les exemples en sont si vulgaires, qu'il n'est pas besoin de mentionner celui-là. Voltaire a pleine raison quand il établit que c'est l'esprit philosophique qui conduit tous les arts, guidés par lui secrètement et à leur insu. Mais on peut s'étonner que ce soit un homme de lettres qui revendique ce titre pour une science qui n'était pas précisément la sienne, et qu'un tel titre ait été omis par les annalistes savants et laborieux de la philosophie. Ce n'est pas cependant pour la philosophie un mince honneur; et, toute riche qu'elle peut être, elle aurait bien tort de négliger rien de ce qui étend et embellit son domaine. Le beau, sous toutes ses formes, est une des idées qu'elle approfondit et qu'elle cultive légitimement, et elle a le droit de suivre cette idée jusqu'à un certain point dans ses applications. Elle n'est pas tenue sans doute d'étudier la poétique comme elle étudie la psychologie, la morale ou la métaphysique; mais, quand elle traite des beaux-arts, comme le fait Aristote, en posant les principes généraux et essentiels, c'est un service de plus qu'elle rend à l'esprit humain, et qu'elle seule est capable de lui rendre. La poésie, non plus que les autres arts, n'a pas le secret de ses propres charmes et de sa puissance. Bien plus, si elle recherche ce secret, elle s'abdique et se perd en voulant se connaître. Il est fort heureux qu'Homère n'ait point pensé à se rendre compte de son génie; car probablement, détourné par ce soin, il ne nous eût point donné l'Iliade; mais il est fort heureux aussi que d'autres nous apprennent pourquoi l'Iliade est si parfaite et si belle; et cette découverte des principes n'appartient qu'à la philosophie, qui fonde et dirige la critique.

Loin donc de blâmer Aristote d'avoir composé un traité de poétique, il faut l'en remercier; car, depuis deux mille ans passés, ce traité a fait loi sur presque tous les points qu'il touche et qu'il a réglés définitivement. Il a beau être inachevé, incomplet; le texte, que nous en a transmis une tradition trop peu attentive, a beau être altéré de mille manières, la pensée n'en est pas moins en général éclatante et sûre. Elle se fait jour à travers ces ruines et ces ténèbres; et, quand on l'étudie comme elle le mérite, elle apparaît, dans les bornes où elle se renferme, comme le code du bon sens et du bon goût. Aristote n'a pas tout dit certainement; et, depuis lui, l'esprit humain n'a pas laissé que de marcher et de faire de grands progrès; mais presque tout ce qu'il a dit est incontestable; et, comme la vérité ne change pas, toutes celles qu'il a découvertes et démontrées sont de nos jours aussi jeunes, aussi belles que de son temps. Voltaire ne se trompait point, en croyant avec Corneille qu'il commentait, et même avec Lessing, son adversaire, que s'écarter des règles d'Aristote, c'était courir grand risque de s'égarer.

Il est possible qu'une telle assertion, surannée et audacieuse tout ensemble, provoque encore plus d'un sourire à l'heure qu'il est. Notre siècle, il y a moins de trente ans, a institué de grandes discussions littéraires, dont le retentissement n'a point encore tout à fait cessé. Je me garderai bien de ranimer les querelles des romantiques et des classiques, tout en reconnaissant volontiers et en regrettant ce qu'avaient d'honorable et d'élevé ces passions intellectuelles, remplacées par de moins dignes et de moins innocentes. Mais, pour tous les juges compétents, la question a été décidée en faveur des règles, qu'attaquaient si violemment des esprits plus téméraires que sensés. On se fiait beaucoup à ses forces, sans avoir assez réfléchi à l'emploi qu'on en devait faire. On voulait marcher par des voies nouvelles, et l'on n'y rencontrait que des précipices. Les œuvres qu'on tentait étaient monstrueuses, au lieu d'être parfaites; et elles valaient moins encore, s'il est possible, que le système hautain et vide qui prétendait les inspirer. À bout de faux pas, d'expériences avortées, il a fallu revenir à ces routes qu'on trouvait si monotones et si plates; il a fallu se soumettre à ce joug qui semblait si lourd et si gênant, parce qu'on ne savait pas le porter; et les règles sont sorties plus claires et plus fermes de ces conflits où on les avait tant maltraitées et tant obscurcies.

Naturellement, Aristote n'avait pas été plus épargné que ces règles. Il passait pour en être le père et le rigide défenseur. Il eut sa part des colères qu'elles excitaient; et son nom, tout vieux qu'il était, fut un des plus souvent invoqués par les deux camps. On le citait en sens contraire, et l'on voulait de part et d'autre s'abriter sous cette grande autorité. Par malheur, on le comprenait fort mal; et l'Aristote de notre temps, dont Corneille, il faut bien l'avouer, était bien un peu coupable, ne ressemblait guère plus au véritable Aristote que celui de la scolastique. Les trois unités qu'on lui attribuait si gratuitement, pour les lui reprocher ou pour l'en féliciter, n'étaient pas de lui. D'autres principes non moins respectables qu'on lui prêtait encore, ne lui appartenaient pas davantage; et la tradition qui se dénature si vite, sans devenir tout à fait fausse, n'était guère plus fidèle de notre temps qu'elle ne l'avait été dans le moyen âge et la renaissance. Elle avait inventé des axiomes en poétique, comme elle en inventait jadis en métaphysique et en psychologie. Aristote en était responsable, bien qu'il n'y eût jamais songé et qu'il fût impossible de les découvrir dans ses écrits. De nos jours on connaît mieux son œuvre, et l'on peut être aisément plus équitable, en même temps qu'on est plus exact. En étudiant directement Aristote, on ne lui fera dire que ce qu'il a dit. Mais on peut être assuré qu'on l'admirera tout autant. Réduit aux proportions qui sont les siennes, il n'en sera pas moins grand; il ne diminuera point, parce qu'on lui enlèvera quelques théories contestables qui ne sont pas son bien.

IV.

En poétique comme en tant d'autres sciences, Aristote a le privilége inouï d'avoir été le plus ancien en date et d'être resté supérieur à tout ce qui l'a suivi. Il paraît bien que c'est lui qui le premier a pensé qu'on pouvait faire des principes de la poésie, dans son ensemble et dans ses genres divers, une théorie régulière et systématique. Il a sans doute trouvé bien des germes dans Platon; mais là, peut-être, moins qu'ailleurs, il a pu faire des emprunts à son maître. Dans les dialogues, Socrate ne juge guère de la poésie que comme en jugent, dans les entretiens de chaque jour, les sociétés même les plus polies et les plus délicates. On ne disserte pas quand on cause; on professe encore moins; car ce serait insupportable; et Socrate a trop de goût pour être jamais pédant. Ainsi, avant Aristote, bien des gens d'esprit avaient émis sur les œuvres des poëtes les opinions les plus justes et les plus graves; mais personne avant lui n'avait essayé de faire de ces opinions un corps de doctrine, et de les approfondir en remontant jusqu'aux principes sur lesquels elles s'appuient.

À côté d'Aristote, il n'y a que deux noms que la gloire prononce après le sien: c'est Horace et Boileau. Je ne veux les déprécier ni l'un ni l'autre; ils ont leur grandeur, que je ne nie point, et qu'atteste assez le culte mérité dont ils ne cesseront d'être l'objet. Mais à quelle distance ne sont-ils point d'Aristote? D'abord, ils n'en sont que les échos, je ne dis pas les imitateurs; et les préceptes qu'ils répètent après lui, en leur donnant plus de grâce, ne viennent pas de leur propre génie. Ils se bornent à les lui emprunter en les ornant d'une forme nouvelle. Leurs vers gracieux ou sensés en ont heureusement propagé les règles, en faisant comme des proverbes littéraires. C'est beaucoup de graver dans la mémoire l'expression concise et forte de la vérité; mais c'est plus encore de découvrir la vérité elle-même et de la mettre dans tout son jour.

L'œuvre d'Horace, moins complète que celle de Boileau, est pourtant préférable. Quoiqu'on ne puisse juger d'une langue morte aussi sûrement que de la sienne, le style d'Horace paraît non-seulement plus élégant, mais aussi plus propre au sujet qu'il traite. C'est une simple lettre en vers qu'il écrit à des amis; et ce cadre, où il peut se jouer à son gré, lui convient à merveille. Il peut retenir quelque chose de l'abandon platonicien; et la négligence, à laquelle il se laisse aller si volontiers, est une parure de plus. Elle voile à demi des contours un peu vagues. Mais Horace n'a pas la prétention d'instruire. Il rappelle dans une épître nonchalante des idées cent fois répétées dans les causeries familières, et il s'est bien gardé de se faire précepteur; les Pisons n'auraient point reconnu leur spirituel ami sous l'austérité d'un pédagogue.

Boileau, en essayant d'être didactique, n'a pas craint d'être plus sévère; il a fait tout un poëme en quatre chants. Il est vrai qu'il en donnait six au Lutrin. Son œuvre a l'ordre et la symétrie d'un traité en forme. Après les conseils les plus sages et après l'histoire de la poésie française, il décrit, il étudie presque, chacun des genres, à commencer par l'idylle, l'églogue, l'élégie, l'ode, et à suivre par le sonnet, qu'il vante beaucoup trop, l'épigramme, le rondeau, le madrigal, et la satire. Puis, il s'élève à des sujets plus hauts, et il traite de la tragédie, du poëme épique, de la comédie, pour finir par de nouveaux conseils, que couronnent des flatteries au grand roi sous lequel il vit. On a reproché à Boileau des jugements qui ne sont pas toujours dictés par la justice et le bon goût: il a méconnu le Tasse et Quinault; il oublie la Fontaine avec la fable[1]. On peut lui reprocher avec non moins de raison des vers trop peu châtiés, et plus d'une expression vulgaire.

Mais à quoi bon s'arrêter à ces critiques de détail? Bien qu'on ait parlé plus d'une fois des trois Poétiques[2], il n'y a véritablement qu'une Poétique qui mérite ce nom: c'est celle d'Aristote. Les deux autres doivent trouver une place dans l'histoire de la poésie: elles n'en ont pas dans l'histoire de la science et de la philosophie. Aristote seul est un maître et un guide pour quiconque veut pénétrer dans ces questions difficiles et charmantes.

Suivons-le donc pas à pas et voyons ce qu'il nous enseigne. Nous sommes bien sûrs à l'avance que nous n'aurons point à regretter de nous être mis à son école; car il est poëte aussi, en même temps qu'il est philosophe.

Aristote se proposait, ainsi qu'il l'annonce dès les premières lignes de son ouvrage, de s'occuper de la poésie en général, et il comptait surtout traiter des trois genres principaux: la tragédie, le poëme épique et la comédie, sans oublier quelques genres secondaires, et notamment le dithyrambe. Dans sa Poétique, telle qu'elle nous est parvenue, il n'est question que de la tragédie et du poëme épique. La théorie de la comédie ne s'y trouve pas, soit que l'auteur ne l'ait point faite, en dépit de son dessein formellement exprimé, soit que le temps ne l'ait pas laissée arriver jusqu'à nous, ce qui semble plus probable. Il faut se résigner à cette perte, qui forme une lacune fâcheuse dans l'ensemble des théories.

Les généralités par lesquelles débute Aristote sont assez brèves; mais elles sont justes et profondes. À ses yeux, la poésie, ou l'art en général, est une imitation, comme le lui avait appris Platon, son maître.

En effet, il passe d'un bond à la poésie, et il en donne les règles et les exemples. Du bon il va au beau. Le beau est l'éclat du vrai. Le même principe les régit.

Telle est l'opinion de Barthélemy Saint-Hilaire, le philosophe traducteur du père des philosophes.

V.

Il ne se fait point d'illusion sur les lacunes de ce traité sommaire.—La Poétique d'Aristote, dit-il, est à la fois mutilée et très-incomplète. Le temps peut-être lui a fait une partie de ces outrages; mais il semble assez probable aussi que c'est l'auteur lui-même qui a laissé son œuvre dans ce fâcheux état. Pressé par la persécution et par la mort, volontaire ou violente, il n'a pu mettre la dernière main à ce monument, non plus qu'à tant d'autres parvenus jusqu'à nous avec les traces d'un désordre non moins évident, qu'on ne saurait davantage attribuer aux éditeurs que le hasard leur a donnés. De plus, on se rappelle qu'Aristote, soit par modestie, soit par nécessité, ne commença que tard à écrire, et qu'il ne publia presque rien de son vivant. Il comptait sans doute sur des années plus longues que celles qui lui furent accordées, et la Poétique a subi le sort commun de tout ce qu'il avait fait. Je m'afflige donc, sans trop m'étonner, des irrégularités de toute sorte qui la déparent; mais je soutiens que, malgré tant de lacunes, tant d'obscurités, tant d'insuffisances, sans même parler d'interpolations incontestables, la Poétique est encore digne du génie d'Aristote. Il suffit de quelques morceaux du genre de ceux que je viens de discuter, pour affirmer sans la moindre hésitation qu'ils appartiennent bien réellement à celui dont ils portent le nom. À certains traits, l'empreinte du philosophe est reconnaissable; et il n'y a que lui dans la Grèce, si féconde d'ailleurs en beaux esprits, qui pût concevoir et exprimer sous cette forme de telles pensées. Regrettons, si nous le voulons, de n'en avoir qu'une faible partie; mais ne réduisons pas encore notre richesse, en ne comprenant point assez tout ce que vaut ce trésor.

Voilà deux mille ans et plus que ces pages ont été écrites; et avec elles, c'est la critique littéraire qui est née, et qui, dès ce moment, a eu sa méthode, son objet, et quelques-uns de ses principes essentiels. Depuis lors et surtout depuis un siècle, la critique a fait de grands progrès qu'il serait bien inutile et bien injuste de nier. Nous pouvons même le prédire sans vanité: notre siècle compte en ce genre des maîtres que la postérité prendra pour modèles. Mais je crois rehausser encore le mérite de ces maîtres respectés, en disant qu'ils n'ont fait que renouer et continuer la tradition d'Aristote. Certainement, quand on voit ce qu'est devenue la critique entre les mains de M. Villemain, on peut trouver que la distance est considérable; la critique, ainsi comprise, prend place au niveau de l'histoire elle-même, sans cesser d'être toujours la maîtresse souveraine du goût. La profondeur et l'étendue, avec la haute moralité, ne messiéent pas plus à l'histoire des faits intellectuels qu'à l'histoire des événements militaires ou sociaux. L'historien de l'esprit peut être aussi grand que l'historien de la politique; et ce n'est pas une faible gloire d'avoir ajouté cette branche nouvelle au domaine de l'intelligence. Mais je dis que les germes de tout ce qui a suivi sont déjà dans l'œuvre du philosophe grec. En date, la Poétique est le premier monument; et en mérite, elle est un des plus importants de la critique telle que nous la pratiquons.

Aristote ne connaît que la Grèce, c'est vrai; aujourd'hui nous connaissons l'esprit humain entier; et il n'est pas une œuvre quelque peu digne d'attention qui échappe à nos regards, et que nous ne puissions étudier. L'Europe compte à elle seule cinq ou six langues qui depuis plusieurs siècles ont produit des œuvres considérables de tout ordre; et nos yeux peuvent s'étendre de l'Europe à toutes les autres contrées, dont quelques-unes, sans rivaliser avec elle, valent bien du moins qu'elle les connaisse, ne serait-ce que pour y retrouver ses propres origines. La critique peut donc de nos jours user des matériaux les plus vastes; et ses jugements peuvent être d'autant plus justes que les comparaisons sur lesquelles ils se fondent sont plus nombreuses. Tous les temps, depuis le berceau du genre humain, toutes les nations posent devant elle; et pour savoir ce que sont relativement leurs œuvres, elle n'a qu'à les faire comparaître et répondre tour à tour. Aristote n'avait rien de pareil à sa disposition; et cette vaste expérience lui a été refusée, à la fois par l'époque où il a paru, et par le peuple auquel il s'adressait. Mais il s'est trouvé que ce peuple avait été si admirablement doué par la nature et tenait une telle place dans les desseins de Dieu, qu'à lui seul et tout restreint qu'il était, il en a su, dans ces délicats mystères de l'esprit et du goût, plus que le reste du monde. Homère, Phidias, Platon, Sophocle, Démosthène, et tant d'autres, qui les égalait alors? Et depuis, qui les a surpassés? La variété des œuvres n'était pas moins grande que leur perfection; et le philosophe n'avait pas besoin, quand même il l'aurait pu, de sortir de la Grèce; elle lui offrait en tout genre des modèles accomplis, aussi divers que parfaits. S'il ne pouvait point étudier toute l'humanité, il étudiait du moins l'humanité dans ce qu'elle a de plus beau.

C'est ainsi qu'on peut expliquer le prodigieux mérite des théories d'Aristote; et, loin de le blâmer d'avoir mis en maxime les pratiques des Grecs, il faut l'en remercier. C'était à un Grec de donner au monde le secret des chefs-d'œuvre de la Grèce. Ce n'était point assez d'avoir produit ces chefs-d'œuvre; il fallait encore les faire comprendre; et au génie spontané des poëtes est venu s'ajouter le génie de la critique, qui ne crée pas, mais qui réfléchit. C'est là un immense honneur; et dans les annales de l'esprit humain, il n'y a qu'un peuple qui ait su le conquérir. Herder remarque avec raison que «la philosophie des arts devait naître dans la Grèce, parce qu'en suivant le mouvement libre de la nature et les inspirations d'un goût infaillible, les poëtes et les artistes de cet heureux pays réalisaient la théorie du beau, avant que personne n'en eût encore tracé les lois. Le zèle prodigieux avec lequel furent cultivées l'épopée, la poésie dramatique et l'éloquence, ajoute Herder, éleva nécessairement l'analyse littéraire à une perfection inconnue parmi nous. Quelques fragments mutilés et les écrits d'Aristote, voilà ce qui nous reste de ce genre d'écrits. Ils suffisent pour montrer quelles étaient dans l'antiquité la pénétration et l'élégante délicatesse de la critique[3].» Ce jugement du grand historien de l'humanité serait équitable, s'il ne rabaissait pas un peu trop les modernes devant les anciens. Au temps de Herder, la critique, dont il était un des plus nobles représentants, n'était pas si impuissante qu'il a l'air de le penser, peut-être par un scrupule de modestie. Mais, quoi qu'il en soit, Herder a bien vu la haute importance des monuments de critique que la Grèce nous a légués. Dans le mouvement général de l'esprit humain, ces monuments tiendront toujours une place nécessaire, parce qu'ils marquent et assurent les lentes conquêtes de la réflexion à côté et à la suite des élans de l'inspiration et de la spontanéité des peuples. Il a été donné à la Grèce de réunir en une harmonie et une beauté égales ces deux extrémités de l'intelligence humaine. C'est un privilége dont elle seule a joui entre les nations qui ont brillé à l'origine des temps.

On ne peut pas croire, sans faire d'exagération sacrilége, que la *Poétique*, si le génie d'Aristote avait pu l'achever, aurait en son genre valu l'*Iliade*, et que le critique se serait élevé au niveau du poëte; mais on peut affirmer que les ruines informes qui sont arrivées jusqu'à nous sont encore si précieuses et si éclatantes que leur gloire efface tant d'autres monuments plus complets, mais moins beaux, qui n'ont été possibles après elles qu'à la condition de les imiter en les perfectionnant.

VI.

«La poésie,» dit Aristote, et il entend par là le poëme épique, la tragédie, la comédie, le dithyrambe, musique et paroles, l'élégie, «est un art d'imitation.»

Il y a dans ces paroles une grande erreur. La poésie a une tout autre origine que le plaisir servile produit en nous par l'imitation; elle est née de l'homme même. Nous voudrions savoir quel est, dans la *Marseillaise*, chant national des Français modernes, le plaisir de l'imitation. Non; l'origine de la *Marseillaise*, musique et paroles, est d'une nature bien supérieure. C'est l'élan de l'âme du peuple attaqué dans ses droits, qui jouit de les défendre, et qui chante d'avance cette jouissance et cette gloire, par une poésie intime qui lui dicte ses accents. Il en est ainsi de toute poésie spontanée, qui n'est point un art, mais qui est l'exubérance des forces de la nature.—La *nature chantée*, voilà toute la poésie.

Il divise tous les poëtes en deux ordres: les poëtes héroïques et les poëtes comiques. Il paraît, en le lisant, qu'Homère lui donne, à lui seul, le modèle des deux: des poëmes héroïques dans l'*Iliade* et l'*Odyssée*; des poëmes comiques dans son *Margitès*.

«La comédie est l'imitation du vice ou du ridicule. Le ridicule, en effet, suppose toujours un certain défaut et une difformité qui n'a rien de douloureux pour celui qui la subit. C'est ainsi qu'un masque provoque le rire dans celui qui le voit, sans que d'ailleurs ce soit un signe de souffrance. Elle vint de la Sicile en Grèce.

«L'épopée tient à la tragédie en ce qu'elle est comme elle, sauf le mètre, une imitation des actions nobles à l'aide du discours. Mais une différence, c'est que dans l'épopée le mètre est toujours le même, et qu'elle est toujours un récit.

«Une autre différence encore, c'est l'étendue. La tragédie s'efforce autant que possible de se renfermer dans une seule révolution du soleil, ou du moins de très-peu sortir de ces limites; l'épopée, au contraire, n'a pas de limite de temps; et c'est là une différence essentielle, quoique dans le principe on se donnât cette facilité pour la tragédie aussi bien que dans la comédie.»

«La tragédie, continue-t-il, est selon moi l'imitation de quelque action sérieuse, noble, complète, ayant sa juste dimension et employant un discours relevé par tous les agréments qui, selon leur espèce, se distribuent séparément dans les diverses parties, sous forme de drame et non de récit, et arrivant, tout en excitant la pitié et la terreur, à purifier en nous ces deux sentiments. Quand je parle d'un discours relevé d'agréments, j'entends celui qui réunit le rhythme, l'harmonie et le chant, et quand j'ajoute: séparément selon leur espèce, j'entends que certaines parties n'ont que des vers, tandis que les autres se complètent aussi par le chant et la musique.

«Puisque c'est par l'action que la tragédie imite, une première conséquence, c'est qu'une partie de la tragédie est nécessairement la pompe du spectacle, et que la mélopée et les paroles ne viennent qu'ensuite. Car ce sont là les moyens d'imitation dont elle dispose. J'entends par les paroles la composition des vers; et quant à la mélopée, chacun sait assez clairement tout ce qu'elle est.

«La tragédie est donc l'imitation d'une action; et cette action étant l'œuvre de personnages qui agissent, ces personnages ont nécessairement un caractère et un esprit qui les font ce qu'ils sont; conditions qui, d'ailleurs, servent à qualifier aussi les actes humains. Or il y a deux causes qui déterminent naturellement toutes nos actions: ce sont l'esprit et le caractère, qui, dans la vie également, décident toujours de nos succès ou de nos revers.

«C'est la fable qui est l'imitation de l'action; et par fable, j'entends le tissu des faits. Le caractère ou les mœurs, c'est ce qui distingue les gens qui agissent et permet de les qualifier; et l'esprit, c'est l'ensemble des discours par lesquels on exprime quelque chose, ou même on découvre le fond de sa pensée.

«Ainsi, l'on peut compter dans toute la tragédie six éléments qui servent à déterminer ce qu'elle est et ce qu'elle vaut: ce sont la fable, les mœurs ou caractères, le style, l'esprit ou les sentiments, le spectacle et la mélopée. En effet, les moyens d'imitation comprennent deux de ces éléments; la façon d'imiter en comprend un; et ce qu'on imite comprend les trois autres. En dehors de ces termes, il n'y a plus rien.

«D'ailleurs, ce ne sont pas quelques poëtes en petit nombre et qu'on pourrait compter, qui ont employé ces six éléments; toute pièce, sans exception, renferme à la fois spectacle, caractères, fable, style, musique et pensées.

«Mettre à la suite les unes des autres ces sentences n'est point la tragédie, la fable et l'action bien tissues, c'est bien plus; les pensées ne viennent qu'au troisième rang.»

Ce genre de poésie doit finir par le malheur; voyez Euripide:

«Aussi, l'on a grand tort de blâmer Euripide de suivre cette même combinaison dans ses pièces, et de faire finir beaucoup de ses tragédies par le malheur. Ce dénoûment est excellent, comme j'ai essayé de le faire voir; et la meilleure preuve, c'est que, sur la scène et dans les concours, ces sortes de pièces, si d'ailleurs elles sont bonnes, paraissent les plus tragiques de toutes.

«La terreur et la pitié peuvent venir du spectacle qu'on met sous les yeux des assistants; mais on peut faire sortir ces sentiments de l'intrigue même du drame, ce qui est bien préférable et annonce un poëte plus habile.

«La fable doit être composée de telle sorte qu'il suffise d'entendre les choses, même sans les voir, pour frissonner et s'attendrir au récit des événements; et c'est bien ce qu'on éprouve rien qu'à entendre raconter l'histoire d'Œdipe. Chercher à produire ces effets en mettant les choses sous les yeux directement, est beaucoup moins digne de l'art, et il n'y faut que les frais de la représentation.

«Quant à ceux qui visent à produire non la terreur par ce qu'ils font voir sur la scène, mais une épouvante monstrueuse, ils n'entendent rien à la tragédie; car il ne faut pas lui demander toute espèce de plaisirs, mais seulement ceux qui lui sont propres.

«Puisque le but du poëte doit être de nous procurer le plaisir qui vient de la pitié et de la terreur, il est clair qu'il faut qu'on trouve ces émotions dans les choses même que son œuvre nous représente. Cherchons donc quels sont les objets qui excitent la terreur et la pitié dans les événements réels de la vie.

«Il faut de toute nécessité que les actions capables de les produire se passent, ou entre des amis, les uns à l'égard des autres, ou entre des ennemis, ou enfin entre des gens qui ne sont ni l'un ni l'autre.

«Qu'un ennemi tue son ennemi, il n'y a rien dans ce fait, soit qu'on l'accomplisse, soit qu'on le doive accomplir, qui puisse exciter la pitié, si ce n'est la catastrophe elle-même. Il n'y en a pas davantage, si les personnes ne sont ni amies ni ennemies.

«Mais quand ces douloureux événements arrivent entre des personnes qui s'aiment, et que, par exemple, un frère tue ou doive tuer son frère, un fils son père, une mère son fils, un fils sa mère, ou qu'il se commet d'autres malheurs de ce genre, voilà les situations qu'il faut rechercher.»

Suivent des exemples célèbres et choisis dans la tragédie grecque.

VII.

Aristote passe à l'épopée: «Homère, dit-il, est un dieu, quand on le compare à tous les autres poëtes.»

Il est aisé de voir qu'Aristote place dans sa pensée Homère au-dessus de toute comparaison avec ses successeurs; et des rivaux, il n'en voit pas.

Il est aisé aussi de conclure que cette Poétique n'est qu'une réunion de fragments décousus et non suffisamment réfléchis, reliés après coup par ses disciples. Horace et Boileau, dans leur Art poétique, sont plus parfaits, mais moins sagaces.

Aristote termine au hasard, en donnant la supériorité à la tragédie sur le poëme épique. C'est une erreur. Voici comment il essaye de la justifier sans y parvenir:

«On peut, en comparant la tragédie et l'épopée, se demander laquelle de ces deux espèces d'imitations est la plus parfaite. Si la moins grossière est la meilleure, et que ce soit celle qui s'adresse aux meilleurs esprits, on ne peut nier que le genre qui prétend imiter tout sans exception ne soit aussi le plus grossier des deux.

«Quand on suppose que les gens ne vous comprendront pas, si l'on ne prend la peine de leur tout expliquer, on se donne beaucoup de mouvement, comme ces mauvais mimes qui pirouettent sur eux-mêmes pour imiter un disque qui tourne, ou qui tirent à eux le Coryphée quand ils jouent, aux sons de la flûte, la Scylla attirant les navires sur l'écueil.

«La tragédie est donc à l'épopée comme les vieux acteurs croient que les nouveaux sont à leur égard. Myniseus traitait de singe Callipide, qui selon lui forçait trop son jeu; il ne pensait pas mieux de Pindarus. La tragédie n'est pas à une moindre distance de l'épopée que ces acteurs subalternes ne sont par rapport aux autres. L'épopée s'adresse aux esprits distingués qui n'ont aucun besoin de tout cet attirail extérieur, tandis que l'art tragique ne s'adresse qu'à des gens d'un goût vulgaire.

«Il semblerait donc démontré par là que l'imitation la plus matérielle est aussi la moins bonne.

«Mais une première réponse à cette objection, c'est que cette critique ne porte pas sur la poésie, et qu'elle ne touche que l'art du comédien; on peut exagérer les gestes, même en ne récitant que de simples rapsodies, comme faisait Sosistrate, et même en chantant, comme faisait Mnasithée d'Opunte.

«En second lieu, on peut dire que toutes les espèces de gestes ne sont pas à blâmer, par exemple la danse, et qu'on ne doit réprouver que les gestes inconvenants. C'est le sens des reproches qu'on adressait à Callipide, et que d'autres acteurs méritent de notre temps, pour imiter la tenue des femmes déshonnêtes.

«Il faut ajouter encore que la tragédie peut se passer du geste, tout aussi bien que l'épopée, pour produire son effet propre. Il suffit aussi de la lire pour la comprendre parfaitement; et si elle est supérieure sous les autres rapports, l'accessoire de la représentation ne lui est pas absolument indispensable.

«Ensuite, la tragédie peut paraître supérieure en ce qu'elle a tout ce qu'a l'épopée, dont elle emprunte même le vers, si elle le veut, et qu'elle a en outre, ce qui n'est pas un petit avantage, la musique et le spectacle, qui contribuent manifestement à procurer de vifs plaisirs. Elle a de plus pour elle les jeux de scène, qui frappent les yeux, soit quand il s'agit d'une reconnaissance, soit dans tout le cours de l'action.

«Elle a encore cette supériorité, qu'elle atteint le but de son imitation avec de moindres développements; or ce qui est condensé fait par cela même plus de plaisir que ce qui est délayé dans un long espace de temps; et par exemple, je demande quel effet produirait l'Œdipe de Sophocle, si on l'allongeait en autant de vers que l'Iliade en compte.

«L'épopée, quelle que soit son imitation, est moins une que la tragédie; et la preuve, c'est que, d'une seule épopée, on peut tirer plusieurs tragédies.

«Aussi, dans le poëme épique, si l'on se borne à une fable unique, on tombera nécessairement dans un de ces deux inconvénients: ou avec une exposition concise, de paraître tronqué et de finir comme en queue de rat; ou avec les dimensions ordinaires du poëme épique, de paraître diffus et délayé. Que si l'on prend plusieurs fables au lieu d'une, c'est-à-dire si l'on combine dans son œuvre plusieurs actions, il n'y a plus dès lors d'unité.

«L'Iliade même et l'Odyssée ont certaines parties qui, à elles seules, ont un grand développement; cependant ces épopées sont aussi parfaites que possible dans leur composition, et l'on ne saurait pousser plus loin l'imitation d'une action unique.

«Ainsi, la tragédie l'emporte par tous ces points, et en outre, par l'effet qu'elle produit dans les limites que l'art lui impose; car l'épopée et la tragédie ne sont pas faites pour procurer un plaisir quelconque, mais seulement le plaisir que nous avons signalé. J'en conclus que la tragédie est évidemment supérieure à l'épopée, puisqu'elle atteint plus complétement le but qu'elle poursuit.

«Mais bornons-nous à ce que nous venons de dire sur l'épopée et la tragédie, sur la nature de toutes deux, sur leurs formes et sur leurs parties, dont nous avons fixé le nombre et les différences, sur les causes de leurs beautés et de leurs défauts, et enfin sur les critiques dirigées contre la poésie et sur les réponses qu'on peut faire à ces critiques.»

Cette comparaison de la tragédie avec l'épopée manque de justesse dans le fond comme dans la forme, car l'épopée, c'est la nature entière, et la tragédie n'en est qu'une partie: prenez les quatre-vingt-dix-sept tragédies d'Eschyle d'un côté et l'Iliade de l'autre, vous verrez Eschyle sombrer et Homère grandir. Il ne faut pas d'autre jugement.

LA PSYCHOLOGIE D'ARISTOTE
ou
TRAITÉ DE L'ÂME.

I.

L'insuffisance du raisonnement purement humain se révèle tristement dans la métaphysique de l'homme par Aristote. Il veut se passer du mot mystère, qui seul donne la clef des deux mondes, et il reste à la porte de l'un et de l'autre. L'héroïsme de l'esprit ne peut se passer du mystère pour l'introduire dans les vérités occultes qui dépassent les sens. Quand on vient de lire attentivement sa *Psychologie*, on s'attriste au lieu d'admirer.

On admire son éloquent traducteur, M. Barthélemy Saint-Hilaire, plus qu'Aristote. On revient à Socrate, ce grand métaphysicien d'action; on revient même à Platon, le saint Paul de Socrate. Platon est un misérable sophiste quand il prétend faire des lois au lieu de faire des dogmes; sublime quand il interprète les dogmes de Socrate; ridicule quand il donne ses rêveries pour législation au monde grec. Il y avait eu toujours antipathie sourde entre Platon et Aristote pendant les dix-sept ans qu'ils avaient vécu et professé ensemble après la mort de Socrate; le dissentiment s'était prononcé et élargi d'année en année depuis le départ de Platon. Il en avait rejailli un peu sur les sublimes doctrines mystérieuses de Socrate. Socrate, convaincu que plus le mystère est beau, plus il est vrai, avait affirmé, comme le christianisme qui approchait, la spiritualité et l'immortalité de l'âme. Aristote avait rejeté ces dogmes divins, mais ténébreux, et demandait au corps et aux sens, c'est-à-dire, à la mort, le secret de l'âme et de la vie éternelle. Cependant le respect pour les doctrines socratiques ou platoniques l'empêchait de les nier d'une manière absolue, et il s'efforçait de les concilier avec une espèce de matérialisme *absurde*, quoique *logique*, auquel la raison pût ramener la pensée. Alors comme aujourd'hui, il ne voulait point de mystère: point de mystère, c'est le matérialisme et la mort. De là l'embarras de ses conclusions. Il y a deux mondes, un monde visible et un monde invisible. Raisonner de l'un par l'autre, c'est se tromper sur tous les deux.

II.

M. Barthélemy Saint-Hilaire l'a parfaitement senti et merveilleusement exprimé dans la belle et courageuse préface qui purifie d'avance la métaphysique d'Aristote. Il se socratise complétement, à mesure qu'Aristote se matérialise davantage.

L'âme est-elle distincte du corps? La force que nous sentons en nous vouloir, penser et sentir, est-elle la même que cette autre force qui conserve et répare notre organisme? L'intelligence et la nutrition sont-elles soumises à une seule et même puissance? L'homme est-il composé de deux principes? Obéit-il à un principe unique, et l'âme se confond-elle avec le corps?

Aujourd'hui il est permis à peine de poser cette question. Elle fait sourire la philosophie qui l'a cent fois résolue; elle indigne la religion, qui croit, avec raison, qu'un doute de cet ordre l'ébranle et la ruine; elle étonne le sens commun, qui ne se la fait pas, mais qui, lorsqu'on la lui pose, y répond, comme la religion et la philosophie, par une affirmation imperturbable: Oui, l'âme est distincte du corps. La discussion ne reste ouverte que pour ces physiologistes en petit nombre qui ne se sont point assez rendu compte des vraies limites de leur science, et qui, dans l'ardeur d'une étude encore nouvelle et indécise, ne s'aperçoivent pas de ses empiétements sur le domaine d'études voisines, mais différentes. Depuis Descartes, il n'est pas un philosophe qui puisse ignorer ni le chemin infaillible qui conduit à cette distinction capitale de l'âme et du corps, ni les conséquences, ou plutôt les dogmes, qui en sortent.

Mais quand la philosophie commençait à bégayer en Grèce, il y a près de trois mille ans, la question n'était ni aussi simple, ni même aussi grave. Les Écoles qui précédèrent Platon n'en comprenaient point toute l'étendue ni toute la portée. Platon seul a su montrer tout ce qu'elle renfermait d'essentiel, et pour l'explication de la nature de l'homme et pour ses destinées. La vérité n'avait jamais été présentée sous des formes aussi belles, appuyée d'arguments aussi invincibles, conquise par une méthode plus irréprochable. Les siècles ont adopté la solution platonicienne; ils l'ont approfondie, ils ne l'ont pas changée. Mais, au temps même de Platon, la victoire ne pouvait être aussi facile. La vérité, que l'homme n'acquiert qu'au prix de labeurs si longs, ne règne pas en un jour. La découvrir a coûté bien des peines, l'établir n'en coûte pas moins. Il est bon que des protestations nombreuses, même celles du génie qui s'égare en se révoltant contre elle, viennent l'affirmer en cherchant vainement à l'ébranler. Son triomphe serait moins sûr s'il était plus rapide. La liberté d'ailleurs réserve toujours ses droits, plus imprescriptibles encore que ceux de la vérité. C'est la grandeur de l'esprit humain de n'accepter qu'après bien des combats l'empire même du vrai, et de ne jamais vouloir en subir le despotisme. La distinction de l'âme et du corps, démontrée par Platon, et surtout par Descartes, n'en sera pas moins toujours contestée, comme toutes les grandes vérités desquelles relève le destin de l'homme. Ces vérités n'ont de valeur qu'autant qu'elles sont discutables; elles ne s'imposent pas à nos raisons comme les axiomes de la géométrie; elles ne peuvent sauver l'homme, ou le perdre, que parce qu'elles peuvent être toujours, ou librement admises, ou librement rejetées.

Les contradicteurs n'ont donc pas manqué à Platon; et le plus illustre, comme le plus redoutable, fut son grand disciple. Aristote avait toutes les armes nécessaires pour soutenir la lutte: le génie d'abord, hautement reconnu, et développé même par son maître; les vastes connaissances; les enseignements de la philosophie antérieure, et les discussions prolongées vingt ans au sein de l'école qu'il devait combattre, sans compter les trésors d'un roi capable de comprendre ses études en les favorisant. Ce serait beaucoup exagérer que de croire qu'Aristote a confondu l'âme et le corps, comme l'ont fait plus tard de grossiers systèmes. Les erreurs de ces hautes intelligences diffèrent au moins par la forme de celles du vulgaire, quoiqu'elles portent les mêmes conséquences, avouées ou incertaines. Elles ont même ceci de plus dangereux, qu'elles se dissimulent sous des dehors admirables, et qu'elles se cachent à des profondeurs où les yeux les plus sagaces ne savent pas toujours les discerner. On a disputé longtemps, dans l'antiquité, au moyen âge surtout, on peut encore disputer de nos jours, pour savoir ce qu'Aristote a pensé de l'avenir de l'âme. Des passages équivoques ont répondu dans l'un et l'autre sens, au gré des préjugés religieux ou philosophiques de ceux qui les interrogeaient. Susciter de pareilles controverses n'est pas absolument, comme on pourrait le croire, un privilége du génie. C'est plutôt la marque d'une de ses faiblesses. On ne discute point ce qui est évident; et si Aristote s'était prononcé plus nettement, si ses opinions eussent été plus arrêtées et plus fermes, elles n'eussent pas fourni matière à des interprétations si diverses. Qui a jamais demandé à Platon ce qu'il pensait de l'immortalité de l'âme? Qui a jamais demandé à Aristote lui-même ce qu'il pensait de l'éternité du monde? On n'interroge que lorsqu'on doute. Mais s'il est des questions qu'on peut laisser dans l'ombre, soit qu'on les dédaigne, soit qu'on les oublie, ce ne doit jamais être que des questions secondaires. Sur les questions essentielles, il ne doit y avoir ni oubli ni obscurité. Les laisser douteuses, c'est ne pas les comprendre assez.

L'opinion d'Aristote sur la distinction de l'âme et du corps ne nous apparaîtra donc point avec une entière netteté. Mais en interrogeant d'abord sa doctrine sur ce point spécial, puis surtout en interrogeant son système sur les conséquences qui découlent infailliblement de ce principe, selon qu'on l'affirme ou qu'on le nie, nous saurons à quoi nous en tenir; et l'accusation, puisqu'il faut nous résoudre à en élever une contre lui, reposera, nous le tâcherons du moins, sur des bases équitables.

Voici d'abord sa théorie:

L'histoire de l'âme, pour reproduire l'expression même dont il se sert, est l'une des études les plus graves que puisse entreprendre la philosophie. Elle exige des recherches profondes et difficiles, et l'objet qu'elle traite est grand et admirable. Ainsi, Aristote s'avoue toute l'importance des investigations auxquelles il va se livrer. Peut-être même il l'exagère un peu, ou du moins il la déplace; car il affirme qu'on ne peut bien connaître la nature si l'on ne connaît l'âme, qui est, selon lui, le principe des êtres animés, la partie principale des êtres vivants. Il se propose donc de rechercher et quelle est l'essence de l'âme, et quelles sont ses qualités. Mais il ne veut pas se borner, comme on l'a fait avant lui, à étudier l'âme de l'homme; ce n'est point un champ assez large; c'est à l'ensemble des êtres organisés, depuis le végétal jusqu'aux animaux les plus élevés dans l'échelle de la vie, qu'il demandera les faits qui doivent fonder son système.

Qu'on s'arrête avec quelque attention sur ce premier principe; car c'est de là que sont sorties toutes les erreurs d'Aristote. Si l'âme de l'homme ne circonscrit pas nos études, si l'on sort de la nature humaine pour interroger l'univers, ce n'est plus de la psychologie qu'on fait, c'est de la physiologie générale. La question est certainement agrandie; mais elle est tout autre. Elle devient en outre tellement vaste que le génie même court risque de s'y perdre. Bientôt la physiologie ne suffira pas plus que n'a suffi la psychologie; et, en dédaignant d'étudier l'âme seule de l'homme, on sera bien près d'étudier l'âme du monde, et de tomber dans les abîmes où s'est égaré Timée, que l'on a critiqué avec tant de raison et de sévérité. L'histoire de l'âme ainsi entendue est un préliminaire de l'histoire des animaux. Aussi les commentateurs n'ont pas manqué de mettre le Traité de l'Âme en tête de ces admirables et nombreux ouvrages qui composent l'histoire naturelle dans l'encyclopédie d'Aristote. Les commentateurs ont bien fait et ils ont obéi à une tradition chère au Péripatétisme. Mais, il faut bien le remarquer: on a beau prétendre traiter de l'âme en général, c'est surtout de l'âme humaine qu'on s'occupera. Et la raison en est toute simple: c'est que l'âme de l'homme est celle qui est le mieux connue à l'homme. Les autres, ou lui échappent, ou du moins restent obscures pour lui. Aristote ne fera donc pas précisément ce qu'il désire; quoi qu'il en dise, il sortira très-peu de l'homme; et les faits étrangers qu'il viendra joindre aux faits purement humains, pourront bien faire briller son immense savoir; mais, loin d'éclaircir la question, ils ne feront que l'embarrasser. Certainement il est de frappants et intimes rapports entre l'homme et les êtres qui l'entourent: il se nourrit comme eux; quelques-uns sentent à peu près comme lui. Mais n'est-ce pas assembler les choses les plus disparates que de confondre dans une seule étude les plantes, qui se nourrissent et ne sentent pas; les animaux, qui se nourrissent et qui sentent, mais qui ne pensent pas; et enfin, l'homme, qui a seul le privilége de l'entendement, de cet entendement dont Aristote a fait la partie supérieure de l'âme? N'est-ce pas s'exposer à des confusions fatales? Et une sage méthode ne s'en tiendrait-elle pas ici, bien plus encore que dans la politique, à ce précepte donné par le philosophe lui-même: «Quand on veut étudier la nature, c'est aux êtres complets qu'il convient de s'adresser, ce n'est point aux êtres inférieurs?» (Voir la *Politique*, liv. I, ch. II, § 10.)

Mais passons. Après avoir montré tout ce qu'a d'important l'étude de l'âme, Aristote indique, avec sa concision habituelle et avec la sûreté de son coup d'œil, les questions principales qu'il convient d'agiter. L'âme est-elle une substance? N'est-elle qu'une qualité? Est-elle simplement en puissance? ou est-elle une réalité complète? Plus tard, il soutiendra qu'elle est une substance, qu'elle est en acte et non pas seulement en puissance; mais nous verrons en quel sens il prête à l'âme la substantialité et l'énergie. Puis il se demande si l'âme possède quelque affection qui lui soit propre, ou si plutôt toutes ses affections ne lui sont pas communes avec le corps. La sensation a besoin du corps évidemment; la pensée n'en a pas moins besoin, bien qu'elle semble plus propre à l'âme que la sensibilité. L'âme est donc indissolublement unie au corps: elle ne peut pas plus être séparée de lui qu'on ne peut séparer d'un objet quelconque la forme qui le limite et le détermine. Les passions de l'âme, Aristote le remarque avec toute raison, sont toujours accompagnées de certaines modifications du corps; et de cette observation, qui est vraie et qu'eût approuvée Descartes, mais qui est incomplète, puisqu'il y a dans l'âme autre chose que des passions, que conclut Aristote? Que l'étude de l'âme appartient exclusivement au naturaliste, ou, comme nous le dirions aujourd'hui, au physiologiste. Et de peur qu'on ne s'y méprenne, Aristote explique ce qu'il entend par le naturaliste, et, pour parler grec, le physicien: c'est celui qui étudie les phénomènes en tant qu'ils sont unis à la matière; c'est celui qui, en étudiant l'âme par exemple, ne la sépare point du corps auquel elle est jointe. Le physicien est, à cet égard, au-dessous même de quelques artistes, de l'architecte, du médecin, qui étudient certaines modifications de la matière, indépendamment de la matière même; au-dessous du mathématicien, qui étudie abstraitement d'autres modifications; fort au-dessous, par conséquent, du métaphysicien, qui étudie plus abstraitement encore les propriétés générales de l'être.

Sur ce point, il est impossible d'être plus clair que ne l'est Aristote. Suivant lui, l'étude de l'âme n'est qu'une partie de l'histoire naturelle; elle n'appartient en rien à la métaphysique, à la philosophie première. Ceci est une conséquence parfaitement rigoureuse de la définition posée dès le début. Si l'âme est le principe des êtres vivants, il faut l'étudier dans les êtres vivants; l'homme apparemment n'est pas le seul être qui vive, le seul être animé et organisé. Adjugeons donc à la science qui étudie l'organisation des êtres l'étude du principe sans lequel les êtres ne seraient pas.

Mais ici admirons Aristote: il vient de montrer toute l'étendue de son sujet; il en a fixé les détails et les limites; il en a déterminé la méthode, par la nature même de la science à laquelle il l'attribue. Cette science, l'histoire naturelle, il la possède comme personne ne l'a possédée avant lui, comme depuis lors personne peut-être ne l'a possédée. Il est aussi parfaitement sûr de ses forces que du chemin dans lequel il doit marcher, et pourtant il ne veut pas s'en remettre à lui seul. D'autres avant lui ont parcouru la même carrière[4]; il les interrogera, à la fois pour leur emprunter loyalement la vérité, s'ils l'ont découverte, et pour éviter prudemment leurs erreurs, s'ils en ont commis. Réserve bien rare dans le génie, qui croit en général immodérément à lui-même, et qui serait cependant bien plus puissant encore, s'il était plus modeste et s'il s'appuyait sur la tradition! Aristote s'adresse donc à ses devanciers, et s'il les combat, ce n'est qu'après les avoir longuement consultés: il se sépare d'eux, mais il ne les omet pas. Depuis Thalès jusqu'à Timée, Platon, Xénocrate, il étudie et critique ses prédécesseurs, ses maîtres, ses condisciples. Deux facultés de l'âme ont surtout attiré leur attention: la sensibilité et le mouvement. Mais Aristote trouve qu'ils ne les ont bien expliquées ni l'une ni l'autre. Ces philosophes, trop peu instruits, ont cherché à définir le mouvement dans l'âme, comme ils le définissaient dans l'univers, ne voyant pas que dans l'âme (l'âme humaine sans doute, malgré ce qu'en a dit plus haut Aristote), le mouvement tient surtout à cette force qu'on appelle la volonté et la pensée. En outre, ils ont pris les modifications de l'âme pour des mouvements en elle: sentir, penser même, s'attrister, se réjouir, espérer, craindre, s'indigner, ce ne sont pas des mouvements de l'âme; ce sont des mouvements qui n'appartiennent qu'au corps, se développant avec lui, se flétrissant et mourant avec lui. Quant à l'intelligence proprement dite, elle donne si peu le mouvement, qu'elle est «un principe impassible,» tout divin, tout indestructible qu'il est. L'intelligence même ne pense, ne sent, n'aime, ne se souvient, qu'en compagnie du corps. Les modifications de l'âme, qu'on prend pour des mouvements, ne sont donc pas proprement à elle. Si les philosophes antérieurs ont commis cette erreur, c'est qu'ils n'avaient pas assez étudié le corps; ils ne s'étaient pas assez rendu compte des conditions qu'il doit remplir pour être uni à l'âme. Ils n'ont pas mieux compris la sensibilité. L'âme, pour connaître les choses, n'a pas besoin d'être semblable aux choses, ni surtout, comme l'ont imaginé quelques esprits grossiers, d'être les choses mêmes. Il n'y a point entre l'âme et les êtres qu'elle connaît cette insoutenable identité. De plus, Aristote, comme son maître dans le Phédon, fait justice de cette opinion que l'âme est l'harmonie du corps, métaphore inexacte donnée pour une explication scientifique. Il n'est pas moins sévère pour cette autre métaphore plus vide encore, qui fait de l'âme un nombre qui se meut lui-même. Enfin, il termine cet examen rapide des théories qui ont précédé la sienne, en les accusant d'être incomplètes, parce qu'elles n'ont pas étudié l'âme dans toute sa généralité. La sensibilité, le mouvement, n'épuisent pas les facultés de l'âme. La plante a une âme puisqu'elle se nourrit, et pourtant elle ne sent ni ne se meut. Certains animaux, qui sentent, sont immobiles. Leur refusera-t-on une âme? Et s'ils en ont une, pourquoi l'a-t-on oubliée dans des systèmes qui ont la prétention d'expliquer l'âme tout entière?

À ces théories insuffisantes il faut en substituer une plus vaste et plus exacte. Et, d'abord, Aristote s'occupe de donner la définition de l'âme. Quelle est cette définition? On peut, d'après ce qui précède, le deviner presque sans peine. Tout être, toute substance se compose de trois éléments, qu'y peut distinguer la raison: la matière d'abord, qui n'est par elle-même rien de déterminé, et n'est qu'une simple puissance; la forme, qui détermine l'être, lui donne un nom, le fait ce qu'il est; puis, en troisième lieu, l'être lui-même, composé de la matière et de la forme, l'être tel que nos sens nous le montrent. Que peut donc être l'âme? Évidemment elle ne peut être que la forme du corps, non pas du premier corps venu, comme l'ont dit les Pythagoriciens et quelques autres, mais d'un corps formé par la nature, et doué par elle d'organes qui le rendent capable de vivre. L'âme, en venant se joindre à la matière organisée, lui apporte donc actuellement la vie. De la simple puissance, elle la fait passer à la réalité entière et complète. L'âme est donc l'achèvement du corps, sa perfection, son acte, et, pour parler la langue aristotélique, son entéléchie[5]. De là il résulte que l'âme ne se confond pas plus avec le corps, que la cire ne se confond avec l'empreinte qu'elle reçoit, pas plus que la matière d'une chose quelconque ne se confond avec cette même chose. L'âme est l'essence du corps qui sans elle n'est plus ce qu'il est, tout comme un œil de pierre, un œil en peinture n'est pas un œil véritable. L'âme n'est pas tout à fait le corps; elle est quelque chose du corps; mais elle n'en peut être séparée, et Aristote n'ose même pas dire qu'elle y soit distinctement, comme le marin est dans le vaisseau qu'il gouverne.

Voilà donc la définition de l'âme; et le philosophe qui a fait sur la définition en général la grande théorie déposée dans les Analytiques veut prouver que celle-ci est irréprochable. À ses yeux, elle remplit la condition essentielle de toute bonne définition: elle contient la cause. L'âme ainsi comprise est la cause du corps vivant; c'est elle qui, en lui donnant la vie, le fait ce qu'il est. Elle la lui donne par quatre facultés diverses: la nutrition, la sensibilité, l'intelligence, la locomotion. Partout où l'on voit l'une de ces facultés, on peut affirmer qu'il y a vie, qu'il y a une âme. Ces facultés, du reste, se répartissent très-inégalement entre les êtres vivants. Les uns n'en ont qu'une: ainsi, les plantes n'ont que la faculté de nutrition, n'ont que l'âme nutritive; d'autres êtres jouissent de toutes les facultés réunies: tel est l'homme. Ajoutez que ces facultés se subordonnent entre elles dans une série parfaitement régulière. La nutrition peut être isolée de toutes les autres; mais la sensibilité, qui est le caractère propre et premier de l'animal, ne va jamais sans la nutrition; la locomotion suppose nécessairement la sensibilité, comme celle-ci suppose la nutrition. Enfin, l'intelligence implique toutes les facultés inférieures.

Je n'insiste pas sur la grandeur et la vérité de ces considérations physiologiques. On sait assez ce qu'on peut attendre de l'auteur de l'Histoire des animaux. Tout ce qu'il convient de remarquer ici, c'est qu'Aristote fait de l'âme la cause directe de la nutrition et de la génération, destinées, l'une à conserver l'individu, l'autre à perpétuer la race. Il réfute les philosophes qui ont attribué au seul élément du feu ce grand acte de la nutrition. Certainement, sans la chaleur, la nutrition n'est pas possible; et voilà pourquoi tous les êtres vivants sont pourvus d'une certaine chaleur. Mais c'est l'âme qui est la cause absolue de la nutrition. C'est elle qui nourrit le corps au moyen des aliments qu'elle lui assimile. C'est elle qui, tout en le développant, lui conserve néanmoins sa figure, tandis que le feu, s'il était seul chargé de cette fonction, accroîtrait cette figure sans règle et sans limites.

Après la théorie de la nutrition vient la théorie de la sensibilité.

III.

Il résulte de là que la conscience est supprimée et que Dieu lui-même est omis. L'immortalité de l'âme redevient problème.

À quoi tiennent tant de lacunes et tant d'erreurs? continue M. Barthélemy Saint-Hilaire.

Aristote n'a pas fait de l'âme une substance, c'est-à-dire une force libre et distincte de toutes les autres;

Il n'a point rattaché à l'âme les facultés morales dont l'homme est doué;

Il n'a pas cru à l'immortalité de l'âme;

Enfin, il n'a pas montré dans l'âme le fondement même de toute philosophie et de toute science.

À quoi tiennent des erreurs si profondes et si diverses? à quelle cause convient-il de les rapporter? À une seule, qui les explique toutes, si elle ne les justifie. Aristote n'a pas su distinguer assez complétement l'âme et le corps. Il les a confondus, en attribuant à l'une des fonctions qui manifestement appartiennent à l'autre. Il a réduit l'homme à un principe unique, tandis que l'homme est évidemment composé de deux principes, que sa raison distingue parfaitement, si d'ailleurs elle ne les voit jamais matériellement séparés. Quand l'âme a su donner à cette interrogation intérieure l'attention et la persévérance qu'exigent de si délicates études, elle se discerne elle-même avec une évidence que rien n'égale. L'homme s'aperçoit alors avec le caractère éminent qui lui est propre, avec le caractère unique de la pensée. Il ne nie rien du corps auquel son âme est attachée dans cette vie. Mais il reconnaît que le corps n'est pas lui, précisément parce que le corps est à lui, et que ce qui possède est distinct de ce qui est possédé[6]. Il ne sait point si l'âme est la forme du corps. Mais ce que l'âme sait, quand elle en est arrivée à se saisir ainsi elle-même, c'est qu'elle est la souveraine et la dominatrice de la matière à laquelle elle est unie, et que cette matière est son instrument et son compagnon subordonné, quoique trop souvent indocile. L'âme ne se comprend elle-même que sous la condition de la pensée, sans laquelle elle ne serait pas: elle n'a pas besoin de la condition du corps, sans lequel elle pourrait être, bien qu'elle ne soit jamais sans lui. La pensée seule lui est donc essentielle.

Voilà ce que Descartes enseigne divinement; voilà ce que Descartes enseigne avec une clarté qui ne laisse plus aucun nuage, avec cette autorité qui n'appartient qu'au vrai, et qui ne souffre plus de controverse. Mais est-il équitable de juger Aristote par Descartes, et de mesurer ces antiques théories à des théories venues deux mille ans plus tard? Est-il équitable de demander au siècle d'Alexandre tout ce qu'a pu tenir le dix-septième siècle, tout ce que le nôtre pourrait donner? Sans doute la nature et la réalité ne changent pas; et le génie, quand il applique sa puissance à les observer, peut d'un premier effort les pénétrer et les comprendre tout entières. Aristote a rencontré parfois ce bonheur; et la logique, par exemple, a été construite de toutes pièces par ses seules mains, sans que ce prodigieux édifice eût été préparé par des travaux antérieurs, sans qu'il ait été agrandi ou changé par les travaux qui ont suivi. Mais ce sont là de bien rares fortunes; et quoique Aristote en ait eu encore une autre presque aussi belle dans l'Histoire des animaux, il serait excessif d'attendre toujours, même de lui, des œuvres aussi achevées. C'est qu'à côté de la puissance du génie, qui est individuel, il y a cette autre puissance de l'esprit humain qui grandit de siècle en siècle, et dépasse par des labeurs incessamment accumulés les élans du génie lui-même, admirables, mais passagers. On a souvent commis cette iniquité de soumettre les grands hommes du passé à la mesure du présent, et il a été facile de les convaincre d'erreur et de faiblesse. Mais c'est bien mal comprendre la loi qui préside au développement de l'intelligence humaine. C'est exiger de l'enfance ce qu'on ne doit demander qu'à la virilité. Aujourd'hui, moins que jamais, une appréciation aussi injuste ne doit être permise. Elle serait impardonnable, en présence de tous les enseignements qu'ont dû nous donner et la philosophie de l'histoire et l'histoire même de la philosophie.

Ne jugeons donc pas Aristote par Descartes; et puisqu'un heureux hasard nous permet de comparer les théories du disciple à celles de son maître, jugeons Aristote par Platon; Aristote a vingt ans étudié à cette école. Il y aura de plus cet avantage que, si la sentence portée au nom de Platon est toute pareille à celle que nous eussions portée au nom de Descartes, le jugement pourra passer pour infaillible; ce sera l'expression même de la vérité, découverte d'abord par le génie, et confirmée par le témoignage des temps.

Voyons ce que Platon enseigne sur l'âme. L'a-t-il distinguée parfaitement du corps? En a-t-il fait une substance? L'a-t-il crue immortelle? A-t-il su trouver dans l'âme et dans la réflexion le principe de la véritable méthode? Mais, en cherchant une réponse à ces questions, gardons-nous de séparer Platon de Socrate, puisque le pieux disciple a voulu que la postérité ne l'écoutât jamais que par l'intermédiaire et sous la garantie de son incomparable maître.

Socrate vient d'exposer à ses amis cette théorie de l'immortalité de l'âme qui remplit le Phédon; il va boire le poison dans la coupe que lui présentera le serviteur des Onze. Mais, avant de mourir, il veut se baigner, afin d'épargner aux femmes la peine de laver un cadavre. Alors Criton prenant la parole: «Socrate, lui dit-il, n'as-tu rien à nous recommander, à moi et aux autres, sur tes enfants ou sur toute autre chose où nous pourrions te rendre service?

—«Ce que je vous ai toujours recommandé, Criton; rien de plus; ayez soin de vous; ainsi, vous me rendrez service à moi, à ma famille, à vous-même, alors même que vous ne me promettriez rien présentement; au lieu que si vous vous négligez vous-même, et si vous ne voulez pas suivre, comme à la trace, ce que nous venons de dire, ce que nous avons dit il y a longtemps, me fissiez-vous aujourd'hui les promesses les plus vives, tout cela ne servira pas à grand'chose.

—«Nous ferons tous nos efforts, répondit Criton, pour nous conduire ainsi. Mais comment t'ensevelirons-nous?

—«Tout comme il vous plaira, dit-il, si toutefois vous pouvez me saisir et que je ne vous échappe pas. Puis, en même temps, nous regardant avec un sourire plein de douceur: Je ne saurais venir à bout, mes amis, de persuader à Criton que je suis le Socrate qui s'entretient avec vous, et qui ordonne toutes les parties de son discours. Il s'imagine toujours que je suis celui qu'il va voir mort tout à l'heure, et me demande comment il m'ensevelira; et tout ce long discours que je viens de faire pour prouver que, dès que j'aurai avalé le poison, je ne demeurerai plus avec vous, mais que je vous quitterai, et irai jouir de félicités ineffables, il me paraît que j'ai dit tout cela en pure perte pour lui, comme si je n'eusse voulu que vous consoler et me consoler moi-même. Soyez donc mes cautions auprès de Criton, mais d'une manière toute contraire à celle dont il a voulu être la mienne auprès de mes juges; car il a répondu pour moi que je ne m'en irais point; vous, au contraire, répondez pour moi que je ne serai pas plutôt mort que je m'en irai; afin que le pauvre Criton prenne les choses plus doucement, et qu'en voyant brûler mon corps ou le mettre en terre, il ne s'afflige pas sur moi, comme si je souffrais de grands maux, et qu'il ne dise pas à mes funérailles qu'il expose Socrate, qu'il l'emporte, qu'il l'enterre; car il faut que tu saches, mon cher Criton, lui dit-il, que parler improprement, ce n'est pas seulement une faute envers les choses, mais c'est un mal que l'on fait aux âmes. Il faut avoir plus de courage, et dire que c'est mon corps que tu enterres; et enterre-le comme il te plaira, et de la manière qui te paraîtra la plus conforme aux lois.» (Traduction de M. Cousin, p. 315.)

Sous l'impression d'exemples si frappants, devant de si vives leçons, dont la vérité d'ailleurs pouvait être à tout instant contrôlée par l'observation même des faits, on comprend sans peine que la distinction de l'âme et du corps dut apparaître à Platon comme une sorte d'axiome incontestable. Aussi, sans s'expliquer avec autant de netteté que, plus tard, Descartes a pu le faire, Platon a-t-il pris, comme lui, l'âme réduite à la seule pensée pour le principe suprême de toute philosophie. Quel est le devoir du philosophe? C'est de s'examiner soi-même; c'est de conserver pure de toute souillure cette partie de son être qui comprend le juste et l'injuste; c'est de la perfectionner au péril même de sa vie. Mais le premier obstacle que le philosophe rencontre, c'est le corps qui l'empêche d'arriver au vrai et au bien. Les besoins du corps, ses passions, ses faiblesses, ses plaisirs et ses douleurs sont comme autant de clous par lesquels l'âme lui est rivée; c'est par le corps qu'elle est entraînée dans ces régions inférieures et obscures où elle est en proie au vice et à l'erreur. Il faut donc que le philosophe, s'il veut atteindre à la vertu et à la vérité, sépare son âme du corps; il faut qu'il la délivre du lien des sens dont elle se sert, et lui apprenne, dès cette vie, à mourir, en quelque sorte, si la mort est la séparation du corps et de l'âme. La philosophie sera donc comme un apprentissage et comme une anticipation de la mort véritable. Cette vie nouvelle de l'âme est la seule vie réelle, la seule vraiment digne de l'homme. L'âme recueillie en elle-même, au-dessus des troubles et des vertiges que le corps lui donne, quand elle reste unie à lui, se reconnaît alors pour un principe divin, immortel, intelligent, simple, indissoluble. Elle est invisible et immatérielle. Il n'y a que le corps qui puisse être perçu par les sens. Mais si l'âme échappe à la prise des sens, s'ils ne peuvent ni la voir ni la toucher, l'âme se voit et se touche elle-même. Elle se confond si peu avec le corps qu'elle se sent faite pour lui commander, le combattre, et, au besoin, l'anéantir. C'est elle qui anime le corps et qui le fait ce qu'il est; car sans elle il n'est plus qu'un cadavre; sans elle il se corrompt; et l'homme a beau vouloir conserver cette vaine dépouille, tout l'art des Égyptiens n'y peut rien; le corps tombe bientôt en dissolution, tandis que l'âme se sent réservée à des destinées toutes différentes[7].

Cette vie de l'intelligence et de la sagesse que la philosophie assure à l'âme, on sait assez ce qu'elle est dans le système de Platon. L'âme est alors en rapport avec les Idées, c'est-à-dire, avec les notions générales et universelles, dont elle ne voit dans le monde des sens que des cas particuliers et des ombres. Aristote a beaucoup combattu la théorie des Idées; et je ne veux pas dire qu'elle soit inattaquable de tous points. Mais s'il a nié surtout que les Idées pussent exister à part et indépendamment des êtres que nos sens nous révèlent, il n'a jamais nié qu'elles existassent. Comment, en effet, aurait-il pu le nier? Sa théorie de l'entendement n'est point autre à cet égard que la théorie même de son maître. L'universel est le seul objet de la science pour Aristote aussi bien que pour Platon. Mais, selon Aristote, les sens et le corps sont indispensables pour former l'universel, collection de ce qu'il y a de commun dans chacun des phénomènes. Suivant Platon, au contraire, le témoignage des sens n'est pour l'âme qu'une occasion de s'élever à la notion universelle qu'elle porte en elle, et qu'elle y doit retrouver, quand elle sait rentrer en soi sous la conduite de la philosophie. Après l'excitation toute passagère par laquelle le corps a provoqué l'âme, il n'a donc plus rien à faire dans le monde de l'intelligence. L'âme y est seule avec les Idées qu'elle comprend et qu'elle contemple, mais qu'elle ne fait pas, comme Aristote l'a pensé.

IV.

On le voit: si, dans l'ordre actuel des choses, l'âme est unie au corps, si elle n'en peut être matériellement séparée, elle peut du moins, selon Platon, se distinguer si parfaitement de lui qu'elle se fait une existence dans laquelle le corps n'est plus réellement pour rien. L'âme en est donc profondément distincte. Et notez bien qu'il ne s'est agi jusqu'ici dans les théories de Platon que de faits réels, tous vérifiables à la plus scrupuleuse analyse, et non point de ces hypothèses qui confirment la distinction de l'âme et du corps, qui en sont des conséquences plus ou moins certaines, mais qui ne la démontrent pas. Je veux parler de cette éternité que Platon attribue à l'âme, de cette vie antérieure où l'âme sans le corps a connu directement les Idées dont elle ne fait que se souvenir ici-bas, de ces existences successives par lesquelles l'âme doit passer pour recouvrer sa pureté première, de ces récompenses et de ces peines que lui réserve la justice des dieux, selon qu'elle aura bien ou mal vécu. Ces croyances, qui sont le fond du Platonisme, ont sans doute une immense importance. Mais même en les négligeant, on peut affirmer, sans la moindre hésitation, que Platon a procédé comme Descartes dans cette grande distinction de l'âme et du corps, et que sa théorie a la même vérité, si d'ailleurs elle présente aussi les mêmes périls.

Mais Platon est allé plus loin que Descartes, en insistant encore plus que lui sur les moyens qu'il convient d'employer pour bien discerner l'âme du corps. Il a même indiqué les causes qui le plus ordinairement empêchent les hommes de pouvoir faire cette distinction, et de se bien connaître eux-mêmes. Descartes prévoyait, en terminant ses principes (4e partie, § 201, éd. de M. Cousin), «qu'il ne serait pas approuvé par ceux qui prennent leurs sens pour la mesure des choses qui se peuvent connaître.» Et il ajoutait «qu'à son avis, c'était faire grand tort au raisonnement humain que de ne vouloir pas qu'il allât au-delà des yeux.» Platon a vingt fois répété que, pour bien connaître la véritable nature de l'âme, «on ne doit pas la considérer dans l'état de dégradation où la mettent son union avec le corps et d'autres maux; et qu'il faut la contempler attentivement, des yeux de l'esprit, telle qu'elle est en elle-même, dégagée de tout ce qui lui est étranger. Ceux qui verraient Glaucus le marin, disait-il encore, auraient peine à reconnaître sa première forme, parce que les anciennes parties de son corps ont été, les unes brisées, les autres usées et totalement défigurées par les flots, et qu'il s'en est formé de nouvelles de coquillages, d'herbes marines et de cailloux, de sorte qu'il ressemble plutôt à un monstre qu'à un homme tel qu'il était auparavant. Ainsi, l'âme s'offre à nos regards défigurée par mille maux. Mais voici par quel endroit il convient de la regarder. C'est par son goût pour la vérité. Considérons à quelles choses elle s'attache, quel commerce elle recherche, comme étant par sa nature de la même famille que ce qui est divin, immortel, impérissable. Considérons ce qu'elle peut devenir, lorsque, se livrant tout entière à cette poursuite, elle s'élève par ce noble élan du fond des flots qui la couvrent aujourd'hui, et qu'elle se débarrasse des cailloux et des coquillages qu'amasse autour d'elle la vase dont elle se nourrit, croûte épaisse et grossière de terre et de sable.» (*République*, liv. X, p. 273, trad. de M. Cousin.) Puis, dans cette sage conciliation que Platon a tentée entre le sensualisme ionien et l'idéalisme de Mégare, il employait la douce ironie qu'il avait apprise de Socrate, à se moquer «de ces hommes semés par Cadmus, de ces vrais fils de la terre, qui soutiennent hardiment que tout ce qu'ils ne peuvent pas palper n'existe en aucune manière; de ces terribles gens qui voudraient saisir l'âme, la justice, la sagesse, ou leurs contraires, comme ils saisissent à pleines mains les pierres et les arbres qu'ils rencontrent, et qui n'ont que du mépris, et n'en veulent pas entendre davantage, quand on vient leur dire qu'il y a quelque chose d'incorporel.» (*Sophiste*, p. 252, trad. de M. Cousin.) Platon n'est pas parvenu à convaincre tous ces profanes, comme il les appelait encore; Descartes n'a pas davantage persuadé tous les profanes de son temps. Mais Platon et Descartes ont montré la route; les esprits attentifs et sérieux n'ont plus qu'à les y suivre.

Maintenant est-il besoin de dire que Platon a fait de l'âme une substance, au sens le plus rigoureux de ce mot? Tout ce que l'on vient de voir ne le prouve-t-il pas assez? Et pour l'immortalité, que dire encore, que tout le monde ne sache? Disons toutefois que dans la philosophie de Platon, ce dogme a une importance et un caractère qu'il n'a point ailleurs. Les religions, même les plus positives et les plus éclairées, se contentent d'affirmer que l'âme est immortelle, tout comme elles affirment que Dieu est. La philosophie va beaucoup plus loin: elle ne se contente pas d'affirmer, elle démontre. Elle cherche des preuves, les classe, les discute, pour en faire ressortir, avec d'autant plus d'évidence, la vérité que doit accepter la raison après l'avoir soumise librement à son examen. Depuis le Phédon, la République et les Lois, l'esprit humain a-t-il trouvé des arguments nouveaux? en a-t-il trouvé de plus solides? Et est-il personne qui ne puisse adopter ceux qui donnèrent à Socrate son imperturbable foi devant une mort inique et cruelle? Quel immense intérêt s'attachait donc, pour Platon, à cette question qui achève et comprend toutes les autres? La vie de l'homme, telle qu'elle nous est faite ici-bas, lui apparut comme une énigme indéchiffrable, et digne de pitié plutôt que d'étude, si rien ne la suit. L'homme, s'il ne se rattache à rien de supérieur, s'il ne se rattache point à Dieu, lui apparut comme un être inexplicable et monstrueux. De là, dans son système, cette grande croyance de l'immortalité, qui fait du Platonisme une sorte de religion tout aussi inébranlable, et, sur quelques points, beaucoup plus complète que toute autre. En un mot, après Socrate et Platon, les siècles n'ont eu, sur ce dogme, absolument rien à faire, ils n'ont eu qu'à le sanctionner.

Ceci nous explique sans la moindre peine pourquoi la morale de Platon est à la fois si vraie et si sublime, si profonde et si pratique. C'est une conséquence, quand une fois on a compris la vraie destinée de l'âme, de comprendre aussi, dans toute son étendue, la loi qui lui est imposée. Le philosophe n'a plus, comme le vulgaire, qu'à interroger sa conscience; il y trouve la voix intérieure qui parlait si haut à Socrate, et que tout homme porte en lui, si d'ailleurs tout homme ne sait pas l'entendre aussi bien, et la suivre aussi docilement. Le philosophe n'a donc qu'à recueillir ces infaillibles oracles; et mieux il les aura écoutés, plus son langage prendra de grandeur et d'autorité. Si Platon a mieux parlé de la morale que ne l'a fait Aristote, si surtout il a su l'inspirer mieux que son disciple, n'en cherchons pas d'autre cause. Platon a mieux compris la nature de l'âme, parce qu'en ne voyant en elle que la pensée, il l'a prise par son essence, et ne l'a point dénaturée en lui prêtant des facultés qu'elle n'a point. Platon même en ceci est bien plus grand que Descartes: parti d'un principe identique, il en tire des conséquences morales que le philosophe moderne a passées sous silence, conséquences qui n'avaient plus, il est vrai, au dix-septième siècle, la même importance qu'au sein du paganisme, mais que la science du moins réclamait comme un indispensable complément[8].

V.

Ainsi, conduit par une exacte analyse des faits, Platon a posé d'abord la distinction de l'âme et du corps et la substantialité de l'âme; il a posé son immortalité véritable avec le cortége obligé des récompenses et des peines; il a découvert la loi morale et l'a montrée, dans toute sa puissance et sa pureté, au fond de la conscience humaine. Sur ces divers points, nous avions trouvé Aristote, ou à peu près muet, ou tout au moins obscur; Platon, au contraire, a répondu avec une clarté et une assurance admirables. En sera-t-il de même sur la question de la méthode? Oui, sans doute; et en ceci la solution de Platon n'a été ni moins complète, ni moins sûre. On peut déjà facilement pressentir ce qu'elle doit être. Il est impossible à l'âme de se placer en face d'elle-même, sans reconnaître bientôt cette évidence suprême qui accompagne tout acte de conscience, et qui de là se répand sur toutes les notions que l'âme peut saisir directement en elle. Or ces notions ne concernent pas l'âme toute seule; elles s'appliquent aussi au monde extérieur, aux êtres, aux phénomènes qui, sans elles, demeureraient parfaitement incompréhensibles à l'intelligence, parce qu'ils seraient sans lois. Il faudra donc que l'âme rentre en elle-même, non pas seulement pour se comprendre, mais aussi pour comprendre tout ce qui n'est pas elle. De là, la dialectique, «science toute rationnelle qui, sans invention des sens, s'élève à l'essence des choses,» et les entend aussi parfaitement qu'il est donné à l'homme de les entendre: science supérieure à toutes les sciences physiques, supérieure même à toutes les sciences intelligibles, parce que c'est elle seule qui a le secret de toutes les autres et connaît leurs limites et leurs rapports. On peut dire que «la dialectique est l'air dont les autres sciences ne sont qu'un vain prélude.» Elle est la plus vraie de toutes, parce qu'elle ne s'occupe que de ce qui ne passe point, et que la vérité ne se fonde que sur ce qui est. On a souvent représenté la dialectique platonicienne comme la méthode qui, des idées particulières, s'élève de degré en degré à des notions de plus en plus générales, pour aboutir par toutes les voies à cette idée suprême et universelle du bien, «qui illumine le monde intelligible, comme le soleil éclaire le monde des sens.» La dialectique est bien cela sans doute; mais elle est plus encore: elle est la méthode unique, applicable à tous les cas, aux plus humbles comme aux plus relevés: en un mot, elle est la méthode, au sens même où Descartes l'a plus tard entendu. De là vient que Platon déclare que le philosophe est le seul à posséder la dialectique, tout comme Descartes n'a demandé la méthode qu'à la seule philosophie. De là vient encore que Platon interdit la dialectique à la jeunesse, et qu'il veut qu'elle couronne, et non qu'elle précède la culture des sciences particulières. C'est qu'en effet, pour bien connaître et montrer le chemin, il faut d'abord l'avoir parcouru.

Telle est la portée véritable de la dialectique platonicienne; c'est là ce qui lui assigne le grand rôle qu'elle joue dans l'histoire de la philosophie. Elle est l'antécédent direct de la méthode cartésienne, laquelle est le fondement de toute la philosophie moderne. Comprendre autrement la dialectique de Platon, c'est la méconnaître. Aristote le premier l'a entièrement méconnue; et, si l'on a bien compris pourquoi le système péripatéticien est sans méthode et sans base, on voit tout aussi clairement pourquoi le disciple n'a point accepté la méthode du maître: c'est qu'Aristote n'a point constaté dans l'âme ce grand fait de la réflexion sur lequel Platon a tant insisté. Aristote a rabaissé la dialectique presque au niveau de l'art des sophistes; et bien d'autres après lui ont répété cet anathème. Peut-être la dialectique vulgaire de son temps ne valait-elle pas davantage; peut-être même celle que Kant a voulu ressusciter ne vaut-elle pas beaucoup mieux; mais on peut l'affirmer contre Aristote et contre Kant, ce n'est pas là la dialectique de Platon.

Certes, je ne veux pas dire que la méthode platonicienne soit à l'abri de toute critique, ni qu'elle soit sans danger. Le demi-scepticisme des cinq Académies qui se sont succédé est un fâcheux symptôme. Le mysticisme des

Alexandrins est encore plus déplorable, ainsi que l'idéalisme sorti de l'école cartésienne; mais ce sont là des aberrations et des conséquences immodérées de la méthode; ce n'en sont pas de légitimes applications. Il faut donc répéter que la méthode de Platon est la vraie méthode, et que qui ne l'adopte pas court le risque de ne point s'entendre complétement avec soi-même, et de parcourir la carrière sans la bien connaître, quel que soit d'ailleurs son génie.

Aristote aurait donc pu apprendre de Platon d'abord ce qu'est la méthode philosophique, et de quelle faculté de l'âme elle ressort; il aurait pu apprendre de lui quel est le vrai fondement de la morale; il aurait pu apprendre de quelle importance est le dogme de l'immortalité, appuye sur l'étude de la conscience humaine; enfin, il aurait pu apprendre que ce dogme, cette morale et cette méthode reposent uniquement sur cette essentielle distinction de l'âme et du corps.

Mais, certes, Aristote n'a rien ignoré de ce qu'enseignait Platon; et s'il s'est décidé pour des solutions contraires, c'est à parfait escient. Malheureusement les siècles ont prononcé dans ces grandes controverses, et c'est à Platon qu'ils ont donné raison. Le témoignage même des siècles ne serait rien; mais l'observation attentive des faits s'élève contre Aristote, et c'est la vérité qui dépose contre lui. Il faut le déclarer, quoi qu'il en coûte: Aristote, en contredisant Platon, a rétrogradé vers le passé; il a rebroussé chemin à peu près jusqu'à l'Ionisme; et malgré la sagacité des développements nouveaux qu'il a donnés à des principes surannés, le germe que contenaient ces principes n'a pas tarde à reparaître: si le maître lui-même a su échapper au sensualisme, son école presque tout entière y est fatalement tombée.

C'est donc à une condamnation presque absolue d'Aristote que nous sommes arrivés en le comparant à Platon. Le jugement eût été le même si nous en avions appelé à Descartes; la réponse n'aurait pas changé pour être donnée à deux mille ans de distance, parce que la vérité ne change point. Voilà, ce semble, ce grand Traité de l'âme bien abaissé; voilà d'immenses erreurs et des lacunes non moins immenses. Par quels mérites se relèvera-t-il donc à nos yeux? Ces mérites, les voici; et s'ils sont moins élevés que nous ne l'eussions désiré, ils le sont bien assez encore pour justifier toute la gloire du péripatétisme.

Rendons d'abord toute justice à la forme même de l'ouvrage et à sa composition. De toutes les œuvres d'Aristote, sans en excepter même la Logique ni l'Histoire des animaux, celle-ci est certainement la plus accomplie. Le plan est, comme on l'a vu plus haut, parfaitement simple et parfaitement suivi. Après une vue générale et rapide des parties principales de son sujet, Aristote s'enquiert de la tradition, qu'il examine assez longuement; puis, traitant la question du point de vue qui lui est propre, il étudie l'une après l'autre les quatre grandes facultés qu'il reconnaît à l'âme; et il termine par des généralités qui résument ce qui précède. La plupart des ouvrages aristotéliques ne nous sont arrivés que dans un état de désordre et de mutilation qui permet rarement d'en juger l'ensemble. Jusqu'à présent la sagacité des érudits a échoué devant la Métaphysique, que personne n'a pu restituer légitimement. On sait quelle est l'interversion des livres de la Politique. On sait les lacunes de la Poétique, les doubles et triples rédactions de la Rhétorique et de la Morale. L'Histoire même des animaux n'est point terminée; et le dixième et dernier livre, qui n'appartient point à Aristote, ne nous donne pas, et nous ne trouvons point ailleurs, le grand résumé qui devrait compléter des théories aussi vastes et les relier entre elles. La Physique n'est pas davantage à l'abri de toute critique. La Logique même, tout admirable qu'en est la composition, présente quelques taches: les parties diverses de cette construction colossale ne se tiennent pas assez entre elles; et, bien que les rapports de subordination qui les unissent incontestablement se révèlent à une étude patiente, les meilleurs esprits ont pu s'y tromper, dans l'antiquité comme dans les temps modernes. La biographie d'Aristote, on le sait, peut nous expliquer fort bien les défauts qui nous choquent dans ses œuvres. Élève de Platon jusqu'à l'âge de quarante ans à peu près, plus tard mêlé aux affaires politiques de l'Asie Mineure et de la Macédoine, précepteur d'Alexandre, Aristote, selon toute apparence, ne publia pas un seul de ses ouvrages avant cinquante ans.

À cette époque même, livré tout entier à l'enseignement d'une nombreuse école, il ne paraît pas qu'il ait pu donner à cette publication tous les soins nécessaires. L'exil et la mort vinrent le surprendre à soixante-deux ans, avant qu'il eût pu mettre la dernière main à aucun de ses travaux; et ses manuscrits, confus et inachevés, devinrent l'héritage d'un élève bien capable de les comprendre, mais qui ne prit pas la peine de les classer, laissant ce soin pieux à des mains moins habiles et moins éclairées. Par une exception peut-être unique, le Traité de l'Âme, s'il n'a pas reçu toute la perfection qu'un auteur plus minutieux pourrait donner à ses écrits, a reçu cependant toute cette perfection qu'Aristote prétendait, à ce qu'il semble, donner aux siens. C'est dans le Traité de l'Âme, plus que partout ailleurs, qu'on peut bien voir ce qu'est toute sa manière, cette ordonnance grandiose et lucide des pensées, ce style concis et ferme jusqu'à l'obscurité et à la sécheresse axiomatiques, sans ornements d'aucun genre qu'une admirable justesse, une incomparable propriété d'expressions, une vigueur sans égale, et, au milieu d'une apparente et réelle négligence, des allures où éclate toujours la puissance du génie.

Ce sont là les qualités extérieures du style aristotélique; il en a d'autres plus profondes, dont la philosophie lui doit plus particulièrement tenir compte. La forme que la science y revêt est celle même qu'elle a depuis lors conservée, et qu'elle ne changera point. Nous ne savons pas au juste ce qu'était la forme adoptée par la philosophie antérieurement à Platon. Je ne parle pas de cette philosophie qui écrivait en vers et conservait, au grand préjudice de la pensée, les indécisions de la poésie, sans en garder les grâces. Mais les ouvrages de Démocrite, dont le génie a tant de rapport avec celui d'Aristote, ne sont point parvenus jusqu'à nous; et les rares fragments qui nous en restent ne permettent pas d'en porter un jugement bien précis. Les Sophistes n'ont pu rien faire pour la science, parce qu'ils ne la prenaient point au sérieux. Quant à la forme du dialogue adoptée par Platon, c'est une exception absolument inimitable, d'abord par la perfection où Platon a su le porter, et ensuite par l'insuffisance même du procédé. On peut voir ce que le dialogue a fourni à Leibniz et même à Malebranche. Entre les mains du disciple de Socrate, il a produit des chefs-d'œuvre qu'Aristote avait essayé d'imiter, bien vainement sans doute. Platon non plus, tout grand artiste qu'il est, n'aurait certainement pas choisi de lui-même une telle forme, et son génie livré à lui seul n'en eût pas tiré un tel parti. Mais Socrate avait posé trente ans devant lui. Le dialogue, la discussion, avait été toute sa puissance et tout son enseignement. En voulant reproduire l'esprit, si ce n'est tout à fait les doctrines de Socrate, Platon n'avait pas à choisir. Le récit aurait glacé ces vivantes démonstrations; et cela est si vrai, bien que Xénophon ne s'en soit pas aperçu, que Platon n'a été ni le seul, ni même le premier à reproduire ces conversations qui avaient instruit Athènes, et l'avaient charmée tout en l'irritant. Que devenaient ces conversations, du moment que Socrate cessait d'y figurer en personne? L'art a fait beaucoup sans doute pour les dialogues de Platon, mais la réalité a fait encore plus. Si les Platons sont bien rares, les Socrates le sont davantage. Le dialogue platonicien ne serait désormais possible qu'à la condition d'un nouveau personnage aussi merveilleux, et peut-être même à la condition d'une catastrophe aussi lamentable. La philosophie s'interdira donc à jamais le dialogue, sous peine de se laisser entraîner à une imitation vaine. Que le dialogue reste le monopole éternel de Platon, puisqu'il n'a été donné qu'à lui seul d'avoir un Socrate pour maître. Que ce soit pour lui un titre de gloire aussi incontestable, s'il est moins grand, que la théorie des Idées. Mais le dialogue ne peut être la forme vraie de la science, malgré les services qu'il lui a rendus une fois. Aristote peut donc légitimement passer à nos yeux pour avoir donné à la philosophie la forme qui lui est propre. Il semble bien que d'autres sciences, la médecine, par exemple, avaient déjà trouvé la leur. Mais la philosophie s'ignorait encore. Aristote le premier lui fit tenir le langage qui lui convient; et le Traité de l'Âme est son chef-d'œuvre, de même qu'avec la Métaphysique, il renferme ses théories les plus importantes.

VI.

Barthélemy Saint-Hilaire ose conclure, avec une haute probité philosophique, contre son maître, de même qu'Aristote avait osé conclure contre son maître Platon.

Les mérites de ce Traité de l'Âme, s'écrie-t-il en finissant, sont grands, mais ils ne peuvent point racheter les erreurs que, dans l'intérêt de la vérité, nous avons dû signaler et combattre. Sans doute, c'est une grande chose de fonder la science, de lui assurer le caractère qui lui est propre, de l'ordonner dans ses parties principales, de décrire exactement quelques-uns des faits qui la doivent composer; et ce serait de l'ingratitude que d'oublier de tels services. Mais, je le déclare, si ces travaux, tout admirables qu'ils peuvent être, n'aboutissent qu'à satisfaire une curiosité vaine; si les doctrines auxquelles ils doivent conduire sont obscures ou fausses; si en traitant longuement des facultés et des actions de l'âme, on oublie de se prononcer sur ses destinées, la science peut encore applaudir; mais la philosophie n'obtient pas ce qu'elle demande: elle a manqué le but qu'elle doit poursuivre.

Il faut le répéter hautement: toute l'erreur d'Aristote vient de ce qu'il n'a pas assez vu, malgré les conseils de Platon, que l'âme n'est observable que par l'âme elle-même. En attribuer l'étude à la physiologie, c'est la perdre; chercher à comprendre l'âme de l'homme en observant les plantes et les animaux, c'est s'exposer aux plus tristes mécomptes. L'exemple d'Aristote doit nous instruire; et son naufrage doit nous apprendre à éviter les écueils sur lesquels il s'est brisé. Platon avait dit que «l'âme ne peut être aperçue que des yeux de l'esprit.» Aristote, sans engager une polémique directe, avait essayé d'étudier l'âme surtout par l'observation ordinaire et le témoignage des sens, comme tout autre objet extérieur. Les deux points de vue étaient diamétralement opposés. Je ne sais si Platon a bien connu la pensée de son disciple, et s'il y a fait quelque allusion en réfutant les philosophes ioniens. Mais Aristote, qui a certainement connu celle de son maître, ne semble pas en avoir tenu le moindre compte. Soit dédain, soit inattention, il prit une route contraire, et, redisons-le, une route absolument fausse; nous en avons pour garants, avec Platon et Descartes, les faits eux-mêmes.

VII.

Il termine par cette magnifique profession de foi, si claire, si ferme et si résolue dans un temps où l'on ose tout dire, excepté le vrai:

Quand l'homme s'est compris lui-même; quand, disciple fidèle de cette sagesse immuable dont Platon et Descartes sont les plus clairs interprètes, il a compris ce qu'est en lui la pensée, il affirme, avec une certitude désormais inébranlable, que son intelligence, qui ne s'est point faite elle-même, vient d'une intelligence supérieure à elle; il affirme que son intelligence agit sous l'œil de son créateur, et qu'elle doit le retrouver infailliblement au-delà de cette vie. L'homme n'est point égaré en ce monde. Sa destinée peut y être douloureuse, intolérable même; mais dès lors elle n'est plus obscure pour lui. Sa faiblesse peut quelquefois en gémir; mais il la comprend, et il sait en outre qu'il en dispose, au moins dans une certaine mesure. Il n'en faut pas davantage à l'homme. Savoir d'où il vient, savoir ce qu'il est, savoir où il va, que demanderait-il encore? Tout le reste n'est qu'un facile développement de ces féconds principes; et l'homme intelligent et libre, s'il a tout à craindre encore des abus de sa liberté, peut se reposer avec une sécurité imperturbable sur la bonté, la justice et la puissance de Dieu. Fonder méthodiquement ces grandes croyances, sous l'autorité seule de la raison, les éclairer de cette lumière incomparable qui n'appartient qu'aux faits de conscience, en déduire les conséquences rigoureuses et leur soumettre la pratique de la vie, tel est le devoir de la philosophie; telle est, qu'on le sache bien, la cause de cette suprême estime où l'esprit humain l'a toujours tenue et la tiendra toujours. La philosophie n'impose point de symbole à personne, parce qu'avant tout elle respecte la liberté, sans laquelle l'homme n'est point; elle ne donne à personne des croyances toutes faites; mais à tous ceux qui la suivent, elle apprend à s'en faire; et elle ne peut que plaindre ceux que ne touche pas la foi d'un Socrate. La philosophie n'est donc point impuissante, comme le répète la théologie; elle n'est point vaine, comme le croit la physiologie. La philosophie a su démontrer là où d'autres nient ou affirment sans preuves; elle a connu et satisfait le cœur de l'homme que d'autres ignorent et mutilent; et ce n'est pas sa faute si ceux-ci restent dans leurs ténèbres, et ceux-là dans leur injuste dédain.

Maintenant, je le demande, si former ces croyances dans l'esprit humain, qui ne doit point vivre sans elles, c'est l'objet véritable de la philosophie; si ces croyances sont bien le but supérieur que poursuit la pensée humaine, quelle valeur aura l'étude des faits de l'âme? Évidemment les faits ne vaudront qu'autant qu'ils contribueront à ce résultat décisif. Ces faits, précisément parce qu'ils appartiennent à l'âme, ne peuvent se suffire à eux-mêmes; ce ne sont que les matériaux d'un plus noble édifice. Jusqu'à un certain point, l'homme peut se passer de connaître les faits du dehors; mais, quant aux faits qui lui sont propres, il ne peut les ignorer qu'au risque d'étouffer en lui les plus légitimes réclamations de sa nature. Par là, nous aurons la mesure de ces doctrines qui, en étudiant l'âme de l'homme, se bornent à constater des phénomènes, et qui se croient prudentes parce qu'elles n'osent prononcer sur les questions que ces phénomènes doivent aider à résoudre; par là, nous aurons la mesure de la doctrine de nos physiologistes modernes; nous aurons surtout la mesure de la doctrine antique, dont la leur n'est qu'un écho. Nous admirerons la science d'Aristote et son prodigieux génie, mais nous ne le suivrons pas, ou plutôt, en acceptant quelques-unes de ses théories, nous déplorerons que ces théories n'aboutissent à aucune croyance claire et précise. Nous voudrions que, dans cet essentiel sujet, le philosophe se fût prononcé plus résolûment, et n'eût pas laissé à d'autres le soin périlleux de développer sa vraie pensée. Je ne crois pas avoir calomnié Aristote[9] en lui prêtant les principes que j'ai dû réfuter. Mais ces principes n'ont pas toujours été reconnus pour les siens; on lui en a prêté même de tout contraires. Certes, je serais heureux de m'être trompé; mais j'ai fait tout ce qu'il a dépendu de moi pour me défendre de toute prévention et de toute erreur; et je crois pouvoir affirmer, en résumant cette longue et pénible discussion, que si, dans la question de l'âme, Aristote s'est éloigné beaucoup de son maître, il ne s'éloigne pas moins de la vérité.

VIII.

Honorons ce grand traducteur, non-seulement pour avoir compris, mais pour avoir combattu son modèle, et félicitons notre siècle d'avoir fait naître une intelligence et une vertu dignes de nous avoir rendu, dans Aristote, non pas un philosophe infaillible, mais le plus grand des philosophes de l'antiquité.—C'est Barthélemy Saint-Hilaire! Gloire à lui!

Un volume d'opuscules d'Aristote, traduit pour la première fois, complète ce volume sur l'âme et lui est supérieur en vérité. Il contient un traité de la Sensation, un traité de la Mémoire, un traité du Sommeil et de la Veille, des Rêves, un traité de la Longévité et de la Brièveté de la vie, de la Jeunesse et de la Vieillesse, de la Vie et de la Mort, de la Respiration. Ce sont évidemment des matériaux préparés pour son Histoire naturelle ou Histoire des animaux. Le philosophe nous quitte et le matérialiste nous envahit; mais quel matérialiste! Un homme très-supérieur à Pline, très-supérieur à Buffon, égal à Cuvier; une intelligence presque divine appliquée à la nature organisée; l'homme étudiant l'homme, et la vie décrivant la vie avec le regard d'un Dieu!

LAMARTINE.

(La suite au prochain entretien.)

CVᵉ ENTRETIEN.

ARISTOTE.
TRADUCTION COMPLÈTE
PAR
M. BARTHÉLEMY SAINT-HILAIRE.
(TROISIÈME PARTIE.)
PHYSIQUE, MÉTÉOROLOGIE.

I.

La *Météorologie* n'est qu'un fragment des études qui composent le Cosmos.

La *Physique* en deux volumes, souvent mêlée de métaphysique transcendante, tient plus à la haute philosophie. C'est l'échelon par lequel il y monte. Bien différent de quelques-uns des physiciens de notre siècle, qui séparent la cause de l'effet, il remonte à Dieu toutes les fois qu'il faut découvrir un principe. Ainsi nulle cause n'est cachée; le mystère de la volonté divine rend raison de tout.

Le mouvement est la clé du Cosmos. La plus magnifique étude sur le mouvement, point par lequel la matière touche à sa cause, Dieu, est le texte de la *Physique* d'Aristote; c'est la dynamique divine.

Ici il touche à Platon ou plutôt à Socrate.

Quelle est l'origine du mouvement?

Sur la cause première du mouvement, l'opinion de Platon est aussi arrêtée qu'il se peut, et il ne balance pas à rapporter à Dieu le mouvement qui se montre partout dans l'univers et qui le vivifie. C'est Dieu qui a tiré des profondeurs de son être le mouvement qu'il a communiqué à tout le reste des choses; sans lui, le mouvement ne serait pas né, et il ne continuerait point. Dieu est comme l'âme du monde; l'âme, qui est le plus ancien de tous les êtres, et qui est pour le vaste ensemble de l'univers le principe du mouvement, ainsi qu'elle l'est pour les êtres particuliers, animant la matière inerte à laquelle elle est jointe. C'est Dieu qui a créé les grands corps qui roulent sur nos têtes dans les espaces célestes, et c'est lui qui maintient la régularité éternelle de leurs révolutions, de même qu'il leur a imprimé l'impulsion primitive qui les a lancés dans le ciel. Dieu est donc le père du mouvement, soit que nous considérions le mouvement à la surface de notre terre et dans les phénomènes les plus habituels, soit qu'élevant nos yeux nous le contemplions dans l'infinité de l'étendue et dans l'harmonie des sphères.

Platon attache la plus haute importance à ces opinions, qui font partie de sa foi religieuse, et il s'élève avec indignation contre l'impiété trop fréquente des naturalistes, qui croient trouver dans la matière réduite à ses propres forces une explication suffisante. S'en tenir uniquement aux faits sensibles qui tombent sous notre observation, et ne pas remonter plus haut pour les mieux comprendre, lui semble une aberration et presque un sacrilége. C'est méconnaître la Providence, qui régit et gouverne toutes choses avec autant de bonté que de sagesse, et c'est risquer de l'offenser que de ne pas voir assez clairement la trace qu'elle a laissée dans ses œuvres, et dans ce grand fait du mouvement, qui doit la manifester à tous les yeux. Platon ne dit pas en propres termes que Dieu est le premier moteur, et c'est Aristote qui plus tard trouvera cette formule; mais la pensée, si ce n'est l'expression, est de lui; et le disciple, sous ce rapport comme sous bien d'autres, n'a été que l'écho de son maître. Seulement, Aristote a poussé beaucoup plus loin les déductions sévères de la science; et il a substitué un système profond et solide à des vues restées un peu indécises, toutes grandes qu'elles étaient.

D'ailleurs, Platon ne s'en tient pas à cette indication générale; et, après avoir montré d'où vient le mouvement, il veut expliquer aussi avec plus de détails les apparences diverses qu'il nous offre. Il distingue donc plusieurs espèces de mouvements, et il en porte le nombre tantôt à dix, tantôt à sept, sans les séparer toujours bien nettement entre elles. Le mouvement a lieu, soit en avant, soit en arrière, en haut et en bas, à droite et à gauche; joignez à ces six mouvements que chacun connaît le mouvement circulaire, et vous aurez les sept mouvements principaux. D'autres fois Platon change cette énumération, et il distingue les mouvements de composition et de division, ceux d'augmentation et de diminution, et ceux de génération et de destruction. Il y ajoute le mouvement de translation, soit que le corps se déplace dans l'espace et change de lieu, soit qu'il fasse une révolution sur lui-même et reste en place. Il met au neuvième rang le mouvement qui, venant d'une cause extérieure, est reçu du dehors et est communiqué; et enfin, au dixième rang, il met le mouvement spontané, qui n'a pas d'autre cause que lui-même, et qui produit tous les changements et tous les mouvements secondaires que l'univers nous présente. D'autres fois, encore, abandonnant ces classifications, Platon réduit tous les mouvements à deux, le changement de lieu et l'altération, comme il le fait dans le *Parménide*; ou bien ces deux mouvements ne sont plus, comme dans d'autres passages du *Timée*, que la rotation sur soi-même, donnée par Dieu au monde, à l'exclusion de tout autre mouvement, et l'impulsion en avant, maîtrisée par le mouvement du même et du semblable, qui ramène sans cesse au centre le corps prêt à s'égarer.

Mais s'il y a quelque confusion dans ces opinions de Platon, un axiome sur lequel il ne varie pas plus que sur l'origine du mouvement, c'est qu'il n'y a point de hasard dans la nature, et que le mouvement, qui en est le phénomène principal, y a ses lois comme tout le reste. Le système du hasard n'explique rien, et il a ce très-grand danger de porter les âmes à l'irréligion, mal social qui perd les individus et que le législateur doit énergiquement combattre.

Platon flétrit avec insistance ce système, qui est aussi pernicieux qu'il est vain, et il ne serait pas loin de porter des peines contre les naturalistes qui y croient et s'en font les apôtres. C'est là un germe qu'a recueilli Aristote, et qu'il a développé non moins heureusement que son maître, bien qu'à un tout autre point de vue. Ce n'est pas l'impiété de cette doctrine qui a révolté Aristote; mais c'est sa fausseté grossière en présence de l'admirable spectacle que l'ordre universel étale sans cesse sous nos regards, pour peu que nous voulions l'observer.

II.

L'espace et le temps sont aussi définis par les principes de Socrate plus que par ceux d'Aristote. Barthélemy Saint-Hilaire est ici un sublime critique de son auteur.

Qu'est-ce que l'espace? Qu'est-ce que le temps? Platon s'arrête peu à ces deux idées. Mais il a sur le temps, indispensable à la réalité et à la conception même du mouvement, une théorie qu'Aristote a cru devoir réfuter, et qui cependant est profondément vraie. Platon soutient que le temps a commencé, et que, par conséquent, il peut finir. Aristote trouve cette opinion fort singulière, et il signale Platon comme le seul parmi les philosophes qui l'ait adoptée. Je crois qu'Aristote n'a pas examiné d'assez près la pensée de son maître. Platon distingue deux choses qu'en effet il faut se bien garder de confondre: l'éternité et le temps, qu'Aristote a eu quelquefois le tort de prendre l'une pour l'autre. Le temps n'est, suivant la grande parole de Timée, qu'une image mobile de l'éternité. Tout ce qu'on peut dire de l'éternité, c'est qu'elle est; il n'y a pour elle ni passé ni futur; elle est un perpétuel et insaisissable présent. Le passé et l'avenir ne conviennent qu'à la génération qui se succède dans le temps, et ils sont le domaine du mouvement. Mais quant à l'éternité, immobile comme elle l'est, rien ne la mesure ni ne l'épuise. Le temps, au contraire, a commencé avec le monde, quand Dieu l'a créé et y a mis un ordre merveilleux. «C'est l'observation du jour et de la nuit; ce sont les révolutions des mois et des années qui ont produit le nombre, fourni la notion du temps et rendu possible l'étude de l'univers.» Le temps n'est donc qu'une portion de l'éternité, que nous en détachons à notre usage. Mais dans l'éternité elle-même il n'y a plus de temps; car le temps n'est pas identique avec elle, tandis que l'éternité est en quelque sorte identique à Dieu. C'est qu'en effet, comme devait le dire admirablement Newton, Dieu n'est pas l'éternité plus qu'il n'est l'infinitude; mais il est éternel et infini. Le temps n'existe pas pour lui; le temps n'existe que pour nous. L'éternité est divine; le temps est purement humain. Il ne convient qu'à ce qui a eu un commencement et peut avoir une fin. L'éternité n'a point commencé, et elle ne peut finir.

III.

Il prouve l'infini par la divisibilité sans fin de la matière.

Il prouve l'espace par l'indivisible succession des objets qui peuvent le remplir.

Il prouve le temps parce qu'il est la mesure de tout mouvement.

De l'éternité du mouvement, il conclut à l'éternité du grand moteur, Dieu; car comment la pluralité des deux moteurs pourrait-elle s'accorder avec l'infini du moteur immobile?

Une fois ces objections écartées, Aristote revient à son sujet, et il recherche comment on peut concevoir qu'un mouvement soit éternel. Il s'appuie d'abord sur ce fait d'observation évidente, à savoir qu'il y a dans le monde des choses qui se meuvent et d'autres qui ne se meuvent pas. Comment celles qui se meuvent reçoivent-elles le mouvement? Aristote prend un exemple des plus ordinaires; et, considérant que, quand une pierre est mue par un bâton, c'est la main qui meut le bâton et l'homme qui meut la main, il en conclut que, dans tout mouvement, il faut toujours remonter à un premier moteur, lequel est lui-même nécessairement immobile, tout en communiquant au dehors le mouvement qu'il possède et qu'il crée. À cette occasion, Aristote loue Anaxagore d'avoir considéré l'Intelligence, dont il fait le principe du mouvement, comme absolument impassible et absolument pure, à l'abri de toute affection et de tout mélange; car c'est seulement ainsi qu'étant immobile, elle peut créer le mouvement, et qu'elle peut dominer le reste du monde en ne s'y mêlant point.

Mais le moteur étant immobile, comment peut-il produire en lui-même le mouvement qui se communique au dehors, et qui, se transmettant de proche en proche, atteint jusqu'au mobile le plus éloigné, à travers une foule d'intermédiaires? Que se passe-t-il dans les profondeurs du moteur premier, et de quelle façon le mouvement peut-il y naître? Aristote s'enfonce ainsi au cœur même de la question du mouvement, et il résout ce problème si obscur par les principes qu'il a posés antérieurement et qu'il regarde comme indubitables. Or il a démontré jusqu'à présent que tout mobile est mû par un moteur qui lui est étranger. Mais, parvenu au premier moteur, il sent bien qu'on ne peut plus rien chercher en dehors de lui; car ce serait se perdre dans l'infini. Dans ce moteur initial, source et principe de tous les mouvements dans l'univers, il retrouvera donc encore les mêmes éléments qu'il a déjà constatés. Il y aura dans le premier moteur deux parties: l'une, qui meut sans être mue elle-même; l'autre, qui est mue et meut à son tour; la première, qui crée le mouvement; la seconde, qui le reçoit et le transmet. Le moteur tout entier reste immobile; mais les deux parties dans lesquelles il se décompose ne le sont pas tout à fait comme lui; l'une est absolument immobile comme il l'est lui-même; l'autre reçoit l'impulsion, et elle peut la communiquer médiatement au reste des choses.

Il serait sans doute téméraire d'affirmer qu'Aristote a porté définitivement la lumière dans ces ténèbres; et il n'est pas donné à des regards humains de voir ce qui se passe dans le sein même de Dieu. Mais on peut croire, à la louange d'Aristote, qu'il n'est point resté trop au-dessous de cet ineffable sujet, ni au-dessous du *Timée* de Platon. Il a bien vu le mystère dans toute sa grandeur, et il a eu le courage d'en chercher l'explication, si d'ailleurs il n'a pas eu plus qu'un autre le bonheur de la rencontrer. Il proclame l'existence nécessaire d'un premier moteur sans lequel le mouvement ne pourrait se produire ni durer sous aucune forme dans l'univers, et il sonde l'abîme avec une sagacité et une énergie dignes d'en découvrir le fond.

Il semble cependant qu'ici il commet une erreur assez grave; et que c'est à tort que de l'éternité du mouvement, telle qu'il l'a établie, il conclut à l'éternité du premier moteur. Le mouvement étant éternel selon Aristote, le premier moteur doit être éternel comme le mouvement même qu'il produit éternellement. En dépit du respect que je porte au philosophe, il me paraît que c'est absolument tout l'opposé, et que c'est du moteur qu'il faut conclure le mouvement, loin de conclure de l'existence du mouvement l'existence du moteur. Mais je ne voudrais pas trop insister sur cette critique, et il est bien possible qu'il n'y ait là qu'une différence de mots. Le moteur doit être de toute nécessité antérieur à sa propre action; et ce n'est peut-être que par le besoin d'une déduction purement logique, et en partant de l'observation sensible, qu'Aristote paraît n'assigner au moteur que la seconde place. Mais, en se mettant au point de vue de la seule raison, il est plus conforme à ses lois de concevoir le moteur avant le mouvement; car, à moins d'acquiescer à ces systèmes qu'Aristote a cru devoir combattre, et qui expliquent tout par les seules forces de la matière, il faut bien admettre que les choses n'ont pu être mues que par un moteur préexistant. Sans le moteur, le mouvement est logiquement incompréhensible. C'est bien, si l'on veut, le mouvement, observé par nous, qui révèle le moteur; mais il ne le fait pas, tandis qu'au contraire c'est le moteur qui fait le mouvement, et l'on ne peut les prendre indifféremment l'un pour l'autre.

IV.

Mais, dit le commentateur Barthélemy Saint-Hilaire, voilà déjà bien des notions sur le premier moteur immobile; car nous savons qu'il est un et éternel, et que le mouvement qu'il crée est le mouvement circulaire, le seul de tous les mouvements qui puisse être un, éternel, continu, régulier et uniforme. Aristote ajoute sur le moteur premier deux autres considérations non moins profondes et non moins vraies, par lesquelles il achève sa *Physique*, ou plutôt la théorie du mouvement. Le premier moteur est nécessairement indivisible, et il est sans grandeur quelconque. S'il avait une grandeur quelle qu'elle fût, il serait fini; et une grandeur finie ne peut jamais produire un mouvement infini et éternel, pas plus qu'elle ne peut avoir une puissance infinie. Immobile et immuable, il a éternellement la force de produire le mouvement sans fatigue et sans peine; et son action ne s'épuise jamais, toujours uniforme, égale et identique, d'abord en lui-même, et ensuite dans le mobile, sur lequel elle s'exerce.

Enfin, où placer dans l'univers le premier moteur? En quel lieu réside-t-il, si toutefois on peut, sur l'infini et l'éternel, élever une telle question? Est-ce au centre? Ou n'est-ce pas plutôt à la circonférence, puisque c'est à la circonférence que les mouvements sont les plus rapides, et que ce sont les parties les plus rapprochées du moteur qui sont mues avec le plus de rapidité? Tel est le système du monde, mû durant l'éternité par le premier moteur, qui n'a lui-même, dans son unité, dans son infinitude et dans son immobilité, ni parties ni aucune espèce de grandeur possible.

Voilà les derniers mots et les dernières idées de la *Physique* d'Aristote, terminant cette vaste étude par une théorie de l'action de Dieu sur le monde.

V.

Les pères de la physique moderne, Descartes, Bacon, Newton, Leibniz, Laplace, se rapprochent d'Aristote toutes les fois qu'ils s'approchent de la vérité.

Newton est parvenu au terme de la carrière qu'il avait à fournir; mais, avant de la clore, il veut embrasser d'un coup d'œil tout l'espace qu'il a parcouru; et là, comme jadis Aristote, il veut se recueillir pour remonter, autant qu'il est permis à l'homme, jusqu'à la cause première et au premier moteur. C'est le fameux *Scholie général*. Après quelques mots contre le système des tourbillons, auquel il ne rend peut-être pas assez de justice, le mathématicien fait place au philosophe; et, sans rien retrancher à la solidité des théories qu'il a établies par le secours du calcul et de la géométrie, Newton s'avoue qu'il leur manque encore quelque chose. Les grands corps qu'il a si doctement étudiés se meuvent librement dans des espaces incommensurables, qui sont vides d'air, comme la machine ingénieuse de Boyle, et où rien ne gêne ni n'entrave leurs immuables et éternelles révolutions. Mais les lois du mouvement, quelque exactes qu'elles soient, ne rendent pas raison de tout. Les orbes célestes y obéissent et les suivent dans leur marche; mais la position primitive et régulière de ces orbes ne dépend plus de ces lois merveilleuses. Les mouvements uniformes des planètes et les mouvements des comètes ne peuvent avoir des causes mécaniques, puisque les comètes se meuvent dans des orbes fort excentriques, et qu'elles parcourent toutes les parties du ciel.

Newton en conclut que cet admirable arrangement du soleil, des planètes et des comètes ne peut être que l'ouvrage d'un être tout-puissant et intelligent; et, comme le monde porte l'empreinte d'un seul dessein, il doit être soumis à un seul et même être.

Cet être unique et infini, c'est Dieu, qui n'est pas l'âme du monde, mais qui est le seigneur de toutes choses, parce qu'il règne sur des êtres pensants, qui lui sont soumis dans leur adoration et leur liberté. Dieu ne règne pas seulement sur des êtres matériels; et c'est précisément la domination d'un être spirituel qui le constitue ce qu'il est. Dieu est donc éternel, infini, parfait, vivant, tout-puissant; il sait tout; il est partout. Il n'est pas l'éternité et l'infinitude, mais il est éternel et infini; il n'est pas la durée et l'espace, mais il dure et il est présent en tous lieux; il est partout substantiellement; car on n'agit pas là où l'on n'est pas. Tout est mû par lui et contenu en lui; il agit sur tous les êtres, sans qu'aucun d'eux puisse jamais agir sur lui à son tour. L'homme, malgré son infimité, peut se faire quelque idée de Dieu, d'après la personnalité dont il a été doué lui-même par son créateur. La personne humaine n'a ni parties successives ni parties coexistantes dans son principe pensant; à plus forte raison n'y a-t-il ni succession ni coexistence de parties diverses dans la substance pensante de Dieu. Mais si nos regards éblouis ne peuvent soutenir l'éclat de la substance divine, si l'on ne doit l'adorer sous aucune forme sensible, parce qu'il est tout esprit, nous pouvons du moins apprendre à connaître Dieu par quelques-uns de ses attributs. Un Dieu sans providence, sans empire et sans causes finales, n'est autre chose que le destin et la nécessité. Mais la nécessité métaphysique ne peut produire aucune diversité; et la diversité qui règne en tout quant aux temps et quant aux lieux, ne peut venir que de la volonté et de la sagesse d'un être qui existe nécessairement, c'est-à-dire Dieu, dont il appartient à la philosophie naturelle d'examiner les œuvres, sans avoir l'orgueil de les rectifier par de vaines hypothèses.

Voilà les grandes idées sur lesquelles s'arrête Newton en achevant son livre, et auxquelles il se fie plus encore qu'à ses mathématiques. Ce sont les mêmes accents que ceux de Platon dans le *Timée*, d'Aristote dans la *Physique* et la *Métaphysique*, de Descartes dans les *Principes de la philosophie*. Je ne sais pourquoi la science contemporaine s'est plu souvent à répudier ces nobles exemples, et pourquoi elle s'est fait comme une gloire, et parfois même un jeu, d'exiler Dieu de ses recherches les plus hautes. On ne voit pas trop ce qu'elle y a gagné; mais on voit très-clairement ce qu'y a perdu la vérité et le cœur de l'homme.

VI.

Laplace est venu accomplir ce que Newton avait commencé. La *Mécanique céleste* est un développement systématique et régulier des principes newtoniens; elle est un chef-d'œuvre du génie mathématique; mais elle ne fait qu'exposer, avec toutes les ressources de l'analyse la plus étendue et la plus exacte, les lois qu'un autre avait révélées sur le véritable système du monde. C'est un prodigieux ouvrage; mais l'invention consiste dans les formules et les démonstrations, plutôt que dans le fond même des choses. C'est la loi de la pesanteur universelle poursuivie sous toutes ses faces dans les corps innombrables qui peuplent l'espace, et dont les principaux sont accessibles à notre observation et soumis à nos calculs. Laplace lui-même ne s'est pas flatté de faire davantage; mais il y a porté une telle puissance et une telle fécondité d'analyse qu'en y démontrant tout, il a semblé tout produire, bien qu'il se bornât à tout organiser et à mettre tout en ordre. Je n'ai point à résumer ici la *Mécanique céleste*, et je remarque seulement qu'elle débute par un premier livre sur les lois générales de l'équilibre et du mouvement. C'est ce que Newton, Descartes et Aristote avaient aussi tâché de faire. J'ajoute que la *Mécanique céleste* a donné son nom à toute une science qui date véritablement de Laplace, non pas qu'il en soit absolument le père, mais parce qu'il en est le premier et le plus sûr législateur. Après les découvertes primordiales, c'est là encore un bien grand mérite; et la gloire de Laplace est à peine inférieure à celle de Newton.

Je laisse de côté la science contemporaine dont Laplace est certainement le plus illustre représentant, et je me hâte d'arriver au terme que je me suis prescrit. Il ne me reste plus qu'à comparer Aristote à ses trois émules, Descartes, Newton et Laplace, comme je l'ai déjà comparé à son maître. Par là j'indiquerai clairement le rang que je lui donne, et qu'il doit tenir désormais dans la famille des physiciens philosophes. Je ne veux pas exagérer sa gloire; mais je ne voudrais pas non plus qu'on la réduisît injustement. Je m'efforcerai donc d'être impartial dans l'appréciation résumée que je vais en présenter avant de clore cette longue préface.

D'abord, je ne crois pas m'être trompé en mettant Aristote dans la compagnie de Descartes, de Newton et de Laplace. Je ne parle pas de son génie en général, c'est trop évident; je ne parle que de sa *Physique* en particulier, et je pense que la théorie du mouvement, telle qu'elle s'y présente, est le point de départ de toutes les théories qui ont suivi sur le même sujet. Plus haut, j'ai déjà indiqué ce rapprochement; mais maintenant que j'ai tâché de le justifier par l'histoire, il me paraît tout à fait incontestable. Entre la *Physique* d'Aristote, les *Principes* de Descartes et les *Principes mathématiques* de Newton, il y a, malgré l'intervalle des âges, une succession manifeste et comme une solidarité. L'objet est le même, et sur bien des points les doctrines sont identiques. Le philosophe grec, quatre siècles avant notre ère, a vu tout aussi bien que les deux mathématiciens du dix-septième siècle, que c'est par l'étude du mouvement qu'il convient d'expliquer le système du monde. Sans doute il l'a compris beaucoup moins que Descartes et surtout que Newton; mais il est sur la même voie que l'un et l'autre. La seule différence qu'il y ait entre eux et lui, c'est qu'il fait les premiers pas dans la carrière, sans pouvoir s'appuyer sur les mathématiques, qui sont encore dans l'enfance, tandis que Descartes et Newton, placés bien plus avant sur le chemin, ont à leur disposition des mathématiques toutes-puissantes, avec des observations presque innombrables de phénomènes, et des expériences de tout genre. Entre la science grecque et la science moderne, il y a bien une différence de degré; mais il n'y a pas une différence de nature; et, pour rappeler une très-équitable opinion de Leibniz, Aristote n'est pas du tout inconciliable avec des successeurs dont les travaux n'eussent peut-être point été aussi heureux, si les siens ne les eussent précédés.

Il est même un point sur lequel il convient de lui accorder hautement la supériorité, c'est la métaphysique. Descartes même ne l'égale point, et Newton est resté très-inférieur. Il n'y a pas à prétendre que la métaphysique n'est point de mise dans une telle matière; car Descartes, Newton et même Laplace ont dû sortir du domaine propre des mathématiques. Pour comprendre et expliquer le mouvement, ils ont dû tenter de se rendre compte des idées de l'espace, du temps, de l'infini et de la nature du mouvement lui-même. À considérer les analyses qu'a faites Aristote de ces idées essentielles, je n'hésite pas à lui donner la préférence; et j'ajoute même que, dans toute l'histoire de la philosophie, je n'aperçois rien d'égal. Nul autre après lui n'a repris l'étude de ces idées ni avec plus d'originalité, ni avec plus de profondeur, ni avec plus de délicatesse. Ces notions fondamentales de temps, d'espace, de lieu, d'infini, posent sans cesse devant l'esprit humain; elles le sollicitent à tout instant et sous toutes les formes; et depuis vingt-deux siècles, personne n'en a mieux parlé que le disciple de Platon et l'instituteur d'Alexandre. Aujourd'hui même, on ne saurait le dépasser qu'en commençant par se mettre à son école. Je ne dis pas certainement que Descartes ou Newton y eussent rien appris; mais, en écoutant un moment ces leçons de l'antique sagesse, ils se seraient aperçus combien de choses ils avaient eux-mêmes omises, les supposant probablement assez connues, ou trop claires pour qu'il fût nécessaire de les rappeler.

Mais ce n'est pas tout à fait ainsi que procède l'esprit humain. La métaphysique est, dans une certaine mesure, un antécédent obligé de la science du mouvement, et si l'on ne sait pas d'abord ce que c'est que l'infini, le temps et l'espace, il est bien à peu près impossible de savoir ce que c'est que le mouvement, et à quelles conditions il s'accomplit dans le monde. Ainsi chaque philosophe qui étudie cette question devrait remonter aux principes métaphysiques qu'elle sous-entend. Mais l'individu, quel que soit son génie, ne peut guère se flatter de faire à son tour la science complète; il en achève quelques parties, il en ébauche quelques autres, il en néglige plusieurs, et c'est la rançon de son inévitable faiblesse. Quant à l'esprit humain, il n'a point de ces lacunes dans le vaste ensemble de son histoire, et la science du mouvement en particulier ne présente pas d'interruptions ni de solutions de continuité. Aristote en a posé les fondements métaphysiques, et l'on peut douter que, sans ces premières et indestructibles assises, le reste de l'édifice eût pu s'élever aussi solide et aussi beau. L'esprit humain les a en quelque sorte éprouvées pendant de longs siècles, puisque d'Aristote à Galilée c'est le Péripatétisme seul qui lui a suffi. Mais quand les temps nouveaux sont arrivés, se séparant du passé avec autant d'ingratitude que de violence, le passé avait fait son œuvre, et, ce germe fécondé, l'on peut dire, par cette lente incubation, allait se développer par un progrès irrésistible et sûr.

Je n'hésite donc pas, pour ma part, à louer Aristote de sa métaphysique appliquée à la science du mouvement; et cette méthode est un service de plus dont nous sommes redevables à la Grèce. Oui, avant d'étudier le mouvement, il fallait le définir; oui, avant de scruter les faits, il était nécessaire de préciser la notion sous laquelle ils apparaissent d'abord à notre intelligence. Il est bien clair que le phénomène a précédé la notion, et si le philosophe n'avait mille fois senti le mouvement dans le monde extérieur, il est à croire qu'il n'aurait jamais songé à l'analyse d'une notion qu'il n'eût point possédée. Aristote ne se fait pas faute de le dire bien souvent dans ses réfutations contre l'école d'Élée, et il se glorifie, en combattant des paradoxes absurdes, de s'en rapporter aux témoignages des sens, qui nous attestent l'évidence irrécusable du mouvement. Mais, une fois ce grand fait admis, il faut l'éclaircir par l'analyse psychologique et en considérer tous les éléments rationnels. C'est alors que la métaphysique intervient, et qu'elle remplit son véritable rôle. Elle part d'un fait évident, et elle projette sa clarté supérieure dans ces ténèbres dont la sensibilité est toujours couverte. Ses abstractions, loin d'être vaines, comme on le croit vulgairement, sont la forme vraie sous laquelle la raison se comprend elle-même; et, à moins qu'elle ne veuille se contenter d'une simple collection de phénomènes inintelligibles, il faut bien quelle remonte à des causes et à des lois, avec l'aide des principes essentiels qu'elle porte dans son sein et qui la font ce qu'elle est.

C'est à ce besoin instinctif et si réel qu'Aristote a obéi; il a satisfait l'esprit humain dans la mesure de son génie et de son temps. Loin de l'égarer, ainsi qu'on le lui a si souvent reproché, il l'a profondément instruit; et les prétendues subtilités qu'on lui impute s'évanouissent, quand on les médite assez attentivement pour en pénétrer la signification si précise et si fine. Aristote renaîtrait aujourd'hui qu'il referait encore pour nous la métaphysique du mouvement, si quelque autre ne lui eût épargné cette peine en la prenant avant lui. Il n'accepterait point le système actuellement en vogue auprès de quelques savants, qui proscrit la métaphysique, et la relègue parmi les hochets dont s'amuse la science à ses premiers pas. La métaphysique, loin d'être le bégayement de l'intelligence humaine, en est au contraire la parole la plus nette et la plus haute. Ce n'est pas toujours du premier coup que la science la prononce, comme Aristote l'a fait pour la théorie du mouvement; mais un peu plus tôt, un peu plus tard, il faut bien en arriver à cette explication dernière des choses, ou renoncer à les savoir jamais. À mon sens, c'est un grand avantage pour la science quand elle peut débuter par là.

Je me résume donc en répétant qu'Aristote a eu la gloire de fonder la science du mouvement. Que si l'on s'étonnait qu'il ne l'ait point achevée et faite tout entière à lui seul, je rappellerais l'aveu modeste et fier par lequel il termine sa *Logique*: «Si, après avoir examiné nos travaux, dit le philosophe, il vous paraît que cette science, dénuée avant nous de tous antécédents, n'est pas trop inférieure aux autres sciences qu'ont accrues les labeurs de générations successives, il ne vous restera plus, à vous tous qui avez suivi ces leçons, qu'à montrer de l'indulgence pour les lacunes de cet ouvrage, et de la reconnaissance pour toutes les découvertes qui y ont été faites.»

HISTOIRE DES ANIMAUX
PAR
ARISTOTE.

VII.

M. Barthélemy Saint-Hilaire nous manque ici; mais il a bien voulu nous indiquer lui-même, pour le suppléer, la traduction très-consciencieuse et très-remarquable de l'*Histoire des Animaux*, que M. Camus, avocat au parlement de Paris, censeur royal, publia en 1773, et qui est restée jusqu'ici le chef-d'œuvre de ce genre de travail.

Le plan de l'*Histoire des Animaux*, dit M. Camus, est grand et vaste. Ce sont tous les animaux: hommes, quadrupèdes, poissons, amphibies, oiseaux, insectes, qu'Aristote rassemble sous les yeux de son lecteur. Il ne considère point chacun de ces animaux ou séparément ou dans des classes dans lesquelles il les a rangés; le règne animal entier n'est pour lui qu'un point unique: c'est l'animal en général dont il fait l'histoire, et s'il rapporte telle observation particulière à tel ou tel animal, ce n'est que, ou pour servir de preuve à une proposition générale qu'il a avancée, ou pour justifier une exception dont il avertit. Ainsi Aristote, voulant faire connaître la nature des animaux, se propose d'abord l'examen des parties de leur corps, comme le premier objet qui frappe la vue: et, après avoir donné des définitions générales de ces parties, après avoir distingué différentes espèces parmi les animaux, à raison de la variété de leurs formes extérieures, il expose dans les quatre premiers livres tout le détail des parties de leur corps. Le cinquième, le sixième et le septième livres sont destinés à expliquer de quelle manière l'animal naît; le temps où il commence à se reproduire, celui où il cesse de le pouvoir faire et la durée totale de sa vie. On connaît par la lecture des sept premiers livres comment le corps de l'animal existe et comment il se multiplie; les deux derniers apprennent comment l'animal vit et comment il se conserve. L'objet du huitième est sa nourriture et les lieux qu'il habite; le neuvième traite de ses mœurs, s'il est possible d'user de cette expression; Aristote y dit quelles sont les habitudes des différents animaux; avec qui d'entre eux ils vivent réciproquement, soit en société, soit en guerre; comment ils pourvoient à leur conservation et à leur défense. Une pareille histoire n'est-elle pas infiniment préférable à de sèches nomenclatures, quelque bien rangées qu'on les suppose, par ordres, classes et genres?

L'étendue du génie d'Aristote se montre par la généralité de ses vues; celle de ses connaissances, par la multiplicité des exemples qu'il rapporte successivement. L'histoire de l'homme considéré simplement comme animal est complète dans son ouvrage; et, dans le nombre des animaux de l'ancien monde, il n'en est presque aucun, depuis le cétacé jusqu'à l'insecte, soit qu'il se meuve sur la terre, qu'il s'élève dans les airs, ou qu'il demeure enseveli sous les eaux, dont Aristote ne nous apprenne quelque particularité. Tout ce que nos yeux peuvent découvrir lui semble connu: et l'éléphant qu'il a disséqué, et cet animal imperceptible qu'on voit à peine naître dans la pourriture et la poussière.

Le style de l'*Histoire des animaux* est aussi abondant que les choses; il est pur, coulant, et son plus grand ornement est la propriété des expressions et la clarté.

VIII.

Pline, le naturaliste romain, n'a guère fait que copier Aristote. À l'exception de Cuvier, les naturalistes français n'ont fait que des modèles de style, des hypothèses et des systèmes. Aristote a été le premier qui se soit occupé des faits. Il en avait recueilli une foule dans la bibliothèque particulière qu'il s'était formée à Athènes. Il en avait vraisemblablement hérité d'Hippocrate, son aïeul, le premier médecin du monde; mais de plus il eut le bonheur d'avoir pour collaborateur le plus vaste des conquérants, Alexandre. Ce grand homme, qui voulait conquérir l'univers asiatique non-seulement pour sa gloire, mais pour la gloire de la civilisation, mit quelques milliers d'hommes armés à la disposition de son ancien maître, uniquement employés à lui fournir et à lui amener à Athènes des animaux de toute espèce, pour servir de texte à ses observations. Athénée raconte que les dépenses occasionnées à Alexandre par cette enquête universelle ne s'élevèrent pas à moins de 800 talents.

IX.

Nous avons dit en commençant que tous les manuscrits originaux d'Aristote, recueillis à Athènes par Sylla, furent emportés par lui à Rome. À la chute de l'empire romain, tout fut dispersé et oublié. Les moines, au treizième siècle, les recherchèrent et les traduisirent. L'*Histoire des animaux* fut ravivée par un bénédictin du Brabant, Thomas de Cantimpré. Georges de Trébizonde et Théodore de Gaza la retraduisirent au quinzième siècle.

Le premier livre de l'*Histoire des animaux* commence par une belle et savante anatomie de l'homme, destiné à servir de type à la construction des animaux inférieurs à l'homme. On voit que la science médicale moderne ne dépasse pas les éléments qu'Hippocrate avait laissés à ses descendants; c'est une folie d'imaginer que la science anatomique de l'homme ait attendu des milliers d'années pour éclairer la pratique des médecins; la vie a toujours cherché dans la mort son secret: le progrès n'est ni aussi lent ni aussi ignorant qu'on le dit.

X.

Nous ne donnons pour échantillon de son style que ces fragments sur les abeilles. Le miel du mont Hymette les rendait chères aux Athéniens:

«On distingue plusieurs espèces d'abeilles: la meilleure est petite, ronde et de plusieurs couleurs; la seconde est allongée et semblable au frelon; la troisième est l'abeille qu'on nomme voleuse: sa couleur est noire, son ventre large; la quatrième espèce est celle du bourdon: il est plus grand que les abeilles des trois premières espèces. Il n'a point d'aiguillon et il est paresseux. En conséquence de cette observation, quelques personnes entrelacent le bas de la ruche, de manière que les abeilles seules puissent y entrer, tandis que les bourdons sont arrêtés par leur grosseur. J'ai dit qu'il y avait deux sortes de rois. Dans chaque ruche il y a plusieurs rois et non un seul roi. La ruche périt si elle n'a pas des rois suffisants. Ce n'est pas tant parce que la ruche manque alors de chefs pour la gouverner que parce qu'ils contribuent, dit-on, à la reproduction des mouches. Si cependant il y a un grand nombre de rois, la division se met dans la ruche. Les abeilles multiplient peu quand le printemps est tardif et que la saison est sèche et aride: elles font plus de miel dans les temps secs, mais les essaims multiplient davantage dans les temps de pluie; et c'est là ce qui fait que les oliviers et les essaims produisent beaucoup dans les mêmes années.

«Les abeilles forment d'abord le gâteau de cire: ensuite elles y jettent la semence qui doit reproduire les essaims. Elles la jettent par la bouche, disent ceux qui prétendent qu'elles l'apportent de dehors dans leurs ruches. En troisième lieu, elles jettent également par la bouche le miel qui leur doit servir de nourriture, partie l'été, partie l'automne. Le miel d'automne est le meilleur. Les abeilles recueillent la cire sur les fleurs: elles tirent la propolis des fleurs des arbres. Pour le miel, il tombe de l'air, principalement dans le temps du lever des constellations, et lorsque l'arc en ciel s'étend sur la terre. Il n'y a jamais de miel nouveau avant le lever des Pléiades. L'abeille prépare donc la cire avec des fleurs comme je l'ai dit, mais une preuve qu'elle ne compose point le miel, et qu'elle recueille celui qui tombe, c'est que ceux qui ont des ruches les trouvent pleines de miel en un jour ou deux, et que d'ailleurs, quand on leur a ôté leur miel en automne, elles n'en font plus de nouveau quoiqu'il y ait encore des fleurs. Cependant, n'ayant plus de nourriture, puisqu'on leur a ôté leur miel, ou n'en ayant qu'une petite quantité, elles ne manqueraient pas de faire de nouveau miel si elles le composaient du suc des fleurs. Le miel prend de la consistance en se mûrissant, si l'on peut parler ainsi. Il est d'abord comme de l'eau, et il demeure liquide pendant quelques jours. Si on l'ôte alors de la ruche, il n'a point de consistance. Il faut ordinairement vingt jours pour l'épaissir. Le mérite du miel se reconnaît aisément au goût: car les différents miels ont plus ou moins de douceur, de même qu'ils ont plus ou moins de consistance. L'abeille fait sa récolte sur les fleurs qui sont en calice, et en général sur toutes celles qui ont un suc doux. Elle ne fait aucun tort au fruit. Un organe semblable à la langue lui sert à rassembler les sucs de ces fleurs et elle les emporte. On taille les ruches lorsque les figues sauvages commencent à être mûres. Les nouveaux essaims qui réussissent le mieux sont ceux qui viennent dans le temps où les abeilles travaillent le miel. Elles portent la cire et l'érithaque avec leurs cuisses: pour le miel, elles le jettent par la bouche dans les cellules. Lorsque les abeilles ont déposé la semence qui doit les reproduire, elles couvent comme les oiseaux.

«Le ver de l'abeille, étant encore petit, est d'abord couché en travers dans l'alvéole: après cela il se relève de lui-même et prend de la nourriture. Il est attaché à l'alvéole, de sorte qu'on croirait qu'il en fait partie. La semence qui sert à la reproduction, soit des abeilles, soit des bourdons, est également blanche. Il en naît de petits vers qui croissent et deviennent abeilles et bourdons: mais la semence d'où naissent les rois est roussâtre, elle a plus de consistance que le miel épaissi, et dès les premiers instants elle est d'un volume qui répond à celui du roi qu'elle produira. Le roi ne passe point par l'état de ver: il devient abeille tout d'abord. La semence étant déposée dans l'alvéole, l'abeille place du miel vis-à-vis. Les pieds et les ailes de l'embryon de l'abeille se produisent pendant qu'il est enfermé: lorsqu'il a acquis sa perfection, il rompt la membrane qui l'enfermait et s'envole. Tant que l'abeille est dans l'état de ver, elle rend des excréments, mais après cela elle n'en rend plus, à moins qu'elle ne soit pas encore sortie de son enveloppe, comme je l'ai déjà observé. Si l'on ôte la tête à un embryon d'abeille, avant qu'il ait acquis des ailes, les abeilles mangent le reste du corps, et si, après avoir ôté les ailes à un bourdon, on le jette dans la ruche, les abeilles mangent aussi les ailes des autres bourdons. Les abeilles vivent six ans; quelques-unes vont jusqu'à sept: on regarde comme heureux qu'une ruche dure neuf ou dix ans.

«Dans le nombre des quadrupèdes sauvages, la biche n'est pas un des moins remarquables par sa prudence: soit lorsqu'elle dépose ses petits auprès des chemins, parce que les hommes qui les fréquentent en écartent les animaux féroces, soit lorsqu'elle dévore les enveloppes de ses petits aussitôt après les avoir mis bas, qu'elle court au séséli, en mange, puis revient à eux. La biche mène ses faons dans les forêts pour les accoutumer à connaître les endroits où il faudra qu'ils se mettent en sûreté: c'est une roche escarpée qui n'a d'accès que d'un côté. La biche s'y arrête, et s'y met, dit-on, en défense.

«Le cerf devenu trop épais, ce qui lui arrive en automne où il engraisse beaucoup, ne se montre plus nulle part. Il change de retraite: on dirait qu'il sait qu'on le forcera plus facilement à cause de sa graisse. Les cerfs jettent leur bois dans des lieux où l'on ne pénètre pas aisément et qui sont difficiles à reconnaître. De là le proverbe: *Où les cerfs ont jeté leur bois.* Ils ne se laissent plus voir, comme n'étant plus en état de défense. On prétend qu'on n'a jamais trouvé la partie gauche du bois d'un cerf, et qu'il la cache comme ayant quelque vertu. Les cerfs d'un an n'ont pas encore de bois: ils en ont seulement une petite naissance qui en est comme la marque; ce bois naissant est court et velu. À leur seconde année, leur bois s'allonge droit comme un piquet; aussi leur donne-t-on alors le nom de *piquets.* La troisième année il a deux branches; la quatrième il est plus inégal, et il augmente de même chaque année jusqu'à ce que l'animal ait atteint six ans. Après cette époque, la tête du cerf se refait toujours la même, et on ne peut plus connaître son âge par son bois. Les vieux cerfs se reconnaissent à deux autres marques: ou ils n'ont plus de dents, ou elles sont petites, et la partie de leur bois qu'on appelle les défenses ne renaît plus. Ce sont ces cornichons qui viennent en devant du bois, et dont le cerf se sert pour se défendre: quand il est vieux il ne les a plus, son bois monte droit. Le bois du cerf tombe chaque année vers le mois d'avril. Le cerf qui ne l'a plus se cache, comme je l'ai dit, pendant le jour, et se retire dans les bois épais pour y être à l'abri des mouches. Il ne va au viandis que la nuit et dans des lieux couverts, jusqu'à ce qu'il ait refait sa tête. Le nouveau bois pousse d'abord comme enveloppé d'une peau: il est même couvert de poil. Quand il a pris sa croissance, le cerf l'expose au soleil afin de le mûrir et de le sécher, et, lorsqu'il ne ressent plus de douleur en frottant son bois contre les arbres, il quitte les lieux où il s'était retiré; il est rassuré, parce qu'il a des armes pour se défendre. On a pris un cerf dont le bois était chargé de lierre vert qui y était attaché; il fallait qu'il y fût venu comme sur un arbre vert, tandis que le bois était tendre.

«Un cerf qui se sent mordu par une phalange ou par quelque autre insecte semblable, ramasse des cancres et les mange. Un breuvage fait avec des cancres pourrait être bon pour les hommes en pareil cas, mais il est de mauvais goût.

«Les biches mangent les enveloppes de leurs petits aussitôt qu'elles ont mis bas: elles ne les laissent pas même tomber à terre, de sorte qu'il n'est pas possible de s'en saisir: vraisemblablement elles contiennent quelque vertu.

«Les chasseurs prennent les biches en chantant ou en jouant de la flûte; elles se laissent charmer par le plaisir de les entendre. Deux personnes vont ensemble: l'une se montre et chante ou joue de la flûte; l'autre se tient en arrière et tire la flèche au signal que le premier lui donne. Tant que la biche tient les oreilles droites, elle entend le moindre bruit, et il est difficile de n'être pas découvert; quand elle les a baissées, on la tire sans qu'elle s'en aperçoive.»

Telle est l'*Histoire des animaux* par Aristote: c'est le chef-d'œuvre du laconisme pittoresque. Tout y est, et tout est intéressant. Pline lui-même est inférieur. C'est le catéchisme de la nature. On n'y regrette que deux choses: la première, c'est qu'elle ait été tronquée par le temps; la seconde, c'est qu'un écrivain aussi consommé n'ait pas suffisamment insisté dans sa description des animaux sur la partie intellectuelle de leurs mœurs. Cette partie jusqu'ici négligée manque à Aristote comme à Buffon. Ils n'ont peint que le corps, ils ont déchiré une des plus belles pages de l'œuvre de Dieu dans sa nature animée; ils ont ainsi privé le Créateur d'une partie de sa gloire.

XI.

Si nous avions le talent, l'âge, le loisir et un pourvoyeur comme Alexandre, mettant des milliers d'hommes à notre disposition pour étudier partout les formes et les mœurs de tous les animaux dans l'univers connu, nous oserions entreprendre cette œuvre et chanter ainsi le cantique plus complet de la création, le spiritualisme de l'histoire naturelle.

Depuis l'ami de l'homme, le chien, avec lequel nous avons passé une partie essentielle de l'espace de temps qui nous a été assigné dans la vie, et dont aucune *pensée* ne nous est mystère, jusqu'au chat mélancolique qui s'attache à la femme et qui meurt quand elle meurt, jusqu'à la cigogne dont le père, la mère et les petits semblent descendre du ciel pour nous donner l'idée et le modèle des trois amours de la vie de famille, jusqu'à l'innocente brebis, ce champ ambulant et fertile qui nous livre avec son lait la tiède toison qui nous abrite l'hiver, jusqu'à l'éléphant, militaire et politique, qui combat pour nous et qui se soumet aux lois volontaires de la discipline pour honorer les rois ou les chefs armés des nations, nous aurions passé en revue ce monde animé et inférieur créé pour nous aimer et nous aider; nous aurions cherché et trouvé dans leurs instincts les plus secrets les mystères de leurs mœurs, et, disons le mot, de leurs vertus. Combien de fois ne les avons-nous pas vus délibérer entre leur penchant naturel et leur devoir pour s'attacher à leur devoir, en surmontant péniblement leur penchant! N'est-ce pas là la vertu dans sa force et, par conséquent, dans son mérite? Pouvons-nous douter, quand le chien de l'infirme, du blessé, du noyé, du misérable, meurt volontairement pour son maître, qu'un pressentiment ne lui donne la foi dans la récompense que la nature prépare à son dévouement? La nature est pleine de ces dévouements qui seraient des sarcasmes du destin s'ils n'étaient des augures d'un autre monde. Quant à moi, je n'ai jamais foulé d'un pied indifférent le moindre insecte visible, sans croire que la vie que je sauvais ainsi emporterait ma mémoire dans l'éternité, et que je me préparais des amis dans l'inconnu. Je n'ai jamais feuilleté sans mépris et sans regret les écrivains qui, en décrivant les corps, ne voient dans la machine animale que le mécanisme, et proclament l'athéisme, non de Dieu, mais des sentiments et des idées; j'ai toujours fait des vœux ardents pour que la Providence fît naître enfin un génie contemplateur, un prophète du monde animé qui nous révélât l'harmonie divine dans l'âme comme dans les organes des animaux. Ce jour viendra et glorifiera le Créateur. Les besoins de l'humanité sont des prophéties, peut-être cet homme est-il né.

Aristote était digne de l'être, s'il eût été aussi philosophe que médecin. Mais il n'avait que la justesse de l'esprit, il n'en avait pas assez l'étendue ni surtout l'élévation.

Voilà toute l'œuvre de lui que nous a léguée le temps et que M. Barthélemy Saint-Hilaire nous a si magnifiquement traduite et commentée. Faut-il dire toute ma pensée? J'ai été plus ravi encore de l'œuvre de Barthélemy Saint-Hilaire que de celle d'Aristote. Il est plus beau en résumant Socrate qu'en résumant Aristote. On sent qu'il regrette à chaque instant le spiritualisme du *Phédon* dans le sensualisme de l'*Histoire des animaux*, dans la *Morale*, dans la *Physique*, dans la *Politique*, dans le *Traité sur l'Âme*, qui ne sont que des préfaces aux considérations surhumaines du platonisme. Aristote, en effet, est un esprit juste (mérite immense); mais ce n'est pas un esprit haut. L'élévation fait partie de l'étendue dans le cube de nos facultés. Aspirer à monter toujours plus haut, et enfin jusqu'à Dieu, c'est la loi la plus pieuse de notre nature. Aristote n'y monte pas assez; c'est sa faiblesse. C'est l'aigle des régions moyennes, mais ce n'est point l'aigle de Pathmos. On voit que son traducteur, qui aimerait à le suivre au septième ciel, souffre, tout en l'excusant, de cette philosophie un peu trop terrestre. Lisez ces regrets.

«La loi qui parle dans la conscience de l'homme et à sa raison, voilà le principe supérieur et surhumain; la volonté libre qui observe ou qui viole cette loi, voilà le principe humain et subordonné. À eux deux, ils sont la source et la clé de toute la morale. L'homme porte donc en lui une législation, et en quelque sorte un tribunal, qui l'absout ou le condamne selon les cas, et qui a pour sanction, ou la satisfaction délicate d'avoir bien fait, ou le regret et le remords d'avoir fait mal. L'homme se sent le sujet d'une puissance qui est au-dessus de lui, bienfaisante et douce s'il l'écoute, implacable s'il lui résiste, et, quand la justice l'exige, anticipant le châtiment du dehors par ses tortures invisibles, dont le coupable a le douloureux secret, même quand il échappe à la vindicte sociale.

«Ces deux grands faits de la loi morale et de la liberté sont au-dessus de toute contestation possible. Qui les nie, abdique son titre d'homme, et se ravale, qu'il le sache ou qu'il l'ignore, au-dessous même de la brute; plus intelligent qu'elle sans doute, mais dépravé, tandis que la brute ne l'est pas.

«Les conséquences ne sont point ici moins claires ni moins admirables que les principes. L'homme, en acceptant de sa libre volonté le joug de la loi, s'ennoblit loin de s'abaisser. Par sa soumission volontaire, il s'associe de son plein gré à quelque chose de plus grand que lui; il se sent rattaché à un ordre de choses qui le dépasse et qui le fortifie. Loin de perdre à l'obéissance, il y gagne une grandeur et une dignité que sans elle il n'a pas. Le monde moral où il entre par cette dépendance éclairée de sa liberté, est le vrai monde où son âme doit vivre, tandis que son corps vit dans un monde tout différent, où la liberté n'a presque plus rien à faire. C'est une sphère de pureté et de paix, où il n'y a de souillures et de tempêtes que celles qu'il veut bien y laisser pénétrer. Le calme et la lumière n'y dépendent que de lui seul; et, quand il sait le vouloir, il peut établir dans ce ciel intérieur une inaltérable sérénité. Sa raison de plus en plus soumise devient de plus en plus forte, et le terrain sur lequel elle s'appuie, de plus en plus inébranlable et fécond. Les convictions de la conscience s'affermissent à mesure qu'elles s'exercent; et, dans cet échange d'obéissance consentie d'une part, et de force communiquée de l'autre, l'homme prend à ses propres yeux une valeur qu'il ne se connaissait pas, et que son humilité la plus sincère peut accepter, parce qu'il en place l'origine au-dessus de lui. C'est là qu'il puise ce sentiment étrange et noble qui se nomme le respect de soi, gage assuré du respect que lui devront et que lui donneront ses semblables et qu'il leur rendra.

«En comparaison de ces biens intérieurs et sans prix, de ces biens divins, comme disait Platon, les biens du dehors sont assez peu estimables. Ils sont à sacrifier sans hésitation, si ce n'est sans douleur, à des biens qu'ils ne valent pas. La fortune, la santé, les affections, la vie même ne tiennent point: on les immole, s'il le faut, pour conserver ce qui est au-dessus d'elles. On ne peut pas les préférer à ce qui seul leur confère quelque prix:

Nec propter vitam vivendi perdere causas.

Pour une âme éclairée et suffisamment énergique, tous les biens se subordonnent dans cette proportion et ce rapport; et, quand le moment de la décision arrive, elle est déjà toute prise, parce qu'elle est indubitable. Ce n'est guère qu'un calcul dont le résultat est prévu et infaillible. Seulement, c'est un calcul en sens inverse des calculs vulgaires; on perd tout au dehors pour tout gagner au dedans; et, quand l'épreuve est bien tout ce qu'elle doit être, on se trouve avoir gagné beaucoup plus encore qu'on n'a perdu, jusqu'au sacrifice dernier ou l'existence peut être mise en jeu. C'est que la loi morale, en même temps qu'elle fait tout l'honneur de l'homme, est aussi la règle de sa vie. Elle ne dirige pas seulement les pensées, elle gouverne les actes; elle prononce dans les conflits qu'elle tranche souverainement; et dans l'échelle des biens divers, c'est elle qui assigne et maintient les rangs. Il serait déraisonnable de dédaigner les biens extérieurs, en tant que biens; ils ont leur utilité; mais ce ne sont que des instruments pour un but plus haut; et quelque valeur qu'ils aient en eux-mêmes, ils la perdent du moment qu'on les met en balance avec ce qui pèse davantage.

«Mais la loi morale n'est pas une loi individuelle, c'est une loi commune. Elle peut être plus puissante et plus claire dans telle conscience que dans telle autre; mais elle est dans toutes à un degré plus ou moins fort. Elle parle à tous les hommes le même langage, quoique tous ne l'entendent pas également. Il suit de là que la loi morale n'est pas uniquement la règle de l'individu; c'est elle encore qui fait à elle seule les véritables liens qui l'associent à ses semblables. Si les besoins rapprochent les hommes, les intérêts les séparent, quand ils ne les arment pas les uns contre les autres; et la société qui ne s'appuierait que sur des besoins et des intérêts, serait bientôt détruite. Les affections mêmes de la famille, qui suffiraient à la commencer, ne suffiraient point à la maintenir. Sans la communion morale, la société humaine serait impossible. Peut-être les hommes vivraient-ils en troupes comme quelques autres espèces d'animaux; mais ils ne pourraient jamais avoir entre eux ces rapports et ces liens durables qui forment les peuples et les nations, avec les gouvernements plus ou moins parfaits qu'ils se donnent et qui subsistent des siècles. C'est parce que l'homme sent ou se dit que les autres hommes comprennent aussi la loi morale, à laquelle il est soumis lui-même, qu'il peut traiter avec eux. Si des deux parts on ne la comprenait pas, il n'y aurait point de liaisons ni de contrats possibles. De là cette sympathie instinctive qui rassemble les hommes, et donne tant de charmes à la vie commune, même dans le large cercle d'une nationalité; de là aussi cette sympathie bien autrement vive, parce qu'elle est plus éclairée, qui forme ces liens particuliers qu'on appelle des amitiés. Sans l'estime mutuelle que deux cœurs se portent, parce qu'ils obéissent avec une égale vertu à une loi pareille, l'amitié n'est pas; et elle a besoin, pour être sérieuse et durable, de la loi morale, tout autant qu'en a besoin la société. De là enfin cette sympathie qui réunit deux êtres de sexes différents, et qui constitue leur réelle union, que l'amour même serait impuissant à cimenter assez solidement. C'est parce que l'homme aime la loi morale à laquelle il doit obéir, qu'il aime tous ceux, qui de plus près ou de plus loin la pratiquent avec lui, dans la mesure où il nous est donné de pouvoir la pratiquer.

«Je viens de parcourir en quelques mots le cercle à peu près entier de la science morale, depuis la conscience individuelle, où éclate la loi qui régit l'âme humaine, jusqu'à ces grandes agglomérations d'individus qui forment les sociétés. Mais ce serait se tromper que de croire que la science morale ne s'étend pas encore au delà. Elle va plus haut; et la raison se manquerait à elle-même, si elle s'arrêtait à moitié chemin. Une loi suppose de toute nécessité un législateur qui l'a faite; l'obéissance suppose nécessairement l'empire; et la raison n'a pas de route plus assurée, si elle en a de plus profondes, pour arriver à Dieu, le connaître et l'aimer. Les lois humaines ne peuvent être le fondement de la loi morale; car c'est elle qui les inspire, qui les juge et les condamne, quand elles s'écartent de ses ordres légitimes. L'éducation, invoquée par quelques philosophes, n'explique pas plus la loi morale qui la domine que les lois publiques. Au fond, l'éducation, quelque particulière qu'elle puisse être, n'est sous une autre forme qu'une législation, imposée à l'enfant au lieu de l'être à des hommes; et cette législation restreinte n'a pas d'autres bases que les législations civiles. La loi morale, de quelque côté qu'on l'envisage, n'a donc rien d'humain quant à son origine. Elle gouverne l'homme précisément parce qu'elle ne vient pas de lui; et quand il veut étudier en elle les voies de Dieu, il en reconnaît avec une entière évidence la puissance et la douceur.

«Dans le monde matériel tout entier, quelque beau, quelque régulier qu'il soit, l'observation la plus attentive ne rencontre rien qui puisse nous donner la moindre idée de la loi morale. Les traces que parfois nous croyons en découvrir dans les animaux les mieux organisés, ne sont que des illusions. Nous leur prêtons alors ce que nous sommes; nous leur supposons notre nature, soit par une ignorance qui peut être coupable quand elle tend à nous rabaisser à leur niveau, soit même par une sorte de sympathie assez puérile. Mais, au vrai, il n'y a de loi morale que dans le cœur de l'homme; et celui qui a créé les mondes avec les lois éternelles qui les régissent, n'a rien fait d'aussi grand que notre conscience. La liberté, même avec toutes ses faiblesses, vaut mieux que la nature avec son immuable constance; et pour une intelligence qui se comprend elle-même, la comparaison n'est pas même possible, parce qu'elle est absurde, et que la supériorité du monde moral est absolument incommensurable. La puissance de Dieu se manifeste donc au-dedans de nous bien plus vivement qu'au dehors; et prouver l'existence de Dieu par cette loi que nous portons dans nos cœurs et que confesse notre raison, c'est en donner une des preuves les plus frappantes et les plus délicates.

«Mais la mansuétude de Dieu égale au moins sa puissance. Dans ces législations imparfaites que les hommes sont obligés de faire à leur usage, il y a toujours dans leurs injonctions et dans leurs châtiments quelque chose de grossier et de brutal, même quand elles sont les plus justes. La peine qui frappe le coupable peut le détruire, mais elle ne le touche pas; elle l'effraye sans le corriger. La menace le détourne sans l'améliorer. Ici rien de pareil. Dans la législation de Dieu, l'homme est son propre juge, provisoirement du moins; et c'est parce qu'il peut se juger lui-même qu'il peut aussi éviter la faute dont il sent l'énormité. La voix qui parle en lui l'a d'abord averti; elle lui adresse des conseils avant de lui adresser des reproches; et c'est quand il est resté sourd qu'elle sévit. Il impliquerait contradiction que, pour se faire obéir, la loi morale employât des moyens qui ne seraient pas purement moraux. Aussi, dans cette répression, que de ménagements pour le coupable! Que d'efforts dont lui seul a conscience, et que rien ne divulgue au dehors, pour le ramener au bien! Quelle réserve et quelle discrétion! L'homme abuse sans doute plus d'une fois de cette clémence; mais ce serait joindre l'ingratitude à la perversité que de s'en plaindre. C'est bien assez de la dédaigner, en n'en profitant pas; il n'y a pas de cœur, même le plus endurci, qui ne doive l'admirer, et remercier le législateur suprême de tant de bienveillance à côté de tant de pouvoir.

«Une autre conséquence non moins certaine et non moins grave de ce mécanisme divin, c'est que l'homme, se sentant libre d'obéir ou de résister à la loi de la raison, se sent par cela même responsable de ses actes devant l'auteur tout-puissant de cette loi et de sa liberté. Il n'a point à le craindre de cette crainte qui ne convient qu'à l'esclave, puisque, par sa soumission, il peut s'associer à un père plutôt qu'à un maître. Mais il doit craindre de l'offenser, en violant la loi dont il reconnaît lui-même toute l'équité. Si l'homme s'indigne en son cœur contre la faute à laquelle il succombe, à bien plus forte raison doit-il croire que le législateur s'indigne contre celui qui, pouvant éviter cette faute, l'a cependant commise. L'homme qui, par la loi morale, a dans ce monde une destinée privilégiée, a donc à rendre un compte de l'emploi qu'il aura fait de cette destinée. Ce n'est pas à ses semblables qu'il le doit; car ils peuvent tout au plus connaître de ses actes, qu'ils châtient quelquefois. Comme ils sont des sujets ainsi que lui, ils ne sont que ses égaux; ils ne peuvent être ses vrais juges. Les intentions, les pensées, mobiles invisibles de tous les actes, leur échappent absolument; et ce sont cependant les pensées et les intentions, en un mot, tout ce qui se dérobe nécessairement aux justices humaines, qu'il s'agit de juger. Ou il faut nier la loi morale, la liberté de l'homme et sa responsabilité, ou il faut admettre, comme conséquence inévitable, une autre vie à la suite de celle-ci, où Dieu saura distribuer les récompenses et les peines. Ce qu'elles seront, c'est lui seul qui en a l'inviolable secret; mais la science morale ne dépasse pas ses justes bornes en affirmant que cette justice définitive est indispensable, et que la vie de l'homme ici-bas ne peut se comprendre sans ce complément qui doit la suivre.

«Ce n'est pas, comme on l'a dit, et Kant en particulier, qu'il y ait en ce monde un désaccord inique entre la vertu et le bonheur. Ce monde, tel qu'il est fait, est en général assez équitable; et il est à présumer que c'est la faiblesse de l'homme plutôt que sa raison qui en murmure. Il n'y a donc point à rétablir un équilibre qui n'est pas rompu, comme on se plaît à le répéter; et il ne faut pas que la vertu, si elle veut rester pure, pense trop à un salaire dont la préoccupation suffirait à la flétrir. D'ailleurs, en observant bien ce monde, il est facile de voir que le bonheur y dépend presque entièrement de nous; il est le plus souvent le résultat de notre conduite, et il manque bien rarement à qui sait le chercher là où il est. Les âmes vertueuses sont en général fort résignées. Il n'y a guère que le vice qui se révolte. Kant, tout en parlant de l'équilibre nécessaire, qu'il ne voit que dans la vie future, ne s'est pas trouvé, j'en suis sûr, trop malheureux dans celle-ci. Socrate, malgré sa catastrophe, n'a pas gémi sur son sort; et il n'a pas douté de la justice de Dieu, même en ce monde, parce qu'il y a fini par la ciguë. Mais si le rapport du bonheur et de la vertu est suffisant dès ici-bas, ce qui ne l'est point, c'est le rapport moral de l'âme à

Dieu. Indépendamment des lois extérieures, l'homme avait une loi tout intérieure à observer. Jusqu'à quel point y est-il resté fidèle? Lui-même, tout sincère qu'il peut être avec sa propre conscience, ne le sait pas. Le souvenir de la plupart de ses pensées et de ses intentions, même les plus vives, périt à chaque instant en lui. Il voudrait juger sa propre vie avec la plus stricte impartialité qu'il ne le pourrait point. Il faut bien cependant quelqu'un qui la juge; car autrement elle serait une énigme sans mot, et l'homme ne serait guère qu'un monstre.

«Ainsi la science morale, dépassant cette existence terrestre, pénètre de l'homme d'où elle part jusqu'à Dieu; et elle affirme la vie future avec les récompenses et les peines, aussi résolument qu'elle affirme la vie présente. Ce ne sont pas là des hypothèses gratuites; ce ne sont pas même des postulats de la raison pratique, comme disait Kant en son bizarre langage. Mais ce sont des conséquences aussi certaines que les faits incontestables d'où la raison les tire. On peut même ajouter que ces théories sont en parfait accord avec les croyances instinctives du genre humain, et que les religions les plus éclairées les sanctionnent, en même temps que la philosophie les démontre.

«Arrivée là, la science morale a épuisé la meilleure part de son domaine; elle a rempli sa tâche presque entière. Il ne lui reste plus qu'à montrer comment l'homme, soumis à une loi si sainte et si douce, la viole cependant, et à expliquer d'où vient en lui cette lutte, où il est si souvent vaincu, et cette révolte qui le perd. La raison voit et comprend le bien; la liberté fait souvent le mal. Comment cette chute est-elle possible? La cause en est assez manifeste, et l'homme n'a pas besoin de s'étudier bien longtemps pour la découvrir. C'est de son corps, de ses passions et de ses besoins diversifiés à l'infini, que lui viennent ces assauts d'où il sort si rarement victorieux; c'est d'un principe contraire à celui de son âme que lui viennent ces combats, terminés le plus ordinairement par des défaites. Ce serait exagérer que de croire que le vice tout entier vient du corps, et que l'âme n'a pas ses passions propres qui la ruinent, quand elles sont mauvaises, comme celles que le corps lui suggère. Mais on peut dire sans injustice que la grande provocation au mal, dans l'âme de l'homme, lui vient du corps auquel elle est jointe, qu'elle peut dominer sans doute, puisqu'elle va quand elle veut jusqu'à l'anéantir, mais qui, dans bien des cas, la domine elle-même et la souille par les insinuations les plus cachées et les plus sûres. Modérer le corps, le dompter dans une certaine mesure, lui faire la part de ses justes besoins, lui résister dans tout ce qui les dépasse, en un mot faire du corps un instrument docile et un serviteur soumis, voilà l'une des règles essentielles de la vie morale, et par conséquent, une des parties considérables de la science. L'union de l'âme et du corps, c'est-à-dire de l'esprit et de la matière, est un mystère dont elle n'agite point la solution, qui appartient à la métaphysique. Mais il est de son devoir de rechercher les conditions de cette union, et de les expliquer à la lumière de la loi. C'est un fait qu'elle étudie comme les faits de conscience, et qui n'est pas moins important. L'omettre serait une grave lacune; et l'on risquerait, en le supprimant, de ne pas comprendre assez clairement la vie morale, qui, au fond, n'est qu'une sorte de duel entre ces deux principes opposés.

«Il semblerait résulter de cet antagonisme que l'ennemi de l'homme, c'est son corps, qui sert tout au moins d'intermédiaire au vice, quand il n'en est pas directement la cause. Cependant cet ennemi, sans être nous précisément, est une partie indispensable de nous. C'est un compagnon nécessaire, quoique dangereux; et durant cette vie, nous ne pouvons pas nous en séparer un seul instant, puisque, sans lui, notre destinée morale n'est pas même possible. Il y a donc à le ménager, tout en le combattant; il faut s'en servir en le surveillant, et s'en défier en le conservant avec le soin obligé. La limite est des plus délicates à tracer, et il faut prendre garde d'outrer l'indulgence ou la sévérité. Mais comme l'indulgence est notre pente naturelle, il est bon que la science morale incline plutôt en sens contraire, et elle n'est pas assez sage quand elle n'est pas austère. De là, dans tous les systèmes de morale dignes des regards de la postérité, tant de règles sur la tempérance et sur l'éducation.

«L'homme aurait d'ailleurs grand tort de se plaindre de cette union de l'esprit et de la matière en lui, redoutable seulement quand il ne sait point en user. Elle est d'abord la condition essentielle de la vertu, le prix dernier de la vie morale et son trésor. Sans combats, la vertu n'est point; car il est par trop évident que, sans lutte, il n'y a point de triomphe. De plus, l'homme éclairé par l'expérience et sincèrement ami du bien peut faire tourner à son profit cette influence possible du physique sur le moral. En réglant le corps de certaine façon, on tempère les passions de l'âme; et, par un régime bien entendu, on tire, en partie du moins, la santé de l'âme de la santé du corps: *Mens sana in corpore sano.* C'est l'âme qui d'abord a réglé le corps; c'est elle qui l'a soumis au gouvernement convenable, et qui l'a restreint dans ses vraies limites. Mais, par un retour inexplicable, le corps rend à l'âme ce qu'il en a reçu; et, loin de la troubler désormais, il lui transmet un calme et une paix qu'elle emploie à mieux comprendre le devoir et à le mieux accomplir. L'union de l'âme et du corps est donc un bienfait, et ce n'est pas assez le reconnaître que d'en gémir, comme le font quelquefois les cœurs les plus purs, et d'anticiper la dissolution du pacte, soit par des vœux téméraires, soit par un ascétisme exagéré.

«Tel est à peu près l'ensemble de la science morale et des questions qu'elle doit étudier dans tous leurs détails, sous toutes leurs faces. Elle apprend à l'homme où est en lui la source du bien et la source du mal; elle le rattache à lui-même, à ses semblables et à Dieu par des liens indissolubles, et sa mission est remplie quand elle lui a enseigné, non pas précisément la vertu, mais ce qu'est la vertu et à quelles conditions elle s'acquiert. La vertu ne résulte que de l'accomplissement réel du devoir. On n'est pas vertueux parce qu'on sait ce qu'on doit faire; on l'est parce qu'on a fait ce qu'on doit, en sachant, à titre de créature raisonnable, pourquoi l'on agit de telle façon et non point de telle autre. Mais éclairer l'humanité sur les caractères de la vertu, lui montrer avec pleine lumière la fin obligatoire de toutes les actions humaines, et lui indiquer les voies qui mènent à cette fin, c'est un immense service; et l'on n'a point à s'étonner de l'estime et de la gloire qui le récompensent. Sur la scène du monde, où ce sont cependant les mêmes principes qui s'agitent et qui se combattent, il est bien plus difficile de les discerner; ils y sont le plus souvent obscurs et douteux, même pour les yeux les plus attentifs. Sur le théâtre de la conscience, ils brillent d'un éclat splendide, où rien ne les ternit que l'ignorance intéressée d'un cœur pervers.

«Le point essentiel et le plus pratique de la science, c'est donc de démontrer irrévocablement à l'homme que sa loi est toujours de faire le bien, quelles que soient les complications que le jeu des choses humaines puisse amener; et que faire le bien, c'est obéir sans réserve, sans murmure, avec résignation et, quand il le faut, avec une fermeté héroïque, aux décrets de la raison, promulgués dans la conscience, acceptés par une volonté soumise autant qu'intelligente, et qui peuvent passer dans le for individuel pour les décrets mêmes de Dieu. C'est là le centre de la vie, comme c'est le centre de la science; mais c'est là aussi que se livrent, dans la théorie et dans la pratique, les grands combats. En général, c'est par inattention ou par ignorance que l'individu fait le mal, et ce n'est presque jamais de propos délibéré qu'il commet la faute, en sachant qu'il la commet, bien qu'il y ait des natures assez malheureuses pour qu'en elles les dons les plus beaux ne servent qu'au vice. Mais dans la science, l'ignorance et l'inattention ne sont pas permises; et si, dans le cours de la vie, il faut beaucoup d'indulgence, même avec les coupables, il n'en faut avoir aucune envers les fausses théories. On doit les flétrir sans pitié et en faire ressortir l'erreur pour les rendre moins dangereuses; on doit les traîner devant le tribunal incorruptible de la conscience et les y condamner sans appel. Or, à côté de la théorie du bien, seul devoir de l'homme, il n'y a qu'une solution possible: c'est la théorie de l'intérêt, avec les replis et les dédales où elle se diversifie et s'égare. L'intérêt peut se présenter sous plusieurs formes: d'abord assez grossier, et c'est alors la fortune, avec tous les biens secondaires qui la constituent; puis un peu plus raffiné, sous l'aspect du plaisir, avec ses séductions et ses attraits trop souvent irrésistibles; et enfin, moins déterminé et plus acceptable, sous le spécieux prétexte du bonheur.

«La loi morale, et par conséquent aussi la science, doit repousser et combattre l'intérêt, sous quelque masque qu'il se dissimule; fortune, plaisir, bonheur même, elle ne peut accepter aucun de ces mobiles pour la conduite de l'homme. Ce sont eux, sans doute, qui le gouvernent le plus fréquemment dans la réalité; et l'on peut même accorder que, dans une certaine mesure, il est bon qu'ils le gouvernent. Mais pas un d'eux n'a le droit de prétendre à l'empire, ni de se substituer par une usurpation menteuse à l'exclusive souveraineté du bien. La loi morale, que les cœurs ignorants ou faibles se représentent sous des couleurs si sévères, afin de la mieux éluder, n'interdit à l'homme ni la richesse, fruit ordinaire et mérité de son labeur, ni le plaisir, besoin de sa nature, ni le bonheur, tendance spontanée et constante de tous ses efforts. Mais elle lui dit, sans qu'il puisse se méprendre à la sagesse obligatoire de ces conseils, qu'il doit dans certains cas, assez rares d'ailleurs, sacrifier au bien fortune, plaisirs, bonheur, vie même; et que s'il ne sait pas accomplir ce sacrifice, ce sont des idoles qu'il adore, et non le vrai Dieu. Ces immolations, toutes rares qu'elles sont, suffisent à qui sait les comprendre pour révéler dans sa splendeur suprême la loi du bien; et puisque c'est précisément dans les rencontres les plus grandes et les plus solennelles que le bien l'emporte, c'est que le bien est le maître véritable de l'homme, et que tous les autres mobiles, issus à différents degrés de l'intérêt, fortune, plaisir, bonheur, ne sont que ses tyrans.

«Il n'y a donc point d'excuses dans la science morale pour ces théories relâchées, toutes séduisantes qu'elles peuvent être, qui mettent l'intérêt au-dessus du bien. Il ne doit point y en avoir davantage pour les autres théories, moins coupables, qui tentent un compromis, et qui veulent accoupler le bien avec ce qu'elles appellent l'intérêt bien entendu. Si l'intérêt bien entendu est le bien, tel qu'on vient de le définir, à quoi bon substituer un mot obscur, et tout au moins équivoque, à un mot si simple et si clair? Il y a danger, comme Cicéron le remarquait, voilà près de deux mille ans, dans ces variations arbitraires de langage; l'intérêt bien entendu n'en est pas moins l'intérêt; et l'interprétation peut changer perpétuellement, non pas seulement d'un individu à un autre, mais dans le même individu, qui n'a pas toujours de son intérêt, même en tâchant de le bien entendre, des notions pareilles et immuables. Si l'intérêt bien entendu est autre chose que le bien, il est alors à proscrire, ou du moins à subordonner. Ainsi, l'intérêt bien entendu ne peut pas plus prétendre à dominer l'homme que l'intérêt dans son acception la plus vulgaire et la moins calculée.

«Je dis que la science morale, comprise comme je viens de le faire, est la seule vraie, et que tout ce qui s'éloigne de ce type est faux. Elle suffit à expliquer et à conduire l'homme. Elle le place à sa véritable hauteur, au-dessus de tous les autres êtres qui l'entourent, mais au-dessous de Dieu; elle ne l'exalte pas, mais elle est loin aussi de le ravilir; elle le soumet à une loi bienfaisante et sage, tout en reconnaissant sa liberté, si ce n'est son indépendance. En un mot, elle peut le sauver, s'il consent à la suivre. Mais la science ne se fait pas illusion. Si elle sent son importance, elle sent non moins vivement ses bornes; et comme elle peut à peine éclairer quelques individus, elle ne se flatte pas de l'orgueilleuse prétention de gouverner les peuples.

Cependant il ne peut y avoir deux lois morales, et il est bien évident que la politique est soumise aux mêmes conditions que la morale individuelle; les principes ne changent pas pour s'appliquer à une nation. Mais dans ces grands corps, qui renferment des multitudes innombrables, et qui ont des ressorts si compliqués, la vie morale est bien plus confuse et bien plus difficile que sur cette scène étroite de la conscience. La politique ne s'est guère élevée jusqu'à présent au-dessus de l'intérêt, et elle n'a presque jamais porté ses regards dans une région plus haute. Servir à tout prix, même au prix de la justice et du bien, la nation qu'on commande, c'est-à-dire accroître sa force, sa puissance, sa richesse, sa sécurité, son honneur, tel est le but habituel des hommes d'État. C'est à l'atteindre qu'ils consacrent leur génie et qu'ils attachent leur gloire. Les moyens qu'ils mettent en usage varient avec les temps, et ce serait être injuste envers la civilisation que de ne point avouer qu'ils s'améliorent. Mais à quelle distance encore la politique n'est-elle pas de cette notion du bien, telle que la loi morale nous la donne! Quel espace presque infranchissable n'a-t-elle point à parcourir! Que de progrès n'a-t-elle point à faire, pour que la science reconnaisse en elle sa fille légitime! Que de vices, que d'erreurs à détruire! La science morale ne peut guère aujourd'hui, comme au temps de Platon, qu'en détourner les yeux, tout en plaignant les hommes d'État plus encore qu'elle ne les blâme. S'il n'est pas facile déjà de faire parler la raison au cœur de l'homme, c'est une tâche bien autrement ardue de la faire parler au cœur des peuples, en supposant qu'on ait soi-même le bonheur de l'entendre. La philosophie en est toujours réduite au vœu stérile du disciple de Socrate; et elle n'a pour toute consolation que les utopies non moins vaines dont elle se berce quelquefois. Ce qu'elle a de mieux à faire, sans cesser d'ailleurs ses enseignements, c'est de s'en remettre à la Providence, dont la part est bien plus grande encore dans le destin des empires que dans le destin des individus. Mais la science morale serait coupable envers l'humanité si elle abdiquait en faveur de la politique, comme on le lui a plus d'une fois conseillé. L'honneur vrai de la politique, c'est de se conformer le plus qu'elle peut à la morale éternelle, et de diminuer chaque jour, en montant jusqu'à elle, l'intervalle qui les sépare. Mais la politique, à son tour, peut récriminer contre la morale, et lui dire que le gouvernement des sociétés serait bien autrement facile et régulier, si tous les membres qui les composent étaient vertueux autant qu'ils doivent l'être. Il est aisé à des sages d'être de dociles et bons citoyens. Mais apparemment, ce n'est pas à la politique de faire les sages; c'est à elle seulement de s'en servir, pour les fins qui lui sont propres.

«En traçant à grands traits cette rapide esquisse de la science morale, je ne me dissimule pas que ces traits ne m'appartiennent point, et que je les ai empruntés, pour la plupart du moins, à des études qui ont précédé et facilité les miennes. Je les ai demandés à l'observation directe de la conscience, mais je les ai reçus aussi de la tradition; et en prenant la morale au point où je la trouve, dans notre siècle, au fond de tous les cœurs honnêtes, je sais bien que, eux non plus, ne l'ont pas faite à eux seuls, et qu'ils doivent beaucoup de ce noble héritage aux siècles qui nous l'ont transmis. Je crois donc qu'à cette mesure on peut juger équitablement les divers systèmes qui se montrent à nous dans l'histoire de la philosophie, et qu'en les comparant à cet idéal de la science, tout incomplet qu'il est, on peut voir avec assez d'exactitude et de justice ce qu'ils valent. Ils ont contribué tous à amener la science où elle en est; et ce n'est qu'un acte de gratitude que d'assigner à chacun la part qui leur revient dans cette œuvre commune. Il suffira d'en prendre quelques-uns, Platon, Aristote et Kant. Ce sont les plus grands. J'y joindrai aussi le Stoïcisme qui peut marcher de pair avec eux, quand il ne les devance pas, mais qui, n'étant point individuel, n'a pas la même rigueur scientifique. Sur quatre doctrines, la Grèce nous en offrira donc trois à elle seule; les temps modernes ne nous en fourniront qu'une. Qu'on ne s'en étonne pas. Dans les choses de cet ordre, c'est le privilége de l'esprit grec que d'avoir surpassé le nôtre et de l'avoir instruit. Acceptons ce bienfait avec tant d'autres en fils reconnaissants, et sachons en profiter sans jalousie contre notre mère.

«Ces quatre systèmes sont tous conformes, dans des proportions diverses, à la loi morale, telle que je viens de l'esquisser.»

XII.

Après l'exposé du système de Platon, M. Barthélemy Saint-Hilaire passe à celui d'Aristote.

«Nous entrons avec lui dans un tout autre monde, et, bien que nous restions encore dans une sphère très-élevée, nous aurons beaucoup à descendre. L'esprit grec est à son apogée avant Philippe et Alexandre; et la Grèce, qui est sur le point de perdre sa liberté, va commencer cette longue décadence qui, de chute en chute, durera encore plus de mille ans, et toujours au grand profit de l'intelligence humaine. Je ne dis pas qu'Aristote soit déjà sur la pente fatale; et, à bien des égards, son vaste génie n'a pas de supérieurs, si même il a des égaux. Mais, en morale, il est bien loin de son maître; et il est sorti de ces régions sereines où pendant vingt ans il avait pu être guidé par lui. Il connaît profondément la vie, et les tableaux qu'il en trace sont de la plus rare exactitude. Mais il ne s'élève point assez au-dessus d'elle. On dirait qu'il croit suffisant de la peindre, sans chercher à la juger et surtout à la conduire. Il oublie trop souvent, malgré des prétentions contraires, que le moraliste doit être un conseiller et non un historien. Sans doute, l'expérience est une chose très-précieuse, et il est bon qu'en morale elle tienne sa place. Mais il ne faut jamais lui accorder qu'une place secondaire; et quand l'homme doit prendre une grande décision, il vaut mieux qu'il sache ce qu'il doit faire que de savoir ce que l'on fait. La conscience l'inspirera toujours mieux que la pratique la plus consommée de la vie. C'est qu'Aristote s'attache un peu trop aux faits, et qu'il ne s'attache point assez aux idées. Dans toutes les branches de la science, c'est là une méthode peu sûre, malgré ce qu'on en croit ordinairement. En morale, c'est une méthode fausse, parce que, dans le domaine de la liberté, les faits ne sont que ce que nous voulons qu'ils soient, et qu'ils importent beaucoup moins que les principes et les intentions qui les produisent.

«Cependant, tout différent qu'Aristote est de Platon, il n'a pour ainsi dire point une seule théorie qu'il ne lui emprunte. Toutes celles qu'il expose, il les lui a prises, en les transformant. Le caractère général de sa morale est tout autre, mais les doctrines particulières sont au fond les mêmes. Cela se comprend sans peine. On ne peut pas être si longtemps le disciple d'un tel maître sans recevoir beaucoup de lui, quelque indépendant et quelque fort qu'on puisse être par soi-même. On peut bien combattre quelques-uns des enseignements qu'on a entendus, comme Aristote a combattu le système des Idées, avec plus de sévérité souvent que de justesse; mais, tout en se faisant un adversaire, on ne reste bien des fois qu'un écho, et, en désapprouvant l'ensemble de la doctrine, on reproduit, à son insu, une foule de détails qu'on en tire, sans même les reconnaître. Ce n'est point être injuste envers Aristote que de douter qu'il eût fait jamais sa *Morale*, s'il n'eût été à l'école de Platon. C'est là qu'il a trouvé tous les germes de ses grandes théories sur le bien, sur la vertu, sur la tempérance et le milieu, sur le courage, sur l'amitié, etc.

«Voilà d'où viennent les ressemblances. La différence radicale s'explique encore mieux, s'il est possible.

«On a vu dans Platon quelle était sa doctrine psychologique, et la démarcation profonde qu'il établissait entre l'âme et le corps; il faudrait dire plutôt, l'intervalle infranchissable qu'il met entre les deux principes dont l'homme est composé, comme l'attestent hautement le témoignage de la conscience et la voix du genre humain. L'âme est, pour Platon, l'élément supérieur et distinct, qui a sa nature et ses destinées propres; et, lorsque Criton désolé demande à Socrate qui va boire le poison: «Socrate, comment t'ensevelirons-nous?» Socrate lui répond: «Tout comme il vous plaira, si toutefois vous pouvez me saisir et que je ne vous échappe pas.» Puis, regardant avec un sourire plein de douceur ses disciples tout en larmes: «Mes amis, ajouta-t-il, soyez donc mes cautions auprès de Criton, mais d'une manière toute contraire à celle dont il a voulu me cautionner auprès des juges. Il répondait pour moi que je ne m'en irais pas. Vous, au contraire, répondez pour moi que je ne serai pas plutôt mort que je m'en irai jouir de félicités ineffables, afin que le pauvre Criton prenne les choses plus doucement, et qu'en voyant brûler mon corps ou le mettre en terre, il ne s'afflige pas sur moi, comme si je souffrais de grands maux, et qu'il ne dise pas à mes funérailles qu'il expose Socrate, qu'il le porte, qu'il l'enterre. Car il faut que tu saches, mon cher Criton, lui dit-il, que parler improprement, ce n'est pas seulement une faute envers les choses; mais c'est aussi un mal que l'on fait aux âmes. Il faut avoir plus de courage et dire que c'est mon corps que tu enterres; enterre-le donc comme il te plaira, et de la manière qui te paraîtra la plus conforme aux lois.»

«Aristote n'a pas profité de cet avertissement suprême; et il est difficile de parler de l'âme plus improprement qu'il ne l'a fait. Il l'a confondue avec le corps, auquel elle est jointe, et dont elle n'est selon lui que l'achèvement, ou, pour prendre son langage, l'Entéléchie. Plus coupable que Criton, ce n'est pas sous le coup de la douleur qu'il commet cette confusion déplorable; c'est dans un de ses ouvrages les plus élaborés et les plus approfondis, le *Traité de l'âme*. Il parcourt la nature entière pour démontrer que le principe qui sent et pense en nous, est le même qui nourrit notre corps et qui fait végéter la plante. L'âme n'a donc point d'existence propre; elle est toute corporelle; et Aristote, par un silence assez peu philosophique, en ce qu'il est peu courageux, ne dit pas un mot de l'immortalité de l'âme, que tend à nier toute sa doctrine unitaire et matérialiste.

«Ainsi Platon, distinguant l'esprit et la matière, a sans cesse les yeux fixés sur la vie future, qui complète et qui explique celle-ci. Aristote, au contraire, ne s'inquiète en rien de la vie future, parce qu'il n'y croit pas, non plus qu'à une âme immatérielle. De là, toute la différence des deux systèmes, séparés de la distance d'opinions diamétralement opposées.»

XIII.

Telles sont les œuvres d'Aristote. Nous sommes, en finissant, de l'avis de son traducteur. Ce n'est pas l'apogée, c'est la moyenne parfaite de la philosophie hellénique de cette époque; l'encyclopédie du vulgaire, distinguée de la science de ses contemporains; c'est toute l'intelligence de la Grèce, mais ce n'est pas son âme. L'âme de la Grèce est dans Socrate. Platon lui fit un magnifique commentaire.

Aussi Aristote eut une mort humaine qui n'intéressa pas le sort futur de l'âme ni le Dieu de l'univers. Autant qu'on peut discerner à de telles distances les causes de cette mort, on les retrouve aisément dans la politique de son pays et dans les passions des hommes, bonnes ou mauvaises.

La première cause de cette impopularité qui livra le philosophe de Stagyre à la rancune des Athéniens fut sans aucun doute le ressentiment des hommes qui l'avaient vu attaquer Socrate et Platon, dont il avait été le disciple, puis le schismatique. Ils l'abandonnèrent quand la mort de son patron Alexandre le Grand le livra à leur vengeance.

La seconde cause de son malheur et de son désespoir fut la haine stupide de la multitude qui voyait en lui un Macédonien. Le titre de Macédonien fut un crime et une injure quand Athènes sentit que la mort d'Alexandre, à Babylone, délivrait la Grèce de ce héros devenu son tyran. La réaction fut rapide et terrible contre les amis d'Alexandre. Elle se tourna à l'instant contre Aristote; il sentit qu'il fallait fuir aux frontières de la Grèce pour y échapper. Il emporta prudemment avec lui le reste de la ciguë de Socrate, et il la but par défiance des hommes, non par foi dans le Dieu unique et immortel du *Phédon*.

La troisième fut une stupide accusation populaire, qui, pour un hymne familier à un de ses amis de Macédoine, inculpa Aristote d'impiété et lui attribua la pensée de donner à un homme des qualités divines. À cette stupidité il reconnut les successeurs d'Anytus, et il sentit qu'il fallait mourir.— Il mourut, les uns disent de sa propre main, les autres par la violence de ses ennemis. Mais il laissa ses richesses à sa femme et sa bibliothèque à son fils.

Ainsi finit ce grand homme; combien ne serait-il pas mort plus dignement s'il était mort comme Socrate, non pour échapper à ses ennemis, mais pour Dieu!

Il eut toute l'intelligence que le monde antique pouvait léguer au monde à venir, mais l'âme lui manqua: il fut le premier des savants, le moindre des philosophes.

LAMARTINE.

FIN.

CVIᵉ ENTRETIEN.
BALZAC ET SES ŒUVRES.
(PREMIÈRE PARTIE.)

I.

Balzac!—Voilà un nom de vrai grand homme!—Un grand homme fait par la nature, et non par la volonté!—«Je suis un homme, disait-il, je puis avoir un jour autre chose que l'illustration littéraire: ajouter au titre de grand écrivain celui de *grand citoyen*, est une ambition qui peut tenter aussi!...» (Lettre à sa sœur et confidente, Mᵐᵉ de Surville, en 1820.)

Balzac était digne de se comprendre ainsi lui-même et de se mesurer tout entier devant Dieu et devant sa sœur en 1820; il avait tout en lui: grandeur de génie et grandeur morale, immense aristocratie de talent, immense variété d'aptitudes, universalité de sentiment de soi-même, exquise délicatesse d'impressions, bonté de femme, vertu mâle dans l'imagination, rêves d'un dieu toujours prêts à décevoir l'homme..... tout enfin, excepté la proportion de l'idéal au réel! Tous ses malheurs, et ils furent grands comme son caractère, ont tenu à cet excès de grandeur dans son génie; ils dépassaient, non pas son esprit infini et universel, mais ils dépassaient le possible ici-bas: voilà la cause fatale et organique de ses coups d'ailes et de ses chutes. C'était un aigle qui n'avait pas dans sa prunelle la mesure de son vol.

Mettez la fortune de Bonaparte dans la destinée de Balzac, il eût été complet; car il aurait pu ce qu'il imaginait!

«Le réel est étroit, le possible est immense!» ai-je dit moi-même dans un autre temps.

Un esprit gigantesque contrarié et taquiné par une mesquine fortune, voilà l'exacte définition de ce malheureux grand homme.

C'est à nous d'oser le dire, nous qui avons eu le bonheur triste de vivre côte à côte avec lui de son temps, et qui ne devons pas avoir la lâcheté d'attribuer à cet homme unique les torts de la fortune.

Ce n'est pas de l'auteur que je parle ainsi, c'est de l'homme: l'homme en lui était mille fois plus vaste que l'écrivain. L'écrivain écrit, l'homme sent et pense. C'est par ce qu'il a senti et pensé que j'ai toujours jugé Balzac.

II.

La première fois que je le vis, c'était en 1833; j'avais presque toujours vécu hors de France; et encore plus loin de ce monde (du demi-monde littéraire dont parle le grand fils du grand Alexandre Dumas). Je ne connaissais que les noms classiques de notre littérature, et encore très-peu, excepté *Hugo, Sainte-Beuve, Chateaubriand, Lamennais, Nodier,* et en grands orateurs, *Lainé, Royer-Collard;* toutes les péripéties des demi-fortunes qui s'agitaient dans la région militante, théâtrale ou romanesque de Paris, m'étaient étrangères: je n'avais pas approché une coulisse, je n'avais pas lu un roman excepté *Notre-Dame de Paris.* Je savais seulement qu'il existait un jeune écrivain du nom de Balzac; qu'il annonçait une originalité saine; qu'il lutterait bientôt avec l'abbé *Prévôt,* l'auteur des *Mémoires d'un homme de qualité,* du *Doyen de Killerine* et de *Manon Lescaut,* ce roman de mauvais aloi dont les critiques du moment réchauffaient la verve suspecte. Effacer de l'âme humaine l'honneur et la vertu, comme dans le chevalier Des Grieux, ce n'est pas élever le monde et l'amour, c'est les abaisser et les rétrécir; Manon Lescaut, malgré l'engouement de ses jeunes enthousiastes, vrais ou faux, ne me paraissait qu'un *Manuel* de courtisane, et son amant qu'un monomane de débauche qu'on ne peut plaindre qu'en consentant à le mépriser.

Cependant il m'était tombé par aventure sous la main une page ou deux de Balzac, où l'énergie de la vérité et la grandeur de l'accent m'avaient ému fortement. Je m'étais dit: «Un homme est né; si l'opinion le comprend, et si l'adversité ne l'effeuille pas dans le ruisseau de la rue de Paris, ce sera un jour un grand homme!»

III.

Peu de temps après, je le rencontrai à dîner, en très-petit comité, dans une de ces maisons neutres de Paris, où se rencontraient alors, comme dans un lieu d'asile de l'antiquité, les esprits indépendants de toute nuance. C'était chez un homme de ce caractère qui créait en ce temps-là la *Presse.* La *Presse,* œuvre de M. Émile de Girardin, en se moquant avec un immense talent des fausses passions et des lieux communs d'opposition banale, promettait un nouvel organe où M. Émile de Girardin en politique, Mme Émile de Girardin en sel attique, donnaient à ce journal un double succès d'enthousiasme. Ils créaient à eux deux l'*individualité,* cette force inconnue dont se composent, au bout d'un certain temps, toutes les forces collectives d'un pays, force qu'on commence par railler et qu'on finit par subir. Il y faut, il est vrai, un grand et double talent, une audace intrépide dans l'homme, une originalité éblouissante dans la femme. Comment ce jeune homme et cette jeune femme s'étaient-ils rencontrés   et s'étaient-ils unis pour cette œuvre? C'était un miracle de l'amour, du hasard et du destin. Ce miracle était accompli, et triomphait sans contestation dans l'homme et dans la femme. Je l'avais vu naître quelques années avant, dans un petit entresol de la rue *Gaillon.* Je l'avais vu croître, puis je l'avais vu s'accomplir. Rentré en France quelques années après, j'en jouissais par une vive et sincère amitié pour le mari et pour la femme.

L'esprit chez tous les deux était héréditaire: le père de M. de Girardin était l'*excentricité transcendante*, le *gentilhomme* à grandes idées et à grands projets à tout prix, le radical de l'imagination. J'ai été très-lié avec lui, sans pitié pour son radicalisme, qui n'est pas de ce monde, et qui n'est bon qu'en songe sur cette terre des réalités. Il me faisait admirer et sourire. Dans les premiers mois de la république, il m'apportait plus de plans de finances qu'un gouvernement en fusion ne pouvait en entendre et en écarter. Il faut du loisir et de la sécurité à longue échéance pour jouer avec les rêves. Entre deux rêves on jette son pays dans l'abîme ou dans le problème qu'on n'a pas le temps de résoudre. Il y a un peu de cela de temps en temps dans le fils, sauf le talent, qui est neuf et immense. Mais celui qui n'a pas connu le père ne peut pas comprendre le fils. Il lui fallait, pour comprendre sa valeur, un gouvernement dictatorial assis sur la popularité d'un nom indiscutable, et pouvant tout oser.

Mme Émile de Girardin, fille de Mme Gay, qui l'avait élevée pour lui succéder sur deux trônes, l'un de beauté, l'autre d'esprit, avait hérité, de plus, de la bonté qui fait aimer ce qu'on admire. Ces trois dons, beauté, esprit, bonté, en avaient fait la reine du siècle. On pouvait l'admirer plus ou moins comme poëte, mais, si on la connaissait à fond, il était impossible de ne pas l'aimer comme femme. Elle a eu de la passion, mais point de haine. Ses foudres n'étaient que de l'électricité; ses imprécations contre les ennemis de son mari n'étaient que de la colère; cela passait avec l'orage. Il faisait toujours beau dans sa belle âme, ses jours de haine n'avaient point de lendemain.

Elle avait des sœurs tout aussi distinguées, quoique moins célèbres, qui avaient moins de poésie, mais autant d'esprit anecdotique qu'elle-même. L'une d'entre elles, Mme O'Donnel, passait pour lui fournir son répertoire le plus piquant, quand elle entreprit son chef-d'œuvre *de prose*, le feuilleton de la *Presse*, qui contribua tant à sa popularité.

Avant, pendant, après, j'étais resté son ami *quand même*, je lui devais bien cette constance d'affection, et celle qu'elle avait pour moi, bien que désintéressée, méritait l'immutabilité d'une reconnaissance surnaturelle. Tous les jours, quand je passe triste devant cette place vide des Champs-Élysées, où fut sa maison, plus semblable à un temple démoli par la mort, je pâlis, et mes regards s'élèvent en haut. On ne rencontre pas souvent ici-bas un cœur si bon et une intelligence si vaste.

Elle savait mon désir de connaître Balzac. Elle l'aimait, comme j'étais disposé à l'aimer moi-même. Nul cœur et nul esprit n'était plus façonné pour lui plaire. Elle se sentait à l'unisson avec lui, soit par la gaieté avec sa jovialité, soit par le sérieux avec sa tristesse, soit par l'imagination avec son talent. Lui aussi sentait en elle une créature de grande race, auprès de laquelle il oubliait toutes les mesquineries de sa condition misérable.

IV.

Quand j'arrivai très-tard, retenu que j'avais été par une discussion à la chambre, j'oubliai tout moi-même pour contempler Balzac. Il n'avait rien d'un homme de ce siècle. On aurait cru en le voyant qu'on avait changé d'époque et qu'on était introduit dans la société d'un de ces deux ou trois hommes naturellement immortels, dont Louis XIV était le centre, et qui se trouvaient chez lui comme chez eux, à son niveau, quoique sans s'élever ou sans s'abaisser du leur:—la Bruyère,—Boileau,—la Rochefoucauld,—Racine,—et surtout Molière;—il portait son génie si simplement qu'il ne le sentait pas. Mon premier coup d'œil sur lui me reporta à ces hommes. Je me dis: Voilà un homme né il y a deux siècles;—examinons-le bien.

V.

Balzac était debout devant la cheminée de marbre de ce cher salon, où j'avais vu passer et poser tant d'hommes ou de femmes remarquables. Il n'était pas grand, bien que le rayonnement de son visage et la mobilité de sa stature empêchaient de s'apercevoir de sa taille; mais cette taille ondoyait comme sa pensée; entre le sol et lui il semblait y avoir de la marge; tantôt il se baissait jusqu'à terre comme pour ramasser une gerbe d'idées, tantôt il se redressait sur la pointe des pieds pour suivre le vol de sa pensée jusqu'à l'infini.

Il ne s'interrompit pas plus d'une minute pour moi; il était emporté par sa conversation avec M. et Mme de Girardin. Il me jeta un regard vif, pressé, gracieux, d'une extrême bienveillance. Je m'approchai pour lui serrer la main, je vis que nous nous comprenions sans phrase, et tout fut dit entre nous; il était lancé, il n'avait pas le temps de s'arrêter. Je m'assis, et il continua son monologue comme si ma présence l'eût ranimé au lieu de l'interrompre. L'attention que je prêtais à sa parole me donnait le temps d'observer sa personne dans son éternelle ondulation.

Il était gros, épais, carré par la base et les épaules; le cou, la poitrine, le corps, les cuisses, les membres puissants; beaucoup de l'ampleur de Mirabeau, mais nulle lourdeur; il y avait tant d'âme qu'elle portait tout cela légèrement, gaiement, comme une enveloppe souple, et nullement comme un fardeau; ce poids semblait lui donner de la force et non lui en retirer. Ses bras courts gesticulaient avec aisance, il causait comme un orateur parle. Sa voix était retentissante de l'énergie un peu sauvage de ses poumons, mais elle n'avait ni rudesse, ni ironie, ni colère; ses jambes, sur lesquelles il se dandinait un peu, portaient lestement son buste; ses mains grasses et larges exprimaient en s'agitant toute sa pensée. Tel était l'homme dans sa robuste charpente. Mais en face du visage on ne pensait plus à la charpente. Cette parlante figure, dont on ne pouvait détacher ses regards, vous charmait et vous fascinait tout entier. Les cheveux flottaient sur ce front en grandes boucles, les yeux noirs perçaient comme des dards émoussés par la bienveillance; ils entraient en confidence dans les vôtres comme des amis; les joues étaient pleines, roses, d'un teint fortement coloré; le nez bien modelé, quoique un peu long; les lèvres découpées avec grâce, mais amples, relevées par les coins; les dents inégales, ébréchées, noircies par la fumée du cigare; la tête souvent penchée de côté sur le cou, et se relevant avec une fierté héroïque en s'animant dans le discours. Mais le trait dominant du visage, plus même que l'intelligence, était la bonté communicative. Il vous ravissait l'esprit quand il parlait, même en se taisant il vous ravissait le cœur. Aucune passion de haine ou d'envie n'aurait pu être exprimée par cette physionomie: il lui aurait été impossible de n'être pas bon.

Mais ce n'était pas une bonté d'indifférence ou d'insouciance, comme dans le visage épicurien de la Fontaine, c'était une bonté aimante, charmante, intelligente d'elle-même et des autres, qui inspirait la reconnaissance et l'épanchement du cœur devant lui, et qui défiait de ne pas l'aimer. Tel était exactement Balzac. Je l'aimais déjà quand nous nous mîmes à table. Il me sembla que je le connaissais depuis mon enfance: il me rappelait ces aimables curés de campagne de l'ancien régime, avec quelques boucles de cheveux sur le cou, et toute la charité joviale du christianisme sur les lèvres. Un enfantillage réjoui, c'était le caractère de cette figure; une âme en vacances, quand il laissait la plume pour s'oublier avec ses amis; il était impossible de n'être pas gai avec lui. Sa sérénité enfantine regardait le monde de si haut qu'il ne lui paraissait plus qu'un badinage, une bulle de savon, causée par la fantaisie d'un enfant.

VI.

Mais je vis, quelques années plus tard, dans une autre maison, et dans une autre circonstance, combien ce qui était sérieux lui inspirait de gravité, et combien sa conscience lui inspirait de répulsion contre le mal. C'était un de ces moments où les partis politiques, exaspérés par la lutte, se demandent s'ils peuvent en conscience répondre aux partis contraires par les armes qu'on emploie contre eux, et profiter de leur victoire pour tuer ceux qui les tuent. Nous n'étions qu'un cénacle composé de sept ou huit personnes. La colère emporta la majorité à jeter un voile sur les scrupules d'humanité et à laisser condamner sans merci ceux que la victoire aurait livrés à notre juste vengeance. La doctrine de l'implacabilité du salut public paraissait prête à triompher. Balzac écoutait d'un air attristé. Les hommes légers affectaient l'indifférence; des gestes tranchants et superbes dédaignaient ces faiblesses; le silence des autres trahissait la complicité de la peur. Il y avait là Balzac, étranger à ces sortes d'entretiens, Girardin, Hugo. Personne ne demandant immédiatement la parole, Balzac la prit avec la physionomie d'une timidité honnête et résolue qui impressionna tout le monde. Il parla en homme ferme, généreux, convaincu, contre les propos légers qu'il venait d'entendre; il refoula éloquemment ces mauvaises pensées dans la bouche de ceux qui venaient de les laisser échapper. Je pris la parole après lui; Girardin, qui n'a jamais eu de radicalisme contre la clémence, nous appuya; Hugo lui-même, il faut le dire, soutint en termes très-éloquents que la vérité et le génie ne devaient se défendre que par leur innocence. Mais Hugo, Girardin, moi, nous étions des orateurs politiques accoutumés à ces sortes de discussion; Balzac y était neuf, il pouvait se croire seul et abandonné; il n'écouta que sa conscience et parla en homme de bien quand même. Son langage ému nous émut tous et nous ne fîmes, nous, qu'applaudir et confirmer ses raisons: «Que m'importe ce que vous penserez de moi! nous dit-il; la cause de la vie des hommes est une cause surhumaine. C'est Dieu qui juge, son jugement n'est pas remis à nos passions; vous le savez, vous qui avez proclamé et décrété vous-mêmes, le 1er juin, l'abolition de l'échafaud politique, décréterez-vous aujourd'hui la légitimité de la vengeance populaire?»

Tout le monde finit par être de son avis: la conscience d'un écrivain de génie intimide les sots, foudroie les méchants, rassure les lâches; c'est ce que Balzac trahit à mes yeux. Combien de jovialité apparente cachait de sérieuses et difficiles vertus! Il faut se défier des hommes de conscience.

VII.

Le sculpteur *David*, homme de grande main, mais d'intelligence systématique, avait fait de moi-même un magnifique buste, possédé depuis par M. *Millaud*; il décore un de ses salons. David fit plus tard un buste de Balzac. Mais ce sculpteur, à cette seconde époque, avait confondu dans ses œuvres la matière avec l'âme. Il cherchait dans la masse corporelle le symptôme et l'indice de l'intelligence. Il grossissait l'homme au lieu de le grandir. La *proportion* et l'*harmonie* sont les signes de la vraie supériorité; Gœthe, Chateaubriand, Hugo, Balzac, devenaient sous le ciseau de *David* des éléphants humains dignes de l'Inde; la finesse et la délicatesse des lignes disparaissaient sous cette exagération colossale. Chaque ride de la figure était un abîme creusé par la pensée. Ce matérialisme des lignes nuisait à la vérité et à la ressemblance. Les têtes de taureaux ne sont pas des têtes d'aigles. Voyez le crâne de Raphaël dans le moyen âge; voyez le crâne exquis mais étroit de Voltaire dans le dernier siècle; ces deux hommes, doués des plus merveilleuses facultés de l'intelligence, seraient des idiots si vous compariez la petitesse de l'organe de leur pensée à la masse tudesque des têtes de *David*. La lourdeur allemande des cerveaux indique la pesanteur et nullement la perfection de la pensée. Le matérialisme de son procédé a trompé en ceci le sculpteur, comme il trompe aujourd'hui ses imitateurs. Heureusement il ne l'avait pas encore inventé quand il ébaucha, en 1821, ma figure.

VIII.

La sœur de Balzac parle ainsi:

«On le trouvait toujours chez lui vêtu d'une large robe de chambre de cachemire blanc doublée de soie blanche, taillée comme celle d'un moine, attachée par une cordelière de soie, la tête couverte de cette calotte dantesque de velours noir adoptée dans sa mansarde, qu'il porta toujours depuis et que ma mère seule lui faisait.

Selon les heures où il sortait, sa mise était fort négligée ou fort soignée. Si on le rencontrait le matin, fatigué par douze heures de travail, courant aux imprimeries, un vieux chapeau rabattu sur les yeux, ses admirables mains cachées sous des gants grossiers, les pieds chaussés de souliers à hauts quartiers passés sur un large pantalon à plis et à pieds, il pouvait être confondu dans la foule; mais s'il découvrait son front, vous regardait ou vous parlait, l'homme le plus vulgaire se souvenait de lui.

Son intelligence, si constamment exercée, avait encore développé ce front naturellement vaste, qui recevait tant de lumières! cette intelligence se trahissait à ses premiers mots et jusque dans ses gestes! Un peintre aurait pu étudier sur ce visage si mobile les expressions de tous les sentiments: joie, peine, énergie, découragement, ironie, espérances ou déceptions, il reflétait toutes les situations de l'âme.

Il triomphait de la vulgarité que donne l'embonpoint par des manières et des gestes empreints d'une grâce et d'une distinction natives.

Sa chevelure, dont il variait souvent l'arrangement, était toujours artistique, de quelque manière qu'il la portât.

Un ciseau immortel a laissé ses traits à la postérité. Le buste que David a fait de mon frère, alors âgé de quarante-quatre ans, a reproduit fidèlement son beau front, cette magnifique chevelure, indice de sa force physique égale à sa force morale, l'enchâssement merveilleux de ses yeux, les lignes si fines de ce nez carré, de cette bouche aux contours sinueux où la bonhomie s'alliait à la raillerie, ce menton qui achevait l'ovale si pur de son visage avant que l'embonpoint en eût altéré l'harmonie. Mais le marbre n'a pu malheureusement conserver le feu de ces flambeaux de l'intelligence, de ces yeux aux prunelles brunes pailletées d'or comme celle du lynx.

Ces yeux interrogeaient et répondaient sans le secours de la parole, voyaient les idées, les sentiments, et lançaient des jets qui semblaient sortir d'un foyer intérieur et renvoyer au jour la lumière au lieu de la recevoir.

Les amis de Balzac reconnaîtront la vérité de ces lignes, que ceux qui ne l'auront pas connu pourront taxer d'exagération.»

IX.

Étudions l'homme dans sa vie:

Il était né à Tours en 1799.

On le mit en nourrice chez une paysanne aux environs de la ville.

La maison paternelle ne le rappela que quatre ans après. Il y revint fortement enraciné dans la vie.

«C'était un charmant enfant, dit sa sœur; sa joyeuse humeur, sa bouche bien dessinée et souriante, ses grands yeux bruns, à la fois brillants et doux, son front élevé, sa riche chevelure noire, le faisaient remarquer dans les promenades où l'on nous conduisait tous les deux.

La famille réagit tellement sur le caractère des enfants et exerce de si grandes influences sur leur sort, que quelques détails sur nos parents me paraissent ici nécessaires; ils expliqueront d'ailleurs les premiers événements de la jeunesse de mon frère.»

Mme de Surville parle ainsi de son père:

«Mon père, né en Languedoc en 1746, était avocat au conseil sous Louis XVI. Sa profession le mit en relation avec les notabilités d'alors et avec des hommes que la Révolution fit surgir et rendit célèbres.

Ces circonstances lui permirent, en 1793, de sauver plus d'un de ses anciens protecteurs et de ses anciens amis. Ces services dangereux l'exposèrent, et un conventionnel très-influent, qui s'intéressait au *citoyen Balzac*, se hâta de l'éloigner du souvenir de Robespierre en l'envoyant dans le Nord organiser le service des vivres de l'armée.

Ainsi jeté dans l'administration de la guerre, mon père y resta, et il était chargé des subsistances de la vingt-deuxième division militaire, lorsqu'il épousa à Paris, en 1797, la fille d'un de ses chefs, en même temps directeur des hôpitaux de Paris.

Mon père vécut dix-neuf ans à Tours, où il acheta une maison et des propriétés près de la ville. Après dix ans de séjour, on parla de le nommer maire, mais il refusa cet honneur pour ne pas abandonner la direction du grand hôpital dont il s'était chargé. Il craignit de manquer de temps pour bien remplir ces triples fonctions.

Mon père tenait à la fois de Montaigne, de Rabelais et de l'oncle Toby par sa philosophie, son originalité et sa bonté. Comme l'oncle Toby, il avait aussi une idée prédominante. Cette idée chez lui était *la santé*. Il s'arrangeait si bien de l'existence qu'il voulait vivre le plus longtemps possible. Il avait calculé, d'après les années qu'il faut à l'homme pour arriver à *l'état parfait*, que sa vie devait aller à cent ans *et plus*; pour atteindre *le plus*, il prenait des soins extraordinaires et veillait sans cesse à établir ce qu'il appelait *l'équilibre des forces vitales*. Grand travail, vraiment!...

Sa tendresse paternelle augmentait encore ce désir *de longévité*. À quarante-cinq ans, n'étant pas marié et ne comptant pas se marier, il avait placé une bonne partie de sa fortune en viager, moitié sur le grand-livre, moitié sur la caisse Lafarge, qu'on fondait alors et dont il était un des plus forts actionnaires. (Il touchait en 1829, quand il mourut par accident, à l'âge de quatre-vingt-trois ans, douze mille francs d'intérêt.)

La réduction des rentes, les gaspillages qui eurent lieu dans l'administration de la tontine, diminuèrent ses revenus; mais sa belle et verte vieillesse lui donna l'espoir de partager un jour avec l'État, à l'extinction des concurrents de sa classe, l'immense capital de la tontine; ce qui eût grandement réparé le tort qu'il avait fait à sa famille. Cet espoir passa tellement chez lui à l'état de conviction, qu'il recommandait sans cesse aux siens de conserver leur santé pour jouir des millions qu'il leur laisserait.

Cette conviction, que chacun entretenait, le rendait heureux et le consola dans les revers de fortune qui l'atteignirent à la fin de sa vie.

—Lafarge réparera tout un jour, disait-il.

Son originalité, devenue proverbiale à Tours, se manifestait aussi bien dans ses discours que dans ses actions; il ne faisait et ne disait rien comme un autre; Hoffmann en eût fait un personnage de ses créations fantastiques. Mon père se moquait souvent des hommes, qu'il accusait de travailler sans cesse à leur malheur; il ne pouvait rencontrer un être disgracié sans s'indigner contre les parents et surtout contre les gouvernants qui n'apportaient pas autant de soins à l'amélioration de la race humaine qu'à celle des animaux. Il avait, sur ce sujet fort scabreux, de singulières théories qu'il déduisait non moins singulièrement....

—Mais à quoi bon publier ces idées? disait-il en se promenant par la chambre dans sa douillette de soie puce, et la tête enfoncée dans la grosse cravate qu'il avait conservée de la mode du Directoire; on m'appellerait encore original (ce titre le courrouçait), et il n'y aurait pas un être étiolé ni un rachitique de moins! Excepté Cervantes, qui donna le coup de grâce à la chevalerie errante, quel philosophe a jamais corrigé l'humanité, *cette patraque* toujours jeune, toujours vieille, qui va toujours... heureusement pour nous et nos successeurs! ajoutait-il en souriant.

Il ne raillait toutefois l'humanité que lorsqu'il ne pouvait lui venir en aide, il le prouva en mainte occasion. Des épidémies se déclarèrent à plusieurs reprises à l'hospice, notamment lorsque les soldats l'encombrèrent en revenant d'Espagne: mon père s'installait alors dans l'hôpital, et, oubliant sa santé pour veiller au salut de tous, il déployait un zèle qui était pour lui du dévouement. Il détruisit beaucoup d'abus sans redouter les inimitiés que ce genre de courage attire, et introduisit de grandes améliorations dans cet hôpital, entre autres des ateliers de travail pour les vieillards valides à qui il fit allouer un salaire.

Sa mémoire, son esprit d'observation et de repartie, n'étaient pas moins remarquables que son originalité; il se souvenait, à vingt ans de distance, de paroles qu'on lui avait dites. À soixante-dix ans, rencontrant inopinément un ami d'enfance, il s'entretint avec lui, sans aucune hésitation, dans l'idiome de son pays, où il n'était pas retourné depuis l'âge de quatorze ans!

Ses fines remarques lui firent plus d'une fois prédire les succès ou les désastres de gens qu'on appréciait bien autrement qu'il ne les jugeait; le temps lui donna souvent raison dans ses prophéties!

Les répliques, enfin, ne lui faisaient jamais défaut en aucune occurrence.

Un jour qu'on lisait dans un journal un article sur un centenaire (article qu'on ne passait pas, comme on peut croire), contre son habitude, il interrompit le lecteur pour dire avec enthousiasme:

—Celui-là a vécu sagement et n'a pas gaspillé ses forces en toute sorte d'excès, comme le fait l'imprudente jeunesse...

Il se trouva que ce sage se grisait souvent, au contraire, et soupait tous les soirs, une des plus grandes énormités que l'on pût commettre contre sa santé (selon mon père).

—Eh bien! reprit-il sans s'émouvoir, cet homme a abrégé sa vie, voilà tout!...

Quand Honoré fut d'âge à comprendre et à apprécier son père, c'était un beau vieillard, fort énergique encore, aux manières courtoises, parlant peu et rarement de lui, indulgent pour la jeunesse qui lui était sympathique, laissant à tous une liberté qu'il voulait pour lui, d'un jugement sain et droit, malgré ses excentricités, d'une humeur si égale et d'un caractère si doux qu'il rendait heureux tous ceux qui l'entouraient.

Sa haute instruction lui faisait suivre avec bonheur les progrès des sciences et les améliorations sociales, dont, à leur début, il comprenait l'avenir!

Ses graves entretiens, ses curieux récits, avancèrent son fils dans la science de la vie et lui fournirent le sujet de plus d'un de ses livres.

Ma mère, riche, belle, et beaucoup plus jeune que son mari, avait une rare vivacité d'esprit et d'imagination, une activité infatigable, une grande fermeté de décision et un dévouement sans bornes pour les siens. Son amour pour ses enfants planait sans cesse sur eux, mais elle l'exprimait plutôt par des actions que par des paroles. Sa vie entière prouva cet amour; elle s'oublia sans cesse pour nous, et cet oubli lui fit connaître l'infortune, qu'elle supporta courageusement. Sa dernière et plus cruelle épreuve fut, à l'âge de soixante-douze ans, de survivre à son glorieux fils et de l'assister dans ses derniers moments; elle pria pour lui à son lit de mort, soutenue par la foi religieuse qui remplaçait toutes ses espérances terrestres par celles du ciel.

Ceux qui ont connu mon père et ma mère attesteront la fidélité de ces esquisses. Les qualités de l'auteur de LA COMEDIE HUMAINE sont certainement la conséquence logique de celles de ses parents; il avait l'originalité, la mémoire, l'esprit d'observation et le jugement de son père, l'imagination, l'activité de sa mère, de tous les deux, enfin, l'énergie et la bonté.

Honoré était l'aîné de deux sœurs et d'un frère. Notre sœur cadette mourut jeune, après cinq années de mariage. Notre frère partit pour les colonies, où il se maria et resta.

À la naissance d'Honoré, tout faisait présager pour lui un bel avenir. La fortune de notre mère, celle de notre aïeule maternelle qui vint vivre avec sa fille dès qu'elle fut veuve, les émoluments et les rentes viagères de mon père composaient une grande existence à notre famille.

Ma mère se consacra exclusivement à notre éducation et se crut obligée d'user de sévérité envers nous pour neutraliser les effets de l'indulgence de notre père et de notre aïeule. Cette sévérité comprima les tendres expansions d'Honoré, à qui l'âge et la gravité de son père inspiraient aussi la réserve. Cet état de choses tourna au profit de l'affection fraternelle; ce fut certainement le premier sentiment qui s'épanouit et fleurit dans son cœur. J'étais de deux ans seulement plus jeune qu'Honoré, et dans la même situation que lui vis-à-vis de nos parents; élevés ensemble, nous nous aimâmes tendrement; les souvenirs de sa tendresse datent de loin. Je n'ai pas oublié avec quelle vélocité il accourait à moi pour m'éviter de rouler les trois marches hautes, inégales et sans rampes qui conduisaient de la chambre de notre nourrice dans le jardin! Sa touchante protection continua au logis paternel, où plus d'une fois il se laissa punir pour moi, sans trahir ma culpabilité. Quand j'arrivais à temps pour m'accuser: «N'avoue donc rien une autre fois, me disait-il, j'aime à être grondé pour toi!» On se souvient toujours de ces naïfs dévouements.

D'heureuses circonstances protégèrent encore notre affection. Nous vécûmes toujours l'un près de l'autre dans une intimité et une confiance sans bornes. Je connus donc en tout temps les joies et les peines de mon frère, et j'eus toujours le doux privilége de le consoler; certitude qui fait aujourd'hui ma joie.

Le plus grand événement de son enfance fut un voyage à Paris, où ma mère le conduisit, en 1804, pour le présenter à ses grands parents. Ils raffolèrent de leur joli petit-fils, qu'ils comblèrent de caresses et de présents.

Peu habitué à être fêté ainsi, Honoré revint à Tours la tête pleine de joyeux souvenirs, le cœur rempli d'affection pour ces chers grands parents dont il me parlait sans cesse, les décrivant de son mieux, ainsi que leur maison, leur beau jardin, sans oublier *Mouche*, le gros chien de garde avec lequel il s'était lié intimement. Ce séjour à Paris servit longtemps d'aliment à son imagination.

Notre grand'mère aimait à raconter les faits et gestes de son petit-fils chez elle, et répétait volontiers cette petite scène:

Un soir qu'elle avait fait venir pour lui la lanterne magique, Honoré n'apercevant pas parmi les spectateurs son ami *Mouche*, se lève en criant d'un ton d'autorité: «Attendez!...» (Il se savait le maître chez son grand-père.) Il sort du salon et rentre traînant le bon chien, à qui il dit: «Assieds-toi là, *Mouche*, et regarde; ça ne te coûtera rien, c'est bon papa qui paye!»

Quelques mois après ce voyage, on changeait la veste de soie brune et la belle ceinture bleue du petit Honoré pour des vêtements de deuil. Son cher grand-père venait de mourir, frappé par une apoplexie foudroyante. Ce fut son premier chagrin; il pleura bien fort quand on lui dit qu'il ne verrait plus son aïeul, et son souvenir lui resta tellement à l'esprit que, longtemps après ce jour néfaste, me voyant prise d'un malencontreux fou rire pendant une réprimande de notre mère, il s'approche de moi, et pour arrêter cette gaieté intempestive qui menaçait de tourner à mal, me dit à l'oreille d'un ton tragique:

—Pense à la mort de ton grand-papa!

Secours inefficace, hélas! car je ne l'avais pas connu et ne comprenais pas encore la mort!

On le voit, les seules paroles qu'on a retenues des premières années d'Honoré révélaient plutôt la bonté que l'esprit. Je me souviens néanmoins qu'il montrait déjà son imagination dans ces jeux de l'enfance que George Sand a si bien décrits dans ses *Mémoires*. Mon frère improvisait de petites comédies qui nous amusaient (succès que n'ont pas toujours les grandes); il écorchait pendant des heures entières les cordes d'un petit violon rouge, et sa physionomie radieuse prouvait qu'il croyait écouter des mélodies. Aussi était-il fort étonné quand je le suppliais de finir cette musique, qui eût fait hurler l'ami *Mouche*.

—Tu n'entends donc pas comme c'est joli? me disait-il.

Il lisait enfin avec passion, comme la plupart des enfants, toutes ces féeries dont les catastrophes, plus ou moins dramatiques, les font tant pleurer! Elles lui inspiraient sans doute d'autres contes, car à des babillages étourdissants succédaient quelquefois des silences qu'on n'expliquait que par la fatigue, mais qui pouvaient bien être déjà des rêveries dans des mondes imaginaires.»

X.

Après un long séjour, sans vacance, dans un collége sévère et presque monastique où il ne se distingua que par sa paresse et son étourderie, il fut renvoyé sans espoir chez son père. Sa mère s'en chargea. Elle lui fit faire dans ce beau pays des promenades de santé qui lui profitèrent; la cathédrale gothique de Saint-Gatien rendit son imagination pittoresque. Sa mémoire le rendit religieux; la mémoire des enfants n'est qu'image. Il redoutait son père comme un implacable censeur étranger à ses impressions. Il aimait, mais il craignait sa mère comme une justice rigoureuse; il ne se révélait à aucun des deux.

À la fin de 1814, le père de Balzac fut nommé directeur des vivres à Paris. Son fils acheva de médiocres études dans un pensionnat de la rue Saint-Louis au Marais. Deux ans après il rentra définitivement dans la maison paternelle. Il suivit les cours de Sorbonne. MM. Villemain et Cousin lui inspirèrent ses premières admirations. Il prit sous eux le goût des livres. Il commença à en recueillir sur les quais.

XI.

«Mon frère était fort occupé à cette époque, dit Mme de Surville, car, indépendamment de son cours de droit et des travaux dont le chargeaient ses patrons, il avait encore à se préparer pour ses examens successifs; mais son activité, sa mémoire, sa facilité, étaient telles qu'il trouvait encore le temps d'achever ses soirées à la table de boston ou de whist de ma grand'mère, où cette douce et aimable femme lui faisait gagner, à force d'imprudences ou de distractions volontaires, l'argent qu'il consacrait à l'acquisition de ses livres. Il aima toujours ces jeux en mémoire d'elle; il s'y rappelait ses paroles, et un de ses gestes retrouvé lui semblait un bonheur arraché à la tombe!

Mon frère nous accompagnait aussi quelquefois au bal; mais, s'y étant laissé tomber malencontreusement, malgré les leçons qu'il recevait d'un maître de danse de l'Opéra, il renonça à la danse, tant le sourire des femmes qui suivit sa chute lui resta sur le cœur; il se promit alors de dominer la société autrement que par des grâces et des talents de salon, et devint seulement spectateur de ces fêtes dont plus tard il utilisa les souvenirs.

À vingt et un ans, il avait terminé son droit et passé ses examens. Mon père lui confia les projets qu'il avait pour son avenir et qui eussent conduit Honoré à la fortune; mais la fortune était alors le moindre de ses soucis.

Mon père avait protégé jadis un homme qu'il avait retrouvé, en 1814, notaire à Paris. Celui-ci, reconnaissant et pour rendre au fils le service qu'il avait reçu du père, offrait de prendre Honoré dans son étude et de la lui laisser après quelques années de stage; la caution de mon père pour une partie de la charge, un beau mariage, des prélèvements successifs sur les brillants revenus de l'étude, auraient acquitté mon frère en peu d'années.

Mais Balzac, courbé dix ans, peut-être, sur des contrats de vente, des contrats de mariage ou sur des inventaires!... lui qui aspirait secrètement à la gloire littéraire!

Sa stupéfaction fut grande à cette révélation; il déclara nettement ses désirs, et ce fut au tour de notre père d'être stupéfait.

Une vive discussion suivit. Honoré combattit éloquemment les puissantes raisons qu'on lui donnait, et ses regards, ses paroles, son accent, révélaient une telle vocation que mon père lui accorda deux ans pour faire ses preuves de talent.

Cette belle chance perdue explique la sévérité dont on usa envers lui et la rancune qu'il conserva contre le notariat, rancune qui perce dans quelques-unes de ses œuvres.

Mon père ne céda pas, toutefois, aux désirs d'Honoré sans regrets; des événements fâcheux les augmentaient encore. Il venait d'être mis à la retraite et de subir des pertes d'argent dans deux entreprises. Enfin nous allions vivre dans une maison de campagne qu'il venait d'acheter à six lieues de Paris.

Les chefs de famille comprendront les inquiétudes de nos parents en cette circonstance. Mon frère n'avait encore donné aucune preuve de talent littéraire, et il avait sa fortune à faire; il était donc rationnel de désirer pour lui un état moins problématique que celui de littérateur! Pour une vocation telle que celle d'Honoré, vocation qu'il justifia si grandement, que de médiocrités ont été jetées en des voies malheureuses par une semblable condescendance! Aussi celle de mon père envers son fils fut-elle traitée de faiblesse et généralement blâmée par tous ceux qui s'intéressaient à nous.

On allait faire perdre à mon frère un temps précieux; l'état de littérateur pouvait-il, en aucun cas, mener à la fortune? Honoré avait-il l'étoffe d'un homme de génie? Tous en doutaient...

Qu'eût-on dit à mon père, s'il eût mis ses amis dans la confidence des offres qui lui avaient été faites?

Un intime, un peu brusque et fort absolu, déclara que, pour lui, Honoré n'était bon qu'à faire un expéditionnaire! Le malheureux *avait une belle main*, selon l'expression du maître d'écriture qu'on lui avait donné à sa sortie du collége.

—À votre place, ajouta cet ami, je n'hésiterais pas à mettre Honoré dans quelque administration où, avec votre protection, il arriverait promptement à se suffire.

Mon père jugeait alors son fils autrement que cet intime, et, ses théories aidant, il croyait à l'intelligence de ses enfants; il se contenta donc de sourire à cette sortie, tint bon et passa outre.

Il est à présumer que ses amis se séparèrent, ce soir-là, en déplorant entre eux l'aveuglement paternel...

Ma mère, moins confiante que son mari, pensa qu'un peu de misère ramènerait promptement Honoré à la soumission.

Elle l'installa donc, avant notre départ de Paris, dans une mansarde qu'il choisit près de la bibliothèque de l'Arsenal, la seule qu'il ne connût pas et où il se proposait d'aller travailler; elle meubla strictement sa chambre d'un lit, d'une table et de quelques chaises, et la pension qu'elle lui alloua pour y vivre n'eût certainement pas suffi à ses besoins les plus rigoureux, si notre mère n'eût pas laissé à Paris une vieille femme, attachée depuis vingt ans au service de la famille, qu'elle chargea de veiller sur lui. C'est cette femme qu'il appelle, dans ses lettres, l'*Iris messagère*.

Passer subitement de l'intérieur d'une maison où il trouvait l'abondance à la solitude d'un grenier où tout bien-être lui manquait, certes la transition était dure! Il ne se plaignit pas toutefois dans ce réduit, où il trouvait la liberté et portait de belles espérances que ses premières déceptions littéraires ne purent éteindre.

C'est alors que commence cette correspondance conservée par tendresse et qui devint sitôt de chers et de précieux souvenirs.

Je demande grâce pour les badinages familiers que contiennent les premiers fragments que je vais citer. Leur caractère intime appelle naturellement l'indulgence. Je n'ose les supprimer, parce qu'ils peignent merveilleusement le caractère primordial de mon frère, et que le développement successif d'une telle intelligence me semble intéressant à suivre.

Dans sa première lettre, après avoir énuméré ses frais d'emménagement (détails qui n'étaient à autres fins que de prouver à notre mère qu'il manquait déjà d'argent), il me confie qu'il a pris un domestique.

«—Un domestique!... y penses-tu, mon frère?

«—Oui, un domestique. Il a un nom aussi drôle que celui du docteur. Le sien s'appelle *Tranquille*, le mien s'appelle *Moi-même*. Mauvaise emplette, vraiment!... Moi-même est paresseux, maladroit, imprévoyant. Son maître a faim, a soif; il n'a quelquefois ni pain ni eau à lui offrir; il ne sait pas même le garantir contre le vent qui souffle à travers sa porte et sa fenêtre, comme Tulou dans sa flûte, mais moins agréablement.»

Suivent les réprimandes du maître au serviteur:

«—Moi-même?...

«—Plaît-il, monsieur?

«—Regardez cette toile d'araignée où cette grosse mouche pousse des cris à m'étourdir? Ces *moutons* qui se promènent sous le lit, cette poussière sur les vitres qui m'aveugle?...

«Le paresseux regarde et ne bouge pas! et, malgré tous ses défauts, je ne puis me séparer de cet inintelligent *Moi-même*!...»

Dans sa seconde lettre, il s'excuse de la première, que notre mère avait trouvée fort négligée.

«Dis à maman que je travaille tant, que vous écrire est mon délassement! Alors, sauf vot' respect et le mien, je vais, comme l'âne de Sancho, par les chemins broutant tout ce que je rencontre. Je ne fais pas de brouillon (fi donc! le cœur ne connaît pas les brouillons). Si je ne ponctue pas, si je ne relis pas, c'est pour que vous me relisiez et pensiez plus longtemps à moi! Je jette ma plume aux bêtes, si ce n'est pas là une finesse de femme!...

«Vous saurez, mademoiselle, qu'on économise pour avoir ici un piano; quand ma mère et toi vous viendrez me voir, vous en trouverez un. J'ai pris mes mesures, en reculant les murs il tiendra, et si mon propriétaire ne veut pas entendre à cette petite dépense, je l'ajouterai à l'acquisition du piano, et le *Songe de Rousseau* (morceau de Cramer fort à la mode alors) retentira dans ma mansarde, où le besoin de songes se fait généralement sentir.»

Que de travaux il médite!... des romans, des comédies, des opéras-comiques, des tragédies, sont sur la liste d'ouvrages à faire. Il ressemble à l'enfant qui a tant de paroles à dire qu'il ne sait par où commencer. C'est d'abord *Stella* et *Coqsigrue*, deux livres qui ne virent jamais le jour! De tous ses projets de comédie de ce temps, je me souviens des *Deux Philosophes*, qu'il eût certainement repris à ses loisirs. Ces prétendus philosophes se moquaient l'un de l'autre, se querellaient sans cesse, comme des amis (disait mon frère en racontant cette pièce).

Ces philosophes, tout en méprisant les hochets de ce monde, se les disputaient sans pouvoir les obtenir, insuccès final qui les raccommodait et leur faisait maudire en commun la détestable engeance humaine!

Pour laquelle de ces œuvres lui faut-il le Tacite de notre père, dont l'édition manque dans la bibliothèque de l'Arsenal? Ce désir fait le sujet de sa troisième lettre.

«Il me faut absolument le Tacite de mon père; il n'en a pas besoin, maintenant qu'il est dans la Chine ou dans la Bible!...»

Mon père, enthousiasmé des Chinois (peut-être à cause de leur longévité comme peuple), lisait alors les gros livres des jésuites missionnaires qui ont décrit la Chine les premiers; il annotait aussi de précieuses éditions de la Bible qu'il possédait, livre qui, en tout temps, causa son admiration.

«Il ne te faut pas longtemps pour savoir où est la clef de la bibliothèque! Papa n'est pas toujours chez lui, il se promène tous les jours! et le farinier Godard est là pour m'apporter le Tacite!

«À propos, *Coqsigrue* dépasse présentement mes forces, il faut le ruminer et attendre pour l'écrire.

«Je n'aime pas, ma chère, tes travaux historiques et tes tableaux siècle par siècle. Pourquoi t'amuser (et le mot est mal choisi) à refaire l'ouvrage de Blair? Prends-le dans la bibliothèque, il ne doit pas être loin du Tacite, et apprends-le par cœur; mais à quoi bon? Une jeune fille en sait assez quand elle ne *fricasse* pas Annibal avec César, ne prend pas le Trasimène pour un général d'armée, et *Pharsale* pour une dame romaine; lis Plutarque et deux ou trois livres de ce *calibre-là*, et tu seras *calée* pour toute ta vie, sans déroger à ton titre charmant de femme. Veux-tu donc devenir une savante? Fi!... fi!...

«J'ai fait cette nuit un rêve délicieux; je lisais Tacite que tu m'avais envoyé!...

«Talma joue maintenant Auguste dans *Cinna*. J'ai grand'peur de ne pouvoir résister à l'aller voir; mais quelle folie!... mon estomac en tremble!...

«Les nouvelles de mon ménage sont désastreuses, les travaux nuisent à la propreté. Ce coquin de *Moi-même* se néglige de plus en plus. Il ne descend que tous les trois ou quatre jours pour les achats, va chez les marchands les plus voisins et les plus mal approvisionnés du quartier; les autres sont trop loin, et le garçon économise au moins ses pas; de sorte que ton frère (destiné à tant de célébrité) est déjà nourri absolument comme un grand homme, c'est-à-dire qu'il meurt de faim!

«Autre sinistre: le café fait d'affreux *gribouillis* par terre; il faut beaucoup d'eau pour réparer le dégât; or, l'eau ne montant pas naturellement dans ma *céleste* mansarde (elle y descend seulement les jours d'orage), il faudra aviser, après l'achat du piano, à l'établissement d'une machine hydraulique, si le café continue à s'enfuir, pendant que maître et serviteur bayent aux corneilles.

«Avec le Tacite, n'oublie pas de m'envoyer un couvre-pied; si tu pouvais y joindre quelque *vieillissime* châle, il me serait bien utile. Tu ris? C'est ce qui me manque dans mon costume nocturne. Il a fallu d'abord penser aux jambes, qui souffrent le plus du froid; je les enveloppe du carrick tourangeau que Grogniart, de *boustiquante* mémoire, *cousillonna*. (Grogniart était un petit tailleur de Tours, chargé jadis d'ajuster à la taille du fils les habits du père, et qui ne s'acquittait pas de ce travail à la satisfaction d'Honoré.)

«Le susdit carrick n'arrivant qu'à mi-corps, reste le haut, mal défendu contre la gelée, qui n'a que le toit et ma veste de molleton à traverser pour arriver à ma peau fraternelle, trop tendre, hélas! pour le supporter; de sorte que le froid *me pipe.*

«Quant à la tête, je compte sur une calotte *dantesque*, pour qu'elle puisse braver aussi l'aquilon. Ainsi équipé, j'habiterai fort agréablement mon palais!...

«Je finis cette lettre comme Caton finissait ses discours; il disait: Que Carthage soit détruite! Moi, je dis: Que le Tacite soit pris! et je suis, chère historienne, de vos quatre pieds huit pouces, le très-humble serviteur.»

Voici une lettre (d'août 1819) que je copie tout entière, après avoir préalablement donné les explications nécessaires pour la rendre intelligible.

Mon père, pour épargner à son fils des froissements d'amour-propre en cas du non-succès de ses espérances, le disait absent de Paris. C'était d'ailleurs un moyen de le préserver de toute tentation mondaine.

M. de Villers, dont il parle dans cette lettre, était un vieil ami de la famille, ancien abbé et comte de Lyon, retiré à Nogent, petit village situé près de l'Isle-Adam. Mon frère avait déjà fait plusieurs séjours chez lui; la spirituelle conversation de ce bon vieillard, ses curieuses anecdotes sur l'ancienne cour, où il avait obtenu de grands succès, les encouragements qu'il donnait à mon frère, dont il était le confident, avaient fait naître une telle affection entre eux qu'Honoré appelait plus tard l'Isle-Adam *son paradis inspirateur.*

«Tu veux des nouvelles, il faut que je les fasse; personne ne passe dans mon grenier, je ne peux donc te parler que de moi et t'envoyer autre chose que des fariboles; exemple:

«Le feu a pris rue Lesdiguières, n° 9, à la tête d'un pauvre garçon, et les pompiers n'ont pu l'éteindre. Il a été mis par une belle femme qu'il ne connaît pas: on dit qu'elle demeure aux Quatre-Nations, au bout du pont des Arts; elle s'appelle *la Gloire.*

«Le malheur est que le brûlé raisonne, et il se dit:

«Que j'aie ou non du génie, je me prépare dans les deux cas bien des chagrins!

«Sans génie, je suis flambé! il faudra passer la vie à sentir des désirs non satisfaits, de misérables jalousies, tristes peines!

«Si j'ai du génie, je serai persécuté, calomnié; je sais bien qu'alors Mlle la Gloire essuiera bien des pleurs!...

«Il serait temps encore de faire partie nulle et de devenir un M. ***, qui juge tranquillement les autres sans les connaître, qui jure après les hommes d'État sans les comprendre, qui gagne au jeu, même en écartant les atouts, l'heureux homme! et qui pourra bien un jour devenir député, parce qu'il est riche, l'homme parfait!

«Si je gagnais demain un quine à la loterie, j'aurais raison comme lui, quoi que je fasse ou dise; mais, n'ayant pas d'argent pour acheter cette espérance, je n'ai pas cette merveilleuse chance pour en imposer aux sots!... *Patraque d'humanité!...*

«Parlons plutôt de mes plaisirs! J'ai fait hier un boston chez mes propriétaires, où, après avoir entassé misères sur piccolos et avoir eu des chances d'innocent (j'avais peut-être songé à M. ***), j'ai gagné... trois sols!...

«Maman va dire: «Allons, Honoré va devenir joueur!» Point, mère, je veille sur mes passions.

«J'ai songé qu'après l'hiver laborieux que je viens de passer, quelques jours de campagne me seraient bien nécessaires!...

«Non, maman, ce n'est pas pour fuir ma bonne vache enragée: j'aime ma vache; mais quelqu'un près de vous vous dira que l'exercice et le grand air sont bien utiles à la santé de l'homme! Or donc, comme Honoré ne peut se montrer chez son père, pourquoi n'irait-il pas chez le bon M. de Villers, qui l'aime jusqu'à soutenir le pauvre rebelle?

«Une idée, mère! si vous lui écriviez pour arranger ce voyage? Allons, c'est comme si c'était fait; vous avez beau prendre votre air sévère, on sait que vous êtes bonne au fond, et l'on ne vous craint qu'à demi!

«Quand viendrez-vous me voir? boire mon café, manger des œufs *brouillés, raccommodés* sur un plat que vous m'apporterez? car si je succombe à *Cinna*, il faudra renoncer à monter mon ménage et peut-être même au piano et à la machine hydraulique.

«L'Iris messagère ne vient pas! J'achèverai demain cette lettre.»

DEMAIN.

«Pas d'Iris encore! Se dérangerait-elle?... (Elle avait soixante-dix ans.) Je ne la vois jamais qu'à la volée et toujours si essoufflée qu'elle peut à peine me rendre compte du quart de ce que je voudrais savoir. Pensez-vous à moi autant que je pense à vous? Criez-vous quelquefois au whist ou au boston: «Honoré, où es-tu?» Je ne t'ai pas dit qu'avec l'incendie j'ai eu aussi d'affreuses rages de dents. Elles ont été suivies d'une fluxion qui me rend présentement hideux.

«Qui dit: *Fais arracher?* Que diable! on tient à ses dents, et il faut mordre, d'ailleurs, quelquefois dans mon état, quand ce ne serait qu'au travail!

«J'entends le souffle de la déesse.»

XII.

Son père alors avait perdu son emploi officiel; il n'avait de ressources que dans ses espérances; ses espérances problématiques ne reposaient que sur l'entreprise aléatoire et à longue échéance de la *tontine Lafarge* dont il était directeur. Il s'était retiré, après de longues et délicates contestations, dans une petite maison de campagne achetée non loin de Paris. Balzac commençait la vie par ce qu'il y a de plus difficile, gagner le moyen de vivre. Il avait quitté l'avoué et le notaire chez lesquels on l'avait placé: il n'y avait gagné que les connaissances techniques de législation pratique qui lui furent utiles plus tard dans ses ouvrages, et le profond dégoût de ces occupations mercenaires que sa belle imagination dédaignait; il commençait à penser à la gloire, premier et dernier rêve des grands cœurs.

XIII.

Il conçut dans son grenier une tragédie de *Cromwell*; mais il n'était pas né poëte, le vers l'embarrassait: il succomba sous l'effort.

«Ah! sœur, écrit-il, après l'épreuve d'une lecture sans succès, que j'ai de tourments! Je ferai une pétition au pape pour la première niche de martyr vacante! Je viens de découvrir à mon *régicide* un défaut de conformation et il fourmille de mauvais vers! Je suis aujourd'hui un vrai *Pater dolorosa*. Si je suis un misérable rimailleur, il faut se pendre. Je ressemble, avec ma pauvre tragédie, à Perrette au pot au lait, et ma comparaison ne sera peut-être que trop réelle!... Il faut pourtant réussir cette œuvre, et, coûte que coûte, avoir quelque chose de fini quand maman me demandera compte de mon temps! Je passe les nuits au travail; ne lui en dis rien, car elle s'inquiéterait. Quelles peines donne l'amour de la gloire! Vivent les épiciers, morbleu! ils vendent tout le jour, comptent le soir leur gain, se délectent de temps à autre à quelque affreux mélodrame, et les voilà heureux!... Oui, mais ils passent leur temps entre le gruyère et le savon. Vivent plutôt les gens de lettres; oui, mais ils sont tous gueux d'argent et seulement riches de morgue. Bah! laissons faire les uns et les autres, et vive tout le monde!»

XIV.

Il se plaint à sa sœur de ce que l'huile de sa lampe lui coûte plus cher que son morceau de pain. Mais il aime toujours sa mansarde: «Le temps que j'y passerai sera pour moi une source de doux souvenirs. Vivre à ma fantaisie, travailler selon mon goût et à ma guise, ne rien faire de sérieux, m'endormir sur l'avenir que je me fais beau, penser à vous en vous sachant heureuses, avoir pour maîtresse la *Julie* de Rousseau, *la Fontaine* et *Molière* pour amis, Racine pour maître, le cimetière du Père Lachaise pour promenade!... ah! si cela pouvait durer toujours?

«Je suis plus engoué que jamais de ma carrière par une foule de raisons dont je ne déduirai que celles que tu n'aperçois peut-être pas. Nos révolutions sont loin d'être terminées; à la manière dont les choses s'agitent, je prévois encore bien des orages. Bon ou mauvais, le système représentatif exige d'immenses talents, les grands écrivains seront nécessairement recherchés dans les crises politiques; ne réunissent-ils pas à la science, l'esprit d'observation et la profonde connaissance du cœur humain?

«Si je suis un *gaillard* (c'est ce que nous ne savons pas encore, il est vrai), je puis avoir un jour autre chose que l'illustration littéraire; et ajouter au titre de grand écrivain celui de grand citoyen, est une ambition qui peut tenter aussi!...»

XV.

La triste épreuve de sa tragédie faite et acceptée, il tombe énervé, découragé, maigri, chez sa mère, elle le garda quatre ans, mais non oisif. Ce fut alors qu'il fit seulement sa grande faute, pour vivre et donner à leur insu quelque aisance à ses parents. Il se lia avec des libraires, et sacrifia quelque temps sa conscience à ses besoins. Il écrivit ses *Contes drolatiques*, ouvrage de *mosaïque* très-habilement conçu et exécuté, qui lui firent une réputation de mauvais *aloi* et quelque argent. Comme langue, rien ne contribua plus à le former au travail difficile de parodier un siècle dans un autre siècle. C'était une gaieté triste au fond, un désespoir de verve qui lui donnait la conscience de son prodigieux talent, mais le repentir de l'usage qu'il en faisait. Il faut, comme lui, glisser sur cette jeunesse qui passe comme un orage du matin. Ne reprochons pas à l'homme ce qu'il se reproche le premier, le prix un peu honteux que la vie lui coûte, prix d'autant plus cher qu'il est plus prêt à le regretter. En lisant ses *Contes drolatiques*, on se souvient de Mirabeau écrivant, à Vincennes, des romans orduriers pour envoyer à une femme purement adorée le prix du vice qui le rendait indigne d'elle.

XVI.

Sa sœur s'était mariée à un homme distingué en Normandie, M. de Surville.

Il lui écrit à demi son mépris pour lui-même pendant qu'on imprime ses *Contes* à Paris.

«Tu me demandes des détails des fêtes, et je n'ai aujourd'hui que des tristesses au cœur! Je me trouve le plus malheureux des malheureux qui vivotent sous cette belle calotte céleste que l'Éternel a brillantée de ses mains puissantes!

«Des fêtes!...c'est une triste litanie que j'ai à t'envoyer.

«Mon père, en revenant du mariage de Laurence (il avait été célébré à Paris), a eu dans sa voiture l'œil gauche déchiré par le fouet de Louis, triste présage... Le fouet de Louis toucher à cette belle vieillesse, notre joie et notre orgueil à tous! Le cœur saigne! On a cru d'abord le mal plus grand qu'il n'est, heureusement! Le calme apparent de mon père me faisait peine, j'aurais préféré des plaintes, je me serais figuré que des plaintes l'auraient soulagé! mais il est si fier, à bon droit, de sa force morale, que je n'osais même le consoler, et la douleur du vieillard fait autant souffrir que celle d'une femme!

«Je ne pouvais ni penser ni travailler; il faut pourtant écrire, écrire tous les jours pour conquérir l'indépendance qu'on me refuse! Essayer de devenir libre à coups de romans, et quels romans! Ah! Laure, quelle chute de mes projets de gloire!

«Avec quinze cents francs de rente assurés, je pourrais travailler à ma célébrité, mais il faut le temps pour de pareils travaux, et il faut vivre d'abord! Je n'ai donc que cet ignoble moyen pour m'*indépendantiser!*

«Fais donc gémir la presse, mauvais auteur (et le mot n'a jamais été si vrai)!

«Si je ne gagne pas promptement de l'argent, le spectre de la place reparaîtra, je ne serai pas notaire toutefois, car M. T... vient de mourir. Mais je crois que M. *** me cherche sourdement une place: quel terrible homme! Comptez-moi pour mort si on me coiffe de cet éteignoir: je deviendrai un cheval de manége qui fait ses trente ou quarante tours à l'heure, mange, boit, dort à des instants réglés d'avance.

«Et l'on appelle vivre cette rotation machinale, ce perpétuel retour des mêmes choses!...

«Encore si quelqu'un jetait un charme quelconque sur ma froide existence! Je n'ai pas les fleurs de la vie et je suis pourtant dans la saison où elles s'épanouissent! À quoi bon la fortune et les jouissances quand ma jeunesse sera passée? Qu'importe des habits d'acteur si l'on ne joue plus de rôle? Le vieillard est un homme qui a dîné et qui regarde les autres manger, et moi, jeune, mon assiette est vide et j'ai faim! Laure, Laure, mes deux seuls et immenses désirs, *être célèbre et être aimé*, seront-ils jamais satisfaits?...»

. . . .

«Je t'envoie deux nouveaux ouvrages; ils sont encore fort mauvais et fort peu littéraires surtout! Tu trouveras dans l'un des deux quelques plaisanteries assez drôles et des espèces de caractères, mais un plan détestable.

«Le voile ne tombe, malheureusement, qu'après l'impression, et, quant aux corrections, il n'y faut pas songer, elles coûteraient plus que le livre. Le seul mérite de ces deux romans, ma chère, est le millier de francs qu'ils me rapportent, mais la somme n'a été réglée qu'en billets à longues échéances? Seront-ils payés?

«Je commence, toutefois, à tâter et reconnaître mes forces; sentir ce que je vaux et sacrifier la fleur de ses idées à de pareilles inepties! Il y a de quoi pleurer.

«Ah! si j'avais ma *pâtée*, j'aurais bien vite ma *niche* et j'écrirais des livres qui resteraient peut-être!

«Mes idées changent tellement que le *faire* changerait bientôt! Encore quelque temps, et il y aura entre le moi d'aujourd'hui et le moi de demain la différence qui existe entre le jeune homme de vingt ans et l'homme de trente! Je réfléchis, mes idées mûrissent, je reconnais que la nature m'a traité favorablement en me donnant mon cœur et ma tête. Crois-moi, chère sœur, car j'ai besoin d'une croyante, je ne désespère pas d'être un jour quelque chose; car je vois aujourd'hui que *Cromwell* n'avait pas même le mérite d'être un embryon; quant à mes romans, ils ne valent pas le diable, mais ils ne sont pas si tentateurs.»

XVII.

Il va à Bayeux chez son beau-frère. La misère l'y suit. Il veut tenter la fortune par une grande entreprise. Il s'associe à un vieil ami pour éditer des livres. Il échoue et perd les deux fortunes. Sa double dette l'écrase; il veut persévérer; sa famille lui donne par anticipation de quoi payer son brevet d'imprimeur. Il échoue plus irrémédiablement une seconde fois. On le console en le reléguant dans les ouvrages légers. Ce mépris l'irrite: «Il faudra que je meure, écrit-il, pour qu'on sache ce que je vaux!»

Il tombe dans le découragement, non de lui-même, mais de la fortune. Il néglige d'aller voir ses parents. Voici comment il s'excuse devant sa sœur:

«Ta lettre m'a donné deux détestables jours et deux détestables nuits. Je ruminais ma justification de point en point, comme le mémoire de Mirabeau à son père, et je m'enflammais déjà à ce travail; mais je renonce à l'écrire, je n'ai pas le temps, ma sœur, et je ne me sens d'ailleurs aucun tort!...

«On me reproche l'arrangement de ma chambre; mais les meubles qui y sont m'appartenaient avant ma catastrophe! Je n'en ai pas acheté un seul! Cette tenture de percale bleue qui fait tant crier était dans ma chambre à l'imprimerie. C'est Latouche et moi qui l'avons clouée sur un affreux papier qu'il eût fallu changer! Mes livres sont mes outils, je ne puis les vendre; le goût, qui met tout chez moi en harmonie, ne s'achète pas (malheureusement pour les riches); je tiens, au surplus, si peu à toutes ces choses, que si l'un de mes créanciers veut me faire mettre secrètement à Sainte-Pélagie, j'y serai plus heureux, ma vie ne me coûtera rien, et je ne serai pas plus prisonnier que le travail ne me tient captif chez moi.

«Un port de lettre, un omnibus, sont des dépenses que je ne puis me permettre, et je ne sors pas pour ne pas user d'habits! Ceci est-il clair?

«Ne me contraignez donc plus à des voyages, à des démarches, à des visites qui me sont impossibles, n'oubliez pas que je n'ai plus que le temps et le travail pour richesse, et que je n'ai pas de quoi faire face aux dépenses les plus minimes.

«Si vous songiez aussi que je tiens toujours forcément la plume, vous n'auriez pas le courage d'exiger des correspondances! Écrire quand on a le cerveau fatigué et l'âme remplie de tourments! Je ne pourrais que vous affliger; à quoi bon?... Vous ne comprenez donc pas qu'avant de me mettre au travail, j'ai quelquefois à répondre à sept ou huit lettres d'affaires?

«J'ai encore une quinzaine de jours à passer sur *les Chouans*; jusque-là, pas d'Honoré; autant vaudrait déranger le fondeur pendant la coulée.

«Ne me crois aucun tort, chère sœur; si tu me donnais cette idée, j'en perdrais la cervelle. Si mon père était malade, tu m'avertirais, n'est-ce pas? Tu sais bien qu'alors aucune considération humaine ne m'empêcherait de me rendre près de lui.

«Il faut que je vive, ma sœur, sans jamais rien demander à personne; il faut que je vive pour travailler afin de m'acquitter envers tous! Mes *Chouans* terminés, je vous les porterai; mais je ne veux en entendre parler ni en bien ni en mal; une famille, des amis, sont incapables de juger l'auteur.

«Merci, cher champion dont la voix généreuse défend mes intentions. Vivrai-je assez pour payer aussi mes dettes de cœur?...»

XVIII.

Il vécut (si c'est là vivre) de cette misère jusqu'en 1833.

De 1833 à 1848, c'est sa moisson; retiré tantôt dans une solitude anonyme de Paris ou des environs, affectant quelquefois un certain luxe pour imiter *Walter Scott*, et doubler ainsi à l'œil le prix de ses propres œuvres, il se bâtit à *Ville-d'Avray* une maison en apparence idéale, qui s'écroule bientôt après comme un rêve. Mais son talent grandit. La liste de ses livres pendant ces fécondes années est longue. Tout est écrit de sa main, et recorrigé deux fois sous la main de l'imprimeur. Cela suppose un travail qui fait reculer le calcul.

Il s'isole, il se dérobe, il écrit à sa sœur qui s'en plaint, il fuit quelquefois à la campagne auprès de Tours, chez des amis. Il y compose ses meilleurs volumes. Il s'y apaise, il y respire, il y écrit à sa sœur:

«Merci, ma sœur; le dévouement des cœurs aimés nous fait tant de bien! Tu m'as rendu cette énergie qui m'a fait surmonter jusqu'ici les difficultés de ma vie! Oui, tu as raison, je ne m'arrêterai pas, j'avancerai, j'atteindrai le but, et tu me verras un jour compté parmi les grandes intelligences de mon pays!

«Mais quels efforts pour arriver là! ils brisent le corps, et, la fatigue venue, le découragement suit!

«*Louis Lambert* m'a coûté tant de travaux! Que d'ouvrages il m'a fallu relire pour écrire ce livre! Il jettera peut-être un jour ou l'autre la science dans des voies nouvelles. Si j'en avais fait une œuvre purement savante, il eût attiré l'attention des penseurs qui n'y jetteront pas les yeux. Mais si le hasard met, un jour ou l'autre, *Louis Lambert* entre leurs mains, ils en parleront peut-être!...

«Je crois *Louis Lambert* un beau livre! Nos amis l'ont admiré ici, et tu sais qu'ils ne me trompent pas!

«Pourquoi revenir sur sa terminaison? Tu connais la raison qui me l'a fait choisir! Tu as toujours peur. Cette fin est probable, et de tristes exemples ne la justifient que trop: le docteur n'a-t-il pas dit que la folie est toujours à la porte des grandes intelligences qui fonctionnent trop?...

«Encore merci de ta lettre, et pardonne au pauvre artiste le découragement qui l'a rendue nécessaire. La partie engagée, je joue si gros jeu! Il faut toujours progresser. Mes livres sont les seules réponses que je veuille jamais faire à ceux qui commencent à m'attaquer.

«Que leurs critiques ne te préoccupent pas trop; elles sont de bons pronostics: on ne discute pas la médiocrité!...

«Oui, tu as raison, mes progrès sont réels, et mon courage infernal sera récompensé. Persuade-le aussi à ma mère, chère sœur, dis-lui de me faire l'aumône de sa patience; ses dévouements lui seront comptés! Un jour, je l'espère,—un peu de gloire lui payera tout! Pauvre mère! cette imagination qu'elle m'a donnée la jette perpétuellement du nord au midi et du midi au nord: de tels voyages fatiguent; je le sais aussi, moi!

«Dis à ma mère que je l'aime comme lorsque j'étais enfant. Des larmes me gagnent en t'écrivant ces lignes, larmes de tendresse et de désespoir, car je sens l'avenir, et il me faut cette mère dévouée au jour du triomphe! Quand l'atteindrai-je?

«Soigne bien notre mère, Laure, pour le présent et pour l'avenir.

«Quant à toi et à ton mari, ne doutez jamais de mon cœur; si je ne puis vous écrire, que votre tendresse soit indulgente, n'incriminez jamais mon silence; dites-vous: Il pense à nous, il nous parle; entendez-moi, mes bons amis, vous, mes plus vieilles et mes plus sûres affections!

«En sortant de mes longues méditations, de mes travaux accablants, je me repose dans vos cœurs comme dans un lieu délicieux où rien ne me blesse!

«Quelque jour, quand mes œuvres seront développées, vous verrez qu'il a fallu bien des heures pour avoir pensé et écrit tant de choses; vous m'absoudrez alors de tout ce qui vous aura déplu, et vous pardonnerez, non l'égoïsme de l'homme (l'homme n'en a pas), mais l'égoïsme du penseur et du travailleur.

«Je t'embrasse, chère consolatrice qui m'apportes l'espérance, baiser de tendre reconnaissance; ta lettre m'a ranimé; après sa lecture, j'ai poussé un hourra joyeux.»

La liste de ses ouvrages, avec la date qu'il leur assigna après les avoir remaniés, peut seule faire comprendre la valeur de ses travaux, car peu de lecteurs ignorent l'importance de ces livres.

- 1827. (Fin de) *Les Chouans.*

- 1828. *Catherine de Médicis.*

- 1829. *La Physiologie du mariage, Gloire et malheur, le Bal de Sceaux, il Vertugo, la Paix du ménage.*

- 1830. *La Vendetta, une Double Famille, Étude de femme, Gobseck, autre Étude de femme, la Grande Bretèche, Adieu, l'Élixir de longue vie, Sarrazine, la Peau de chagrin.*

- 1831. *Madame Firmiani, le Réquisitionnaire, l'Auberge rouge, Maître Cornélius, les Proscrits, un Épisode sous la Terreur, Jésus-Christ en Flandre.*

- 1832. *La Bourse, la Femme abandonnée, la Grenadière, le Message, les Marana, Louis Lambert, l'Illustre Gaudissart, le colonel Chabert, une Passion dans le Désert, le Chef-d'œuvre inconnu, le Curé de Tours.*

- 1833. *Séraphita, Eugénie Grandet, Ferragus, le Médecin de campagne.*

- 1834. *Un Drame au bord de la mer, la Duchesse de Langeais, la Fille aux yeux d'or, le Père Goriot, la Recherche de l'absolu.*

- 1835. *Le Contrat de mariage, la Femme de trente ans, le Lis dans la Vallée, Melmoth réconcilié.*

- 1836. *La Vieille Fille, l'Enfant maudit, Facino Cane, la Messe de l'Athée, l'Interdiction.*

- 1837. *Le Cabinet des antiques, la maison Nucingen, Gambara, César Birotteau.*

- 1838. *Une Fille d'Ève, les Employés, ou la Femme supérieure.*

- 1839. *Pierre Grassou, les Secrets de la princesse de Cadignan, Massimila Doni, Pierrette.*

- 1840. *Z. Marcas, la Revue parisienne.*

- 1841. *Mémoires de deux jeunes mariées, Ursule Mirouet, une Ténébreuse Affaire.*

- 1842. *La Fausse Maîtresse, Albert Savarus, un Début dans la vie, un Ménage de garçon, ou les Deux Frères.*

- 1843. *Honorine, Splendeurs et Misères des courtisanes, Illusions perdues.*

- 1844. *Béatrix, Modeste Mignon, Gaudissart II.*

- 1845. *Un Prince de la Bohême, Esquisse d'homme d'affaires, Envers de l'histoire contemporaine, le Curé de village.*

Il voyage deux fois en Italie et en Sardaigne pour une spéculation colossale sur les *scories* des mines antiques mal exploitées par les Romains. Il croit tenir la richesse; on la lui dérobe.

XIX.

Enfin il pense à renouer ses œuvres immortelles par un lien qui leur donne l'unité. Il conçoit la *Comédie humaine*, sujet que nous avons tous conçu, le *poëme épique* universel sous forme de romans successifs. Il s'y dévoue, il s'y absorbe, il expire sans l'avoir terminé.

«Je suis si triste aujourd'hui, qu'il doit y avoir quelque sympathie sous cette tristesse. Quelqu'un de ceux que j'aime serait-il malheureux? Ma mère est-elle souffrante? Où est mon bon Surville? est-il bien de corps et d'âme? Avez-vous des nouvelles de Henri? sont-elles bonnes? Toi ou tes petites, seriez-vous malades? Rassurez-moi vite sur tous ces chers sujets.

«Mes essais de théâtre vont mal, il faut y renoncer pour le moment. Le drame historique exige de grands effets de scène que je ne connais pas et qu'on ne trouve peut-être que sur place, avec des acteurs intelligents. Quant à la comédie, Molière, que je veux suivre, est un maître désespérant; il faut des jours sur des jours pour arriver à quelque chose de bien en ce genre, et c'est toujours le temps qui me manque. Il y a d'ailleurs d'innombrables difficultés à vaincre pour aborder n'importe quelle scène, et je n'ai pas le loisir de jouer des jambes et des coudes; un chef-d'œuvre seul, et mon nom m'en ouvriraient les portes; mais je n'en suis pas encore aux chefs-d'œuvre. Ne pouvant compromettre ma réputation, il faudrait trouver des prête-noms; c'est du temps à perdre, et le fâcheux, c'est que je n'ai pas le moyen d'en perdre! Je le regrette; ces travaux, plus productifs que mes livres, m'auraient plus promptement tiré de peine. Mais il y a longtemps que les angoisses et moi nous nous sommes mesurés, je les ai domptées, je les dompterai encore. Si je succombe, c'est le ciel qui l'aura voulu, et non pas moi.

«La vivacité d'impression que mes chagrins te causent devrait m'interdire de t'en parler, mais le moyen de ne pas épancher mon cœur trop plein près de toi? C'est mal, cependant; il faut une organisation robuste qui vous manque, à vous autres femmes, pour supporter les tourments de la vie de l'écrivain.

«Je travaille plus que je ne le voulais, que veux-tu? Quand je travaille, j'oublie mes peines, c'est ce qui me sauve; mais toi, tu n'oublies rien! Il y a des gens qui s'offensent de cette faculté, ils redoublent mes tourments en ne me comprenant pas!

«Je devrais faire assurer ma vie pour laisser, en cas de mort, une petite fortune à ma mère; toutes dettes payées, pourrais-je supporter ces frais? je verrai cela à mon retour.

«Le temps que durait jadis l'inspiration produite par le café diminue; il ne donne plus maintenant que quinze jours d'excitation à mon cerveau, excitation fatale, car elle me cause d'horribles douleurs d'estomac. C'est au surplus le temps que Rossini lui assigne pour son compte.

«Laure, je fatiguerai tout le monde autour de moi et ne m'en étonnerai pas. Quelle existence d'auteur a été autrement? mais j'ai aujourd'hui la conscience de ce que je suis et de ce que je serai!

«Quelle énergie ne faut-il pas pour garder sa tête saine quand le cœur souffre autant! Travailler nuit et jour, se voir sans cesse attaqué quand il me faudrait la tranquillité du cloître pour mes travaux! Quand l'aurai-je? l'aurai-je un seul jour! que dans la tombe peut-être!... on me rendra justice alors, je veux l'espérer!... Mes meilleures inspirations ont toujours brillé, au surplus, aux heures d'extrêmes angoisses; elles vont donc luire encore!...

«Je m'arrête, je suis trop triste; le ciel devait un frère plus heureux à une sœur si affectionnée!...»

Mon frère était alors accablé par un grand chagrin de cœur; je ne peux publier de sa volumineuse correspondance que ce qui a rapport à lui ou à ses œuvres, et le montrer que sous l'aspect de fils ou de frère; ces restrictions privent le public de quelques pages intéressantes, notamment de celles qu'il m'adressa après la mort d'une personne bien chère. C'est ce que j'ai lu de plus éloquent dans l'expression de la douleur.

XX.

C'est vers ce temps qu'il imagina de prendre son rang, la gloire et la fortune d'assaut par un coup de main. Il écrivit deux drames: *Vautrin* et *Mercadet*. Deux pièces de Figaro. L'une échoua comme scandale; l'autre expira de langueur. Il croyait fermement que *Mercadet*, pris dans la passion industrielle de la bourgeoisie, serait le *Figaro* du siècle. Je me souviens qu'il vint plusieurs fois ayant la fièvre de son succès chez moi pour me conjurer de l'entendre, de le voir, d'assister aux répétitions. Je consentis; j'allai aux répétitions. Je fus peu touché. Rien ne put le désenchanter de son illusion; on le joua sans succès. Il était comme moi-même, mal né pour la scène: il n'y avait pas assez d'espace pour ses conceptions.

XXI.

C'est peu de temps avant cette époque que la beauté, l'amour, l'esprit et la fortune parurent d'un seul coup vouloir dépasser par la réalité tous les rêves de son passé. Une jeune et aimable étrangère, une de ces femmes dont l'imagination est une puissance, conçut pour lui une ardente passion. C'était une Polonaise, une Orientale, une personne attachée, dit-on, par devoir à un vieil époux dont la santé expirante devait assurer bientôt la liberté. Elle adorait Balzac, comme écrivain. Elle lui confirma par lettres le penchant de son cœur; il fut fasciné et enivré par une amitié qui ne coûtait rien à la vertu. J'ignore le lieu où ils se rencontrèrent. Était-ce à Milan? était-ce en Pologne ou en Russie? Rien n'est plus difficile que de percer le mystère des voyages de Balzac; ce que j'en sais, je ne le sais que de lui-même, longtemps avant l'événement qui dénoua par un trop court mariage le nœud de sa vie.

Je le rencontrai un jour dans une des sombres allées d'arbres qui s'étendent solitaires entre la Chambre des députés et le palais des Invalides. Il m'aborda avec l'empressement d'un homme heureux qui brûle de faire partager son bonheur encore caché à un ami.—Que faites-vous? lui dis-je. «J'attends, me répondit-il, la félicité des anges ici-bas. J'aime, je suis aimé par la plus charmante femme inconnue qui soit sur la terre. Elle est jeune, elle est libre, elle a une fortune indépendante qui ne se calcule que par millions de revenu. De courtes convenances l'empêchent seules de me donner sa main; mais dans peu de mois elle en est affranchie, et je suis aussi sûr de mon bonheur que de son amour!

«Voilà, mon cher Lamartine, l'état où je vis en ce moment; j'ai dû vous le cacher jusqu'à ce jour, mais maintenant rien ne m'empêche de me confier à votre amitié; vous voyez en moi le plus heureux des hommes!»

J'avoue que je crus à un de ces songes qu'il avait si longtemps poursuivis, et que je me séparai de lui incrédule, mais sans lui témoigner mon incrédulité. C'était moi qui me trompais. Peu de mois après ce jour, j'appris que Balzac était parti pour un voyage énigmatique, et qu'il était marié. À son retour, il vint me voir. J'allai lui rendre visite dans le magnifique hôtel du quartier Beaujon, où sa femme avait recueilli ce chevalier errant de tous les songes. Il n'était pas chez lui. Mais le luxe de l'ameublement, des jardins, des antichambres, attestait la réalité de ce qu'il m'avait confié quelques mois avant. Je me réjouis de ce miracle de l'amour. Hélas! comme tous les miracles, il ne devait durer qu'un moment.

Le bonheur de Balzac fut un éclair; son travail assidu l'avait usé; un rêve lui enleva ce que tant de rêves lui avaient coûté. Il n'eut que la perspective du repos dans la gloire. Une maladie de cœur l'emporta. Il mourut au milieu des délices et des splendeurs auxquelles il avait aspiré. Homme d'imagination, récompensé en imagination. Mais au moins il ne mourut pas dans les angoisses qui avaient consumé sa vie. Sa veuve avait acheté sur la route de Fontainebleau une belle colline boisée à Villeneuve-le-Roi, au sommet de laquelle elle habite avec l'ombre de son mari, un grand nom qui grandira sans cesse.

XXII.

Voilà l'homme dans Balzac.

Il avait eu, au milieu de beaucoup de chimères, un rare bon sens, celui de réduire son ambition politique à sa juste valeur et de renoncer de bonne heure à cet axiome faux: «J'ajouterai peut-être le titre de grand citoyen au titre d'homme littéraire.» Il avait espéré un moment que l'estime de ses compatriotes le porterait à la députation: il n'en fut rien; on reconnut promptement que son éloquence, toute de cœur, ne convenait pas au régime parlementaire, qui vit de parti et non de vérité. Je l'ai entendu souvent, chez madame de Girardin, s'abandonner au torrent de sa belle et fougueuse indignation contre ces fausses fureurs et ces fausses promesses des oppositions aux gouvernements qui n'avaient d'autres crimes que de n'être pas aimés. Quant à lui, il était aisé de voir qu'il était de race et de sang légitimistes, c'est-à-dire qu'il croyait à la puissance de la tradition et des mœurs avant tout; le commandement et l'obéissance par l'habitude, c'était pour lui tout le gouvernement. Les théories, les systèmes, les socialismes, n'étaient rien pour lui; des expériences hasardées sur des millions d'hommes ignorants ou passionnés lui paraissaient des bêtises ou des crimes. Laissez cela à faire aux avocats et à préconiser aux journalistes, deux espèces de publicistes pour lesquels il ne dissimulait pas son dédain.—Le gouvernement parlementaire, disait-il avec l'ironie profonde de sa bonne foi, est le régime des sophistes ou des bavards. Dieu n'a créé qu'une forme et qu'un moyen de volonté, c'est l'unité. La divergence des volontés, en effet, c'est l'immobilité ou l'anarchie. L'anarchie, c'est la mort violente de l'espèce humaine. L'immobilité, c'est sa mort lente. Si l'homme était capable de profiter de l'expérience, il reconnaîtrait que le gouvernement parlementaire n'est bon qu'à renverser successivement tous les régimes qui l'admettent. En 1789, le jour où Mirabeau l'introduisit par sa phrase fameuse à M. de Brézé: «Allez dire à votre maître que nous sommes ici par la volonté du peuple, et que nous n'en sortirons que par la force des baïonnettes,» la révolution est faite; Mirabeau se déshonore et se dépopularise en essayant de la diriger en sens inverse. Louis XVI tombe sous ses fureurs; les Girondins périssent pour avoir voulu la modérer; Vergniaud, Marat, Danton, Camille Desmoulins, Robespierre lui-même, sont dévorés par le régime qu'ils ont créé; la Convention est décimée par sa propre nature; le Directoire exécutif tente vainement ses coups d'État contre le gouvernement parlementaire, Bonaparte le renverse du vent de son épée; il renverse lui-même Bonaparte en 1814. Les Bourbons reviennent, le gouvernement parlementaire les laisse tomber et fuir jusqu'à Gand; Waterloo les rend nécessaires pour sauver la nation; le gouvernement parlementaire abandonne Bonaparte à Sainte-Hélène; il fait du gouvernement de Louis XVIII un tiraillement sans repos pendant tout son règne. Le gouvernement parlementaire provoque la lutte avec Charles X; le gouvernement parlementaire triomphe et renvoie le roi à l'exil. Le duc d'Orléans s'offre à ce régime, il est accepté avec enthousiasme; dix-huit ans après il est congédié avec plus d'enthousiasme encore; la république de nécessité sauve la France; le gouvernement parlementaire se hâte de choisir parmi les candidats celui qui doit le renverser. La France redevint militaire et calme, sous un despotisme intelligent et modéré; le gouvernement parlementaire recommence à poindre dans les coalitions d'opinions incompatibles. Dix gouvernements renversés en un demi-siècle attestent en vain que ce gouvernement ne sait ni se fonder ni se défendre. Proclamez maintenant la perfection et la permanence d'un gouvernement qui ne sait ni s'établir ni durer! Voilà son histoire! Jugez-le par ses œuvres.

XXIII.

Mais jugez-le aussi par sa nature, continuait-il.

Quand une nation va périr et qu'elle le sent, que fait-elle? Elle invoque le remède, le pouvoir à une seule tête, la dictature.

L'armée, ou la volonté active de la nation, se donne un dictateur; il frappe à droite et à gauche, il se défait des gouvernements parlementaires, obstacle à tout, au bien comme au mal. Il règne: si c'est avec folie, il tombe entraînant avec lui armée et nation; si c'est avec réflexion et mesure, il continue ou perpétue son règne, il peut même fonder une dynastie ou une monarchie héréditaire. Que lui faut-il pour cela?—Un conseil d'État nommé par lui et une armée chez un peuple militaire.

Mais, le jour où il fonderait un gouvernement à deux ou trois têtes, un gouvernement parlementaire dans l'élection duquel il n'interviendrait pas, il pourrait mesurer sa déchéance au progrès fait par ce gouvernement. Le jour où le gouvernement parlementaire serait achevé, il créerait de nouveau la force contre la force, c'est-à-dire le gouvernement de quelques-uns contre un. La révolution serait faite!

L'unité de volonté est nécessaire même dans la république. Le premier magistrat d'une république doit être un dictateur à temps; sans quoi il n'est rien.

Voyez l'armée! Qui fait sa force? C'est son général, soit pour un jour, soit pour un temps. Mettez deux chefs ou dix chefs avec des droits égaux à la tête de votre armée: elle cesse d'exister; elle a deux esprits ou dix volontés, c'est-à-dire pas une. Voilà pourquoi les gouvernements parlementaires les plus libres n'ont jamais reconnu à l'armée sous les armes le droit électoral. Je me trompe; le gouvernement parlementaire de 1849 a nommé une fois deux chefs et deux armées: l'un de la rive gauche de la Seine sous le parlement, l'autre de la rive droite sous le président de la république. Quinze jours après, le gouvernement n'existait plus. Le coup d'État était devenu inévitable, le pouvoir parlementaire s'était suicidé! Je l'avais prédit! Qu'on lise mon avant-dernier numéro de mes *Conseils au peuple!*

Le gouvernement est un monologue, pendant qu'il gouverne toute anarchie est un dialogue. On délibère avec un dialogue, on ne gouverne pas.—Mais, dit-on, la majorité sans cesse déplacée par un discours ou par une intrigue fait la loi?—Voyez la Belgique, où ni majorité ni minorité ne peuvent en sortir. Le gouvernement parlementaire refuse de gouverner: la volonté nationale est paralysée par la nation elle-même. Qu'adviendra-t-il? ou un coup d'État ou une révolution. Voilà le gouvernement parlementaire ou le gouvernement des factions.—La responsabilité n'est nulle part, et chaque faction dit:—Ce n'est pas moi!—

Et voyez l'Amérique!—Nous ne pouvons pas nous gouverner?—Exterminons-nous!

Quoi! un tel état serait le dernier mot de la sagesse humaine?—Non, Dieu a donné par la nature des choses des règles instinctives aux peuples comme aux individus.—Cette règle est l'unité de la volonté pour qu'elle soit obéie;—monarchie et république ont besoin de cette unité.

Unité permanente:—Monarchie! Unité temporaire:—République!

Peu importe, pourvu que le monde puisse se gouverner.

Le gouvernement, ce n'est pas seulement la forme, c'est la vie des nations.

Le gouvernement des factions ou le gouvernement des intrigues, c'est le gouvernement parlementaire!

Essayez-en cinquante fois.

Cinquante fois il vous trompe encore.

On ne varie pas le thème divin.

Le thème divin, c'est l'unité.

Voilà ce que disait plus éloquemment Balzac; je ne pouvais qu'applaudir à son discours, quoique alors j'eusse fait la république pour détruire le gouvernement parlementaire. Je sentais la force de ses considérations et je me taisais, plus convaincu que lui que Dieu seul gouvernait les hommes, et qu'il les gouvernait par l'unité.

XXIV.

On sentait dans ces paroles hardies et convaincues un grand fonds de foi dans l'éternelle sagesse, qui s'ajourne quelquefois, mais qui ne se dément jamais. «On ne voudrait pas m'entendre aujourd'hui, nous disait-il encore, mais le moment n'est pas loin où l'on m'entendra; car les nations se sauvent toujours et se perdent toujours, et quand elles veulent décidément se sauver elles remontent aux lois de Dieu! Ces lois de Dieu, c'est moi qui les sais, ajoutait Balzac; sous un régime ou sous un autre, vous reviendrez à la loi des lois, l'unité de volonté!»

Sa figure s'illuminait alors d'un éclat divin. On souriait, mais on l'écoutait, et on devait finir par le croire. Il avait péché dans sa jeunesse malheureuse contre les mœurs, mais jamais contre le bon sens et moins encore contre Dieu.

Il était religieux comme sa mère et sa sœur; la solitude et le bonheur le ramenaient à Dieu.—Lisons maintenant ce grand moraliste.

LAMARTINE.

(La suite au prochain entretien.)

CVIIᵉ ENTRETIEN.
BALZAC ET SES ŒUVRES.
(DEUXIÈME PARTIE.)

I.

Les trois caractères dominants du talent de Balzac sont la vérité, le pathétique et la moralité.

Il faut y ajouter l'invention dramatique, qui le rend en prose égal et souvent supérieur à Molière.

Je sais qu'à ce mot, un cri de scandale et de sacrilége va s'élever de toute la France; mais, sans rien enlever à l'auteur du *Misanthrope* de ce que la perfection de son vers ajoute à l'originalité de son talent, et en le proclamant, comme tout le monde, l'incomparable et l'inimitable, mon enthousiasme pour le grand comique du siècle de Louis XIV ne me rendra jamais injuste ni ingrat envers un autre homme inférieur en diction, égal, si ce n'est supérieur, en conception, incomparable aussi en fécondité: Balzac! Combien de fois, en le lisant et en déroulant avec lui les miraculeux et inépuisables méandres de son invention, ne me suis-je écrié tout bas: La France a deux Molières, le Molière en vers et le Molière en prose!

Je le dis, je le pense, ouvrons-le: c'est à lui de le prouver. Je commence par son chef-d'œuvre, *Eugénie Grandet*. Daignez me suivre.

II.

Eugénie Grandet est la peinture d'un vice, d'un vice froid, personnel, implacable, qui, sans présenter au dehors ces férocités dramatiques dont le scélérat passionne ses actes, lui fait commettre dans son intérieur ces cruautés lentes et silencieuses qui lui méritent à bon droit le titre de scélérat.

Tel est M. Grandet, le père d'Eugénie Grandet, qui, après sa femme, fait de sa fille unique sa première victime.

Balzac est avant tout le grand géographe des passions. Je ne sais quel instinct révélateur et observateur lui a appris que les lieux et les hommes se tiennent par des rapports secrets; que tel site est une idée, que telle muraille est un caractère, et que pour bien saisir un portrait il faut bien peindre un intérieur. Cette analogie et cette fidélité sont à ses romans ce que le paysage est aux grandes scènes du drame. Les imbéciles se plaignent de cette minutie apparente de descriptions, les hommes de haute et profonde intelligence l'admirent. Tout commence chez lui par ce *milieu* de ses personnages, préface de l'homme. C'est même là qu'il déploie le plus de verve. Voyez le début d'*Eugénie Grandet*.

Portrait de l'homme.—

Portrait du lieu.—

III.

«Il se trouve dans certaines villes de province des maisons dont la vue inspire une mélancolie égale à celle que provoquent les cloîtres les plus sombres, les landes les plus ternes ou les ruines les plus tristes. Peut-être y a-t-il à la fois dans ces maisons et le silence du cloître, et l'aridité des landes, et les ossements des ruines: la vie et le mouvement y sont si tranquilles qu'un étranger les croirait inhabitées, s'il ne rencontrait tout à coup le regard pâle et froid d'une personne immobile, dont la figure à demi monastique dépasse l'appui de la croisée au bruit d'un pas inconnu. Ces principes de mélancolie existent dans la physionomie d'un logis situé à Saumur, au bout de la rue montueuse qui mène au château, par le haut de la ville. Cette rue, maintenant peu fréquentée, chaude en été, froide en hiver, obscure en quelques endroits, est remarquable par la sonorité de son petit pavé caillouteux, toujours propre et sec, par l'étroitesse de sa voie tortueuse, par la paix de ses maisons, qui appartiennent à la vieille ville et que dominent les remparts. Des habitations trois fois séculaires y sont encore solides, quoique construites en bois, et leurs divers aspects contribuent à l'originalité qui recommande cette partie de Saumur à l'attention des antiquaires et des artistes. Il est difficile de passer devant ces maisons sans admirer les énormes madriers dont les bouts sont taillés en figures bizarres, et qui couronnent d'un bas-relief noir le rez-de-chaussée de la plupart d'entre elles. Ici, des pièces de bois transversales sont couvertes en ardoises, et dessinent des lignes bleues sur les frêles murailles d'un logis terminé par un toit en colombage que les ans ont fait plier, dont les bardeaux pourris ont été tordus par l'action alternative de la pluie et du soleil. Là se présentent des appuis de fenêtre usés, noircis, dont les délicates sculptures se voient à peine, et qui semblent trop légers pour le pot d'argile brune d'où s'élancent les œillets ou les rosiers d'une pauvre ouvrière. Plus loin, ce sont des portes garnies de clous énormes, où le génie de nos ancêtres a tracé des hiéroglyphes domestiques dont le sens ne se retrouvera jamais. Tantôt un protestant y a signé sa foi, tantôt un ligueur y a maudit Henri IV. Quelque bourgeois y a gravé les insignes de sa *noblesse de cloches*, la gloire de son échevinage oublié. L'histoire de France est là tout entière. À côté de la tremblante maison à pans hourdés où l'artisan a déifié son rabot, s'élève l'hôtel d'un gentilhomme, où sur le plein-cintre de la porte en pierre se voient encore quelques vestiges de ses armes, brisées par les diverses révolutions qui depuis 1789 ont agité le pays. Dans cette rue, les rez-de-chaussée commerçants ne sont ni des boutiques ni des magasins; les amis du moyen âge y retrouveraient l'*ouvrouère* de nos pères en toute sa naïve simplicité. Ces salles basses, qui n'ont ni devanture, ni montre, ni vitrages, sont profondes, obscures et sans ornements extérieurs ou intérieurs. Leur porte est ouverte en deux parties pleines, grossièrement ferrées, dont la supérieure se replie intérieurement, et dont l'inférieure, armée d'une sonnette à ressort, va et vient constamment. L'air et le jour arrivent à cette espèce d'antre humide, ou par le haut de la porte, ou par l'espace qui se trouve entre la voûte, le plancher et le petit mur à hauteur d'appui dans lequel s'encastrent de solides volets, ôtés le matin, remis et maintenus le soir avec des bandes de fer boulonnées. Ce mur sert à étaler les marchandises du négociant. Là, nul charlatanisme. Suivant la nature du commerce, les échantillons consistent en deux ou trois baquets pleins de sel et de morue, en quelques paquets de toile à voile, des cordages, du laiton pendu aux solives du plancher, des cercles le long des murs, ou quelques pièces de drap sur des rayons. Entrez. Une fille propre, pimpante de jeunesse, au blanc fichu, aux bras rouges, quitte son tricot, appelle son père ou sa mère qui vient et vous vend à vos souhaits, flegmatiquement, complaisamment, arrogamment, selon son caractère, soit pour deux sous, soit pour vingt mille francs de marchandise. Vous verrez un marchand de merrain assis à sa porte, et qui tourne ses pouces en causant avec un voisin: il ne possède en apparence que de mauvaises planches à bouteilles et deux ou trois paquets de lattes; mais sur le port son chantier plein fournit tous les tonneliers de l'Anjou; il sait, à une planche près, combien il *peut* de tonneaux si la récolte est bonne; un coup de soleil l'enrichit, un temps de pluie le ruine: en une seule matinée, les poinçons valent onze francs ou tombent à six livres. Dans ce pays, comme en Touraine, les vicissitudes de l'atmosphère dominent la vie commerciale. Vignerons, propriétaires, marchands de bois, tonneliers, aubergistes, mariniers, sont tous à l'affût d'un rayon de soleil; ils tremblent en se couchant le soir d'apprendre le lendemain matin qu'il a gelé pendant la nuit; ils redoutent la pluie, le vent, la sécheresse, et veulent de l'eau, du chaud, des nuages, à leur fantaisie. Il y a un duel constant entre le ciel et les intérêts terrestres. Le baromètre attriste, déride, égaye tour à tour les physionomies. D'un bout à l'autre de cette rue, l'ancienne grand'rue de Saumur, ces mots: «Voilà un temps d'or!» se chiffrent de porte en porte. Aussi chacun répond-il au voisin: «Il pleut des louis,» en sachant ce qu'un rayon de soleil, ce qu'une pluie opportune lui en apporte.

Le samedi, vers midi, dans la belle saison, vous n'obtiendrez pas pour un sou de marchandise chez ces braves industriels. Chacun a sa vigne, sa closerie, et va passer deux jours à la campagne. Là, tout étant prévu, l'achat, la vente, le profit, les commerçants se trouvent avoir dix heures sur douze à employer en joyeuses parties, en observations, commentaires, espionnages continuels. Une ménagère n'achète pas une perdrix sans que les voisins demandent au mari si elle était cuite à point. Une jeune fille ne met pas la tête à sa fenêtre sans y être vue par tous les groupes inoccupés. Là donc les consciences sont à jour, de même que ces maisons impénétrables, noires et silencieuses, n'ont point de mystères. La vie est presque toujours en plein air: chaque ménage s'assied à sa porte, y déjeune, y dîne, s'y dispute. Il ne passe personne dans la rue qui ne soit étudié. Aussi, jadis, quand un étranger arrivait dans une ville de province, était-il gaussé de porte en porte. De là les bons contes, de là le surnom de *copieux* donné aux habitants d'Angers, qui excellaient à ces railleries urbaines. Les anciens hôtels de la vieille ville sont situés en haut de cette rue jadis habitée par les gentilshommes du pays. La maison pleine de mélancolie où se sont accomplis les événements de cette histoire était précisément un de ces logis, restes vénérables d'un siècle où les choses et les hommes avaient ce caractère de simplicité que les mœurs françaises perdent de jour en jour. Après avoir suivi les détours de ce chemin pittoresque dont les moindres accidents réveillent des souvenirs et dont l'effet général tend à plonger dans une sorte de rêverie machinale, vous apercevez un renfoncement assez sombre, au centre duquel est cachée la porte de la maison à M. Grandet. Il est impossible de comprendre la valeur de cette expression provinciale sans donner la biographie de M. Grandet.

M. Grandet jouissait à Saumur d'une réputation dont les causes et les effets ne seront pas entièrement compris par les personnes qui n'ont point vécu en province. M. Grandet, encore nommé par certaines gens le père Grandet, mais le nombre de ces vieillards diminuait sensiblement, était en 1789 un maître tonnelier fort à son aise, sachant lire, écrire et compter. Dès que la République française mit en vente, dans l'arrondissement de Saumur, les biens du clergé, le tonnelier, alors âgé de quarante ans, venait d'épouser la fille d'un riche marchand de planches. Grandet alla, muni de sa fortune liquide et de la dot, muni de deux mille louis d'or, au district, où, moyennant deux cents doubles louis offerts par son beau-père au farouche républicain qui surveillait la vente des domaines nationaux, il eut pour un morceau de pain, légalement, sinon légitimement, les plus beaux vignobles de l'arrondissement, une vieille abbaye et quelques métairies. Les habitants de Saumur étant peu révolutionnaires, le père Grandet passa pour un homme hardi, un républicain, un patriote, pour un esprit qui donnait dans les nouvelles idées, tandis que le tonnelier donnait tout bonnement dans les vignes. Il fut nommé membre de l'administration du district de Saumur, et son influence pacifique s'y fit sentir politiquement et commercialement. Politiquement, il protégea les ci-devant et empêcha de tout son pouvoir la vente des biens des émigrés; commercialement, il fournit aux armées républicaines un ou deux milliers de pièces de vin blanc, et se fit payer en superbes prairies dépendant d'une communauté de femmes, que l'on avait réservées pour un dernier lot. Sous le Consulat, le bonhomme Grandet devint maire, administra sagement, vendangea mieux encore; sous l'Empire, il fut M. Grandet. Napoléon n'aimait pas les républicains: il remplaça M. Grandet, qui passait pour avoir porté le bonnet rouge, par un grand propriétaire, un homme à particule, un futur baron de l'Empire. M. Grandet quitta les honneurs municipaux sans aucun regret. Il avait fait faire, dans l'intérêt de la ville, d'excellents chemins qui menaient à ses propriétés. Sa maison et ses biens, très-avantageusement cadastrés, payaient des impôts modérés. Depuis le classement de ses différents clos, ses vignes, grâce à des soins constants, étaient devenues la tête du pays, mot technique en usage pour indiquer les vignobles qui produisent la première qualité de vin. Il aurait pu demander la croix de la Légion d'honneur. Cet événement eut lieu en 1806. M. Grandet avait alors cinquante-sept ans, et sa femme environ trente-six. Une fille unique, fruit de leurs légitimes amours, était âgée de dix ans. M. Grandet, que la Providence voulut sans doute consoler de sa disgrâce administrative, hérita successivement, pendant cette année, de Mme de La Gaudinière, née de La Bertellière, mère de Mme Grandet; puis du vieux M. La Bertellière, père de la défunte; et encore de Mme Gentillet, grand'mère du côté maternel: trois successions dont l'importance ne fut connue de personne. L'avarice de ces trois vieillards était si passionnée, que depuis longtemps ils entassaient leur argent pour pouvoir le contempler secrètement. Le vieux M. La Bertellière appelait un placement une prodigalité, trouvant de plus gros intérêts dans l'aspect de l'or que dans les bénéfices de l'usure. La ville de Saumur présuma donc la valeur des économies d'après les revenus des biens au soleil. M. Grandet obtint alors le nouveau titre de noblesse que notre manie d'égalité n'effacera jamais: il devint *le plus imposé* de l'arrondissement. Il exploitait cent arpents de vignes, qui, dans les années plantureuses, lui donnaient sept à huit cents poinçons de vin. Il possédait treize métairies, une vieille abbaye, où, par économie, il avait muré les croisées, les ogives, les vitraux, ce qui les conserva; et cent vingt-sept arpents de prairies, où croissaient et grossissaient trois mille peupliers plantés en 1793. Enfin, la maison dans laquelle il demeurait était la sienne. Ainsi établissait-on sa fortune visible. Quant à ses capitaux, deux seules personnes pouvaient vaguement en présumer l'importance: l'une était M. Cruchot, notaire chargé des placements usuraires de M. Grandet; l'autre, M. des Grassins, le plus riche banquier de Saumur, aux bénéfices duquel le vigneron participait à sa convenance et secrètement. Quoique le vieux Cruchot et M. des Grassins possédassent cette profonde discrétion qui engendre en province la confiance et la fortune, ils témoignaient publiquement à M. Grandet un si grand respect, que les observateurs pouvaient mesurer l'étendue des capitaux de l'ancien maire d'après la portée de l'obséquieuse considération dont il était l'objet. Il n'y avait dans Saumur personne qui ne fût persuadé que M. Grandet n'eût un trésor particulier, une cachette pleine de louis, et ne se donnât nuitamment les ineffables jouissances que procure la vue d'une grande masse d'or. Les avaricieux en avaient une sorte de certitude en voyant les yeux du bonhomme, auxquels le métal jaune semblait avoir communiqué ses teintes. Le regard d'un homme accoutumé à tirer de ses capitaux un intérêt énorme contracte nécessairement, comme celui du voluptueux, du joueur ou du courtisan, certaines habitudes indéfinissables, des mouvements furtifs, avides, mystérieux, qui n'échappent point à ses coreligionnaires. Ce langage secret forme en quelque sorte la franc-maçonnerie des passions. M. Grandet inspirait donc l'estime respectueuse à laquelle avait droit un homme qui ne devait jamais rien à personne, qui, vieux tonnelier, vieux vigneron, devinait avec la précision d'un astronome quand il fallait fabriquer pour sa récolte mille poinçons ou seulement cinq cents; qui ne manquait pas une seule spéculation, avait toujours des tonneaux à vendre alors que le tonneau valait plus cher que la denrée à recueillir, pouvait mettre sa vendange dans ses celliers et attendre le moment de livrer son poinçon à deux cents francs, quand les petits propriétaires donnaient le leur à cinq louis. Sa fameuse récolte de 1811, sagement serrée, lentement vendue, lui avait rapporté plus de deux cent quarante mille livres.

Financièrement parlant, M. Grandet tenait du tigre et du boa: il savait se coucher, se blottir, envisager longtemps sa proie, sauter dessus; puis il ouvrait la gueule de sa bourse, y engloutissait une charge d'écus, et se couchait tranquillement, comme le serpent qui digère, impassible, froid, méthodique. Personne ne le voyait passer sans éprouver un sentiment d'admiration mélangé de respect et de terreur. Chacun dans Saumur n'avait-il pas senti le déchirement poli de ses griffes d'acier? À celui-ci, maître Cruchot avait procuré l'argent nécessaire à l'achat d'un domaine, mais à onze pour cent; à celui-là, M. des Grassins avait escompté des traites, mais avec un effroyable prélèvement d'intérêts. Il s'écoulait peu de jours sans que le nom de M. Grandet fût prononcé, soit au marché, soit pendant les soirées dans les conversations de la ville. Pour quelques personnes, la fortune du vieux vigneron était l'objet d'un orgueil patriotique. Aussi plus d'un négociant, plus d'un aubergiste, disait-il aux étrangers avec un certain contentement: «Monsieur, nous avons ici deux ou trois maisons millionnaires; mais, quant à M. Grandet, il ne connaît pas lui-même sa fortune!» En 1816, les plus habiles calculateurs de Saumur estimaient les biens territoriaux du bonhomme à près de quatre millions; mais comme, terme moyen, il avait dû tirer par an, depuis 1793 jusqu'en 1817, cent mille francs de ses propriétés, il était présumable qu'il possédait en argent une somme presque égale à celle de ses biens-fonds. Aussi, lorsqu'après une partie de boston, ou quelque entretien sur les vignes, on venait à parler de M. Grandet, les gens capables disaient-ils: «Le père Grandet? le père Grandet doit avoir cinq ou six millions.—Vous êtes plus habile que je ne le suis, je n'ai jamais pu savoir le total,» répondaient M. Cruchot ou M. des Grassins, s'ils entendaient le propos. Quelque Parisien parlait-il des Rothschild ou de M. Laffitte, les gens de Saumur demandaient s'ils étaient aussi riches que M. Grandet. Si le Parisien leur jetait en souriant une dédaigneuse affirmation, ils se regardaient en hochant la tête d'un air d'incrédulité. Une si grande fortune couvrait d'un manteau d'or toutes les actions de cet homme. Si d'abord quelques particularités de sa vie donnèrent prise au ridicule et à la moquerie, la moquerie et le ridicule s'étaient usés. En ses moindres actes, M. Grandet avait pour lui l'autorité de la chose jugée. Sa parole, son vêtement, ses gestes, le clignement de ses yeux, faisaient loi dans le pays, où chacun, après l'avoir étudié comme un naturaliste étudie les effets de l'instinct chez les animaux, avait pu reconnaître la profonde et muette sagesse de ses plus légers mouvements. «L'hiver sera rude, disait-on, le père Grandet a mis ses gants fourrés: il faut vendanger.—Le père Grandet prend beaucoup de merrain, il y aura du vin cette année.» M. Grandet n'achetait jamais ni viande ni pain. Ses fermiers lui apportaient par semaine une provision suffisante de chapons, de poulets, d'œufs, de beurre et de blé de rente. Il possédait un moulin dont le locataire devait, en sus du bail, venir chercher une certaine quantité de grains et lui en rapporter le son et la farine. La grande Nanon, son unique servante, quoiqu'elle ne fût plus jeune, boulangeait elle-même tous les samedis le pain de la maison. M. Grandet s'était arrangé avec les maraîchers, ses locataires, pour qu'ils le fournissent de légumes. Quant aux fruits, il en récoltait une telle quantité qu'il en faisait vendre une grande partie au marché. Son bois de chauffage était coupé dans ses haies ou pris dans les vieilles *truisses* à moitié pourries qu'il enlevait au bord de ses champs, et ses fermiers le lui charroyaient en ville tout débité, le rangeaient par complaisance dans son bûcher, et recevaient ses remercîments. Ses seules dépenses connues étaient le pain bénit, la toilette de sa femme, celle de sa fille, et le payement de leurs chaises à l'église, la lumière, les gages de la grande Nanon, l'étamage de ses casseroles, l'acquittement des impositions, les réparations de ses bâtiments et les frais de ses exploitations. Il avait six cents arpents de bois récemment achetés qu'il faisait surveiller par le garde d'un voisin, auquel il promettait une indemnité. Depuis cette acquisition seulement, il mangeait du gibier. Les manières de cet homme étaient fort simples. Il parlait peu. Généralement il exprimait ses idées par de petites phrases sentencieuses et dites d'une voix douce.

Depuis la Révolution, époque à laquelle il attira les regards, le bonhomme bégayait d'une manière fatigante aussitôt qu'il avait à discourir longuement ou à soutenir une discussion. Ce bredouillement, l'incohérence de ses paroles, le flux de mots où il noyait sa pensée, son manque apparent de logique, attribués à un défaut d'éducation, étaient affectés, et seront suffisamment expliqués par quelques événements de cette histoire. D'ailleurs, quatre phrases, exactes autant que des formules algébriques, lui servaient habituellement à embrasser, à résoudre toutes les difficultés de la vie et du commerce: «Je ne sais pas, je ne puis pas, je ne veux pas, nous verrons cela.» Il ne disait jamais ni oui ni non, et n'écrivait point. Lui parlait-on? il écoutait froidement, se tenait le menton dans la main droite en appuyant son coude droit sur le revers de la main gauche, et se formait en toute affaire des opinions desquelles il ne revenait point. Il méditait longuement les moindres marchés. Quand, après une savante conversation, son adversaire lui avait livré le secret de ses prétentions en croyant le tenir, il lui répondait: «Je ne puis rien conclure sans avoir consulté ma femme.» Sa femme, qu'il avait réduite à un ilotisme complet, était en affaires son paravent le plus commode. Il n'allait jamais chez personne, ne voulait ni recevoir ni donner à dîner; il ne faisait jamais de bruit, et semblait économiser tout, même le mouvement. Il ne dérangeait rien chez les autres, par un respect constant de la propriété. Néanmoins, malgré la douceur de sa voix, malgré sa tenue circonspecte, le langage et les habitudes du tonnelier perçaient, surtout quand il était au logis, où il se contraignait moins que partout ailleurs. Au physique, Grandet était un homme de cinq pieds, trapu, carré, ayant des mollets de douze pouces de circonférence, des rotules noueuses et de larges épaules; son visage était rond, tanné, marqué de petite vérole; son menton était droit, ses lèvres n'offraient aucune sinuosité, et ses dents étaient blanches; ses yeux avaient l'expression calme et dévoratrice que le peuple accorde au basilic; son front, plein de rides transversales, ne manquait pas de protubérances significatives; ses cheveux jaunâtres et grisonnants étaient blanc et or, disaient quelques jeunes gens qui ne connaissaient pas la gravité d'une plaisanterie faite sur M. Grandet. Son nez, gros par le bout, supportait une loupe veinée, que le vulgaire disait, non sans raison, pleine de malice. Cette figure annonçait une finesse dangereuse, une probité sans chaleur, l'égoïsme d'un homme habitué à concentrer ses sentiments dans la jouissance de l'avarice et sur le seul être qui lui fût réellement de quelque chose, sa fille Eugénie, sa seule héritière. Attitude, manières, démarche, tout en lui, d'ailleurs, attestait cette croyance en soi que donne l'habitude d'avoir toujours réussi dans ses entreprises. Aussi, quoique de mœurs faciles et molles en apparence, M. Grandet avait-il un caractère de bronze. Toujours vêtu de la même manière, qui le voyait aujourd'hui le voyait tel qu'il était depuis 1791. Ses forts souliers se nouaient avec des cordons de cuir; il portait en tout temps des bas de laine drapés, une culotte courte de gros drap marron à boucles d'argent, un gilet de velours à raies alternativement jaunes et puce, boutonné carrément, un large habit marron à grands pans, une cravate noire et un chapeau de quaker. Ses gants, aussi solides que ceux des gendarmes, lui duraient vingt mois, et, pour les conserver propres, il les posait sur le bord de son chapeau à la même place, par un geste méthodique. Saumur ne savait rien de plus sur ce personnage.»

IV.

Voici maintenant la maison, le lieu du supplice,

«La maison à M. Grandet, cette maison pâle, froide, silencieuse, située en haut de la ville et abritée par les ruines des remparts. Les deux piliers et la voûte formant la baie de la porte avaient été, comme la maison, construits en tuffeau, pierre blanche particulière au littoral de la Loire, et si molle que sa durée moyenne est à peine de deux cents ans. Les trous inégaux et nombreux que les intempéries du climat y avaient bizarrement pratiqués donnaient au cintre et aux jambages de la baie l'apparence des pierres vermiculées de l'architecture française, et quelque ressemblance avec le porche d'une geôle. Au-dessus du cintre régnait un long bas-relief de pierre dure sculptée représentant les quatre saisons, figures déjà rongées et toutes noires. Ce bas-relief était surmonté d'une plinthe saillante, sur laquelle s'élevaient plusieurs de ces végétations dues au hasard, des pariétaires jaunes, des liserons, des convolvulus, du plantain et un petit cerisier assez haut déjà. La porte, en chêne massif, brune, desséchée, fendue de toutes parts, frêle en apparence, était solidement maintenue par le système de ses boulons, qui figuraient des dessins symétriques. Une grille carrée, petite, mais à barreaux serrés et rouges de rouille, occupait le milieu de la porte bâtarde et servait, pour ainsi dire, de motif à un marteau qui s'y rattachait par un anneau et frappait sur la tête grimaçante d'un maître clou. Ce marteau, de forme oblongue et du genre de ceux que nos ancêtres nommaient jaquemart, ressemblait à un gros point d'admiration; en l'examinant avec attention, un antiquaire y aurait retrouvé quelques indices de la figure essentiellement bouffonne qu'il représentait jadis, et qu'un long usage avait effacée. Par la petite grille, destinée à reconnaître les amis au temps des guerres civiles, les curieux pouvaient apercevoir, au fond d'une voûte obscure et verdâtre, quelques marches dégradées par lesquelles on montait dans un jardin que bornaient pittoresquement des murs épais, humides, pleins de suintements et de touffes d'arbustes malingres. Ces murs étaient ceux du rempart, sur lequel s'élevaient les jardins de quelques maisons voisines. Au rez-de-chaussée de la maison, la pièce la plus considérable était une *salle* dont l'entrée se trouvait sous la voûte de la porte cochère. Peu de personnes connaissent l'importance d'une salle dans les petites villes de l'Anjou, de la Touraine et du Berry. La salle est à la fois l'antichambre, le salon, le cabinet, le boudoir, la salle à manger; elle est le théâtre de la vie domestique, le foyer commun; là le coiffeur du quartier venait couper deux fois l'an les cheveux de M. Grandet; là entraient les fermiers, le curé, le sous-préfet, le garçon meunier. Cette pièce, dont les deux croisées donnaient sur la rue, était planchéiée; des panneaux gris, à moulures antiques, la boisaient de haut en bas; son plafond se composait de poutres apparentes, également peintes en gris, dont les entre-deux étaient remplis de blanc en bourre qui avait jauni. Un vieux cartel de cuivre, incrusté d'arabesques en écaille, ornait le manteau de la cheminée en pierre blanche, mal sculpté, sur lequel était une glace verdâtre, dont les côtés, coupés en biseau pour en montrer l'épaisseur, reflétaient un filet de lumière le long d'un trumeau gothique en acier damasquiné. Les deux girandoles de cuivre doré qui décoraient chacun des coins de la cheminée étaient à deux fins: en enlevant les roses qui leur servaient de bobèches, et dont la maîtresse branche s'adaptait au piédestal de marbre bleuâtre agencé de vieux cuivre, ce piédestal formait un chandelier pour les petits jours. Les siéges, de forme antique, étaient garnis en tapisseries représentant les fables de la Fontaine; mais il fallait le savoir pour en reconnaître les sujets, tant les couleurs passées et les figures criblées de reprises se voyaient difficilement. Aux quatre angles de cette salle se trouvaient des encoignures, espèces de buffets terminés par de crasseuses étagères. Une vieille table à jouer en marqueterie, dont le dessus faisait échiquier, était placée dans le tableau qui séparait les deux fenêtres. Au-dessus de cette table, il y avait un baromètre ovale, à bordure noire, enjolivé par des rubans de bois doré, où les mouches avaient si licencieusement folâtré que la dorure en était un problème. Sur la paroi opposée à la cheminée, deux portraits au pastel étaient censés représenter l'aïeul de Mme Grandet, le vieux M. de La Bertellière, en lieutenant des gardes françaises, et défunte Mme Gentillet, en bergère. Aux deux fenêtres étaient drapés des rideaux en gros de Tours rouge, relevés par des cordons de soie à glands d'église. Cette luxueuse décoration, si peu en harmonie avec les habitudes de Grandet, avait été comprise dans l'achat de la maison, ainsi que le trumeau, le cartel, le meuble en tapisserie et les encoignures en bois de rose. Dans la croisée la plus rapprochée de la porte, se trouvait une chaise de paille dont les pieds étaient montés sur des patins, afin d'élever Mme Grandet à une hauteur qui lui permît de voir les passants.

Une travailleuse en bois de merisier déteint remplissait l'embrasure, et le petit fauteuil d'Eugénie Grandet était placé tout auprès. Depuis quinze ans, toutes les journées de la mère et de la fille s'étaient paisiblement écoulées à cette place, dans un travail constant, à compter du mois d'avril jusqu'au mois de novembre. Le premier de ce dernier mois, elles pouvaient prendre leur station d'hiver à la cheminée. Ce jour-là seulement Grandet permettait qu'on allumât le feu dans la salle, et il le faisait éteindre le trente et un mars, sans avoir égard ni aux premiers froids du printemps ni à ceux de l'automne.

Une chaufferette, entretenue avec la braise provenant du feu de la cuisine, que la grande Nanon leur réservait en usant d'adresse, aidait Mme et Melle Grandet à passer les matinées ou les soirées les plus fraîches des mois d'avril et d'octobre. La mère et la fille entretenaient tout le linge de la maison, et employaient si consciencieusement leurs journées à ce véritable labeur d'ouvrière, que, si Eugénie voulait broder une collerette à sa mère, elle était forcée de prendre sur ses heures de sommeil en trompant son père pour avoir de la lumière. Depuis longtemps l'avare distribuait la chandelle à sa fille et à la grande Nanon, de même qu'il distribuait dès le matin le pain et les denrées nécessaires à la consommation journalière.

La grande Nanon était peut-être la seule créature humaine capable d'accepter le despotisme de son maître. Toute la ville l'enviait à M. et à Mme Grandet. La grande Nanon, ainsi nommée à cause de sa taille haute de cinq pieds huit pouces, appartenait à Grandet depuis trente-cinq ans. Quoiqu'elle n'eût que soixante livres de gages, elle passait pour une des plus riches servantes de Saumur. Ces soixante livres, accumulées depuis trente-cinq ans, lui avaient permis de placer récemment quatre mille livres en viager chez maître Cruchot. Ce résultat des longues et persistantes économies de la grande Nanon parut gigantesque. Chaque servante, voyant à la pauvre sexagénaire du pain pour ses vieux jours, était jalouse d'elle, sans penser au dur servage par lequel il avait été acquis. À l'âge de vingt-deux ans, la pauvre fille n'avait pu se placer chez personne, tant sa figure semblait repoussante; et certes ce sentiment était bien injuste: sa figure eût été fort admirée sur les épaules d'un grenadier de la garde; mais en tout il faut, dit-on, l'à-propos. Forcée de quitter une ferme incendiée où elle gardait les vaches, elle vint à Saumur, où elle chercha du service, animée de ce robuste courage qui ne se refuse à rien. Le père Grandet pensait alors à se marier, et voulait déjà monter son ménage. Il avisa cette fille rebutée de porte en porte. Juge de la force corporelle en sa qualité de tonnelier, il devina le parti qu'on pouvait tirer d'une créature femelle taillée en Hercule, plantée sur ses pieds comme un chêne de soixante ans sur ses racines, forte des hanches, carrée du dos, ayant des mains de charretier et une probité vigoureuse comme l'était son intacte vertu. Ni les verrues qui ornaient ce visage martial, ni le teint de brique, ni les bras nerveux, ni les haillons de la Nanon n'épouvantèrent le tonnelier, qui se trouvait encore dans l'âge où le cœur tressaille. Il vêtit alors, chaussa, nourrit la pauvre fille, lui donna des gages, et l'employa sans trop la rudoyer. En se voyant ainsi accueillie, la grande Nanon pleura secrètement de joie, et s'attacha sincèrement au tonnelier, qui d'ailleurs l'exploita féodalement. Nanon faisait tout: elle faisait la cuisine, elle faisait les buées, elle allait laver le linge à la Loire, le rapportait sur ses épaules; elle se levait au jour, se couchait tard; faisait à manger à tous les vendangeurs pendant les récoltes, surveillait les halleboteurs; défendait, comme un chien fidèle, le bien de son maître; enfin, pleine d'une confiance aveugle en lui, elle obéissait sans murmure à ses fantaisies les plus saugrenues. Lors de la fameuse année 1811, dont la récolte coûta des peines inouïes, après vingt ans de service, Grandet résolut de donner sa vieille montre à Nanon, seul présent qu'elle reçut jamais de lui. Quoiqu'il lui abandonnât ses vieux souliers (elle pouvait les mettre), il est impossible de considérer le profit trimestriel des souliers de Grandet comme un cadeau, tant ils étaient usés. La nécessité rendit cette pauvre fille si avare que Grandet avait fini par l'aimer comme on aime un chien, et Nanon s'était laissé mettre au cou un collier garni de pointes dont les piqûres ne la piquaient plus. Si Grandet coupait le pain avec un peu trop de parcimonie, elle ne s'en plaignait pas; elle participait gaiement aux profits hygiéniques que procurait le régime sévère de la maison, où jamais personne n'était malade. Puis la Nanon faisait partie de la famille: elle riait quand riait Grandet, s'attristait, gelait, se chauffait, travaillait avec lui. Combien de douces compensations dans cette égalité! Jamais le maître n'avait reproché à la servante ni l'alberge ou la pêche de vigne, ni les prunes ou les brugnons mangés sous l'arbre. «Allons, régale-toi, Nanon,» lui disait-il dans les années où les branches pliaient sous les fruits que les fermiers étaient obligés de donner aux cochons. Pour une fille des champs qui dans sa jeunesse n'avait récolté que de mauvais traitements, pour une pauvresse recueillie par charité, le rire équivoque du père Grandet était un vrai rayon de soleil. D'ailleurs le cœur simple, la tête étroite de Nanon ne pouvait contenir qu'un sentiment et une idée. Depuis trente-cinq ans, elle se voyait toujours arrivant devant le chantier du père Grandet, pieds nus, en haillons, et entendait toujours le tonnelier lui disant: «Que voulez-vous, ma mignonne?» Et sa reconnaissance était toujours jeune. Quelquefois Grandet, songeant que cette pauvre créature n'avait jamais entendu le moindre mot flatteur, qu'elle ignorait tous les sentiments doux que la femme inspire, et pouvait comparaître un jour devant Dieu, plus chaste que ne l'était la vierge Marie elle-même, Grandet, saisi de pitié, disait en la regardant: «Cette pauvre Nanon!» Son exclamation était toujours suivie d'un regard indéfinissable que lui jetait la vieille servante. Ce mot, dit de temps à autre, formait depuis longtemps une chaîne d'amitié non interrompue, et à laquelle chaque exclamation ajoutait un chaînon. Cette pitié, placée au cœur de Grandet et prise tout en gré pour la vieille fille, avait je ne sais quoi d'horrible. Cette atroce pitié d'avare, qui réveillait mille plaisirs au cœur du vieux tonnelier, était pour Nanon sa somme de bonheur. Qui ne dira pas aussi: «Pauvre Nanon!» Dieu reconnaîtra ses anges aux inflexions de leur voix et de leurs mystérieux regrets. Il y avait dans Saumur une grande quantité de ménages où les domestiques étaient mieux traités, mais où les maîtres n'en recevaient néanmoins aucun contentement. De là cette autre phrase: «Qu'est-ce que les Grandet font donc à leur grande Nanon pour qu'elle leur soit si attachée? Elle passerait dans le feu pour eux!» Sa cuisine, dont les fenêtres grillées donnaient dans la cour, était toujours propre, nette, froide, véritable cuisine d'avare, où rien ne devait se perdre. Quand Nanon avait lavé sa vaisselle, serré les restes du dîner, éteint son feu, elle quittait sa cuisine, séparée de la salle par un couloir, et venait filer du chanvre auprès de ses maîtres. Une seule chandelle suffisait à la famille pour la soirée. La servante couchait au fond de ce couloir, dans un bouge éclairé par un jour de souffrance. Sa robuste santé lui permettait d'habiter impunément cette espèce de trou, d'où elle pouvait entendre le moindre bruit par le silence profond qui régnait nuit et jour dans la maison. Elle devait, comme un dogue chargé de la police, ne dormir que d'une oreille et se reposer en veillant.»

V.

Le jour de la fête de sa fille Eugénie, les amis de Grandet se réunissaient pour lui apporter des vœux et des fleurs, et aussi pour se mettre sur les rangs afin de prendre date pour leurs enfants comme candidats à la main de sa fille.»

VI.

À ce moment on sonne à la porte, c'est un de ses neveux, beau jeune homme de Paris, son neveu, fils de son frère Victor Grandet, qui vient, sur le conseil de son père, passer quelques jours avec lui.

«M. Charles Grandet, beau jeune homme de vingt-deux ans, produisait en ce moment un singulier contraste avec les bons provinciaux que déjà ses manières aristocratiques révoltaient passablement, et que tous étudiaient pour se moquer de lui. Ceci veut une explication. À vingt-deux ans, les jeunes gens sont encore assez voisins de l'enfance pour se laisser aller à des enfantillages. Aussi, peut-être, sur cent d'entre eux, s'en rencontrerait-il bien quatre-vingt-dix-neuf qui se seraient conduits comme se conduisait Charles Grandet. Quelques jours avant cette soirée, son père lui avait dit d'aller pour quelques mois chez son frère de Saumur. Peut-être M. Grandet de Paris pensait-il à Eugénie. Charles, qui tombait en province pour la première fois, eut la pensée d'y paraître avec supériorité. Une cargaison de futilités parisiennes aussi complète qu'il était possible de la faire, et où, depuis la cravache qui sert à commencer un duel jusqu'aux beaux pistolets ciselés qui le terminent, se trouvaient tous les instruments aratoires dont se sert un jeune oisif pour labourer la vie. Son père lui ayant dit de voyager seul et modestement, il était venu dans le coupé de la diligence retenu pour lui seul, assez content de ne pas gâter une délicieuse voiture de voyage commandée pour aller au-devant de son Annette, la grande dame que.... etc., et qu'il devait rejoindre en juin prochain aux eaux de Baden. Charles comptait rencontrer cent personnes chez son oncle, chasser à courre dans les forêts de son oncle, y vivre enfin de la vie de château; il ne savait pas le trouver à Saumur, où il ne s'était informé de lui que pour demander le chemin de Froidfond; mais, en le sachant en ville, il crut l'y voir dans un grand hôtel.

Afin de débuter convenablement chez son oncle, soit à Saumur, soit à Froidfond, il avait fait la toilette de voyage la plus coquette, la plus simplement recherchée, la plus adorable, pour employer le mot qui, dans ce temps, résumait les perfections spéciales d'une chose ou d'un homme. À Tours, un coiffeur venait de lui refriser ses beaux cheveux châtains; il y avait changé de linge et mis une cravate de satin noir combinée avec un col rond, de manière à encadrer agréablement sa blanche et rieuse figure. Une redingote de voyage à demi boutonnée lui pinçait la taille et laissait voir un gilet de cachemire à châle sous lequel était un second gilet blanc. Sa montre, négligemment abandonnée au hasard dans une poche, se rattachait par une courte chaîne d'or à l'une des boutonnières. Son pantalon gris se boutonnait sur les côtés, où des dessins brodés en soie noire enjolivaient les coutures. Il maniait agréablement une canne dont la pomme d'or sculptée n'altérait point la fraîcheur de ses gants gris. Enfin, sa casquette était d'un goût excellent. Un Parisien, un Parisien de la sphère la plus élevée, pouvait seul s'agencer ainsi sans paraître ridicule, et donner une harmonie de fatuité à toutes ces niaiseries, que soutenait d'ailleurs un air brave, l'air d'un jeune homme qui a de beaux pistolets, le coup sûr et Annette.»

VII.

La vue inattendue de ce beau jeune homme, son cousin, contraste avec la vieille et vulgaire société de son père; elle inspire à la jeune personne un sentiment qui n'est pas encore de l'amour, mais qui anime l'indifférence. Elle invente, avec sa mère et Nanon, tous les moyens de déguiser la parcimonie de son père et la nudité de la maison. Ce sont là de ces jeux de comédie domestique trouvés par un sentiment naïf et touchant qui intéressent vivement le lecteur.

Mais, le soir, un événement tragique vint compliquer la situation et développer admirablement le caractère du père Grandet. Pendant que ses amis sont là, il reçoit une lettre de son frère de Paris, qui lui apprend qu'il a fait faillite et qu'il va se tuer; il lui recommande sa femme et son fils.

Cette lettre arracherait des larmes à un rocher: le père Grandet la lit tout bas sans donner aucun signe d'émotion. Il replie le papier sous le même pli et le met dans sa poche, puis il attend que la société prenne congé. Il conduit son neveu dans sa chambre. Il revient après cela raconter à sa femme et à sa fille le malheur du jeune cousin. Le lendemain, il l'informe froidement lui-même et le laisse dans le désespoir et dans les larmes; puis il va tranquillement acheter des prairies sur la Loire, et fait le compte minutieux de ce qu'il gagnera en plantant des peupliers sur le bord de la rivière et en les faisant croître aux frais du gouvernement; il rentre, heureux d'un marché qui lui assure un énorme bénéfice.

Pendant ce temps-là, sa fille Eugénie descend au jardin et rêve à la fois d'amour et de pitié pour le jeune homme enfermé dans sa douleur. La description de ce sauvage jardin est digne de *Paul et Virginie*.

«Dans la vie chaste et monotone des jeunes filles, il vient une heure délicieuse où le soleil pur épanche ses rayons dans l'âme, où la fleur exprime ses pensées, où les palpitations du cœur communiquent au cerveau leur chaude fécondance, et fondent les idées en un vague désir; jour d'innocente mélancolie et de suaves joyeusetés. Quand les enfants commencent à voir, ils sourient; quand une fille entrevoit le sentiment dans la nature, elle sourit comme elle souriait enfant. Si la lumière est le premier amour de la vie, l'amour n'est-il pas la lumière du cœur? Le moment de voir clair aux choses d'ici-bas était arrivé pour Eugénie. Matinale comme toutes les filles de province, elle se leva de bonne heure, fit sa prière, et commença l'œuvre de sa toilette, occupation qui désormais allait avoir un sens. Elle lissa d'abord ses cheveux châtains, tordit leurs grosses nattes au-dessus de sa tête avec le plus grand soin, en évitant que les cheveux ne s'échappassent de leurs tresses, et introduisit dans sa coiffure une symétrie qui rehaussa la timide candeur de son visage, en accordant la simplicité des accessoires à la naïveté des lignes. En se lavant plusieurs fois les mains dans de l'eau pure qui lui durcissait et rougissait la peau, elle regarda ses beaux bras ronds, et se demanda ce que faisait son cousin pour avoir les mains si mollement blanches, les ongles si bien façonnés. Elle mit des bas neufs et ses plus jolis souliers. Elle se laça droit, sans passer d'œillets. Enfin, souhaitant, pour la première fois de sa vie, de paraître à son avantage, elle connut le bonheur d'avoir une robe fraîche, bien faite, et qui la rendait attrayante. Quand sa toilette fut achevée, elle entendit sonner l'horloge de la paroisse, et s'étonna de ne compter que sept heures. Le désir d'avoir tout le temps nécessaire pour se bien habiller l'avait fait lever trop tôt. Ignorant l'art de remanier dix fois une boucle de cheveux et d'en étudier l'effet, Eugénie se croisa tout bonnement les bras, s'assit à sa fenêtre, contempla la cour, le jardin étroit et les hautes terrasses qui le dominaient; vue mélancolique, bornée, mais qui n'était pas dépourvue des mystérieuses beautés particulières aux endroits solitaires ou à la nature inculte. Auprès de la cuisine se trouvait un puits entouré d'une margelle, et à poulie maintenue dans une branche de fer courbée, qu'embrassait une vigne aux pampres flétris, rougis, brouis par la saison. De là, le tortueux sarment gagnait le mur, s'y attachait, courait le long de la maison, et finissait sur un bûcher où le bois était rangé avec autant d'exactitude que peuvent l'être les livres d'un bibliophile. Le pavé de la cour offrait ces teintes noirâtres produites avec le temps par les mousses, par les herbes, par le défaut de mouvement. Les murs épais présentaient leur chemise verte, ondée de longues traces brunes. Enfin les huit marches qui régnaient au fond de la cour et menaient à la porte du jardin étaient disjointes et ensevelies sous de hautes plantes comme le tombeau d'un chevalier enterré par sa veuve au temps des croisades. Au-dessus d'une assise de pierres toutes rongées s'élevait une grille de bois pourri, à moitié tombée de vétusté, mais à laquelle se mariaient à leur gré des plantes grimpantes. De chaque côté de la porte à claire-voie s'avançaient les rameaux tortus de deux pommiers rabougris. Trois allées parallèles, sablées et séparées par des carrés dont les terres étaient maintenues au moyen d'une bordure en buis, composait ce jardin que terminait, au bas de la terrasse, un couvert de tilleuls. À un bout, des framboisiers; à l'autre, un immense noyer qui inclinait ses branches jusque sur le cabinet du tonnelier. Un jour pur et le beau soleil des automnes naturels aux rives de la Loire commençaient à dissiper le glacis imprimé par la nuit aux pittoresques objets, aux murs, aux plantes qui meublaient ce jardin et la cour. Eugénie trouva des charmes tout nouveaux dans l'aspect de ces choses, auparavant si ordinaires pour elle. Mille pensées confuses naissaient dans son âme et y croissaient à mesure que croissaient au dehors les rayons du soleil. Elle eut enfin ce mouvement de plaisir vague, inexplicable, qui enveloppe l'être moral, comme un nuage envelopperait l'être physique. Ses réflexions s'accordaient avec les détails de ce singulier paysage, et les harmonies de son cœur firent alliance avec les harmonies de la nature. Quand le soleil atteignit un pan de mur, d'où tombaient des cheveux de Vénus aux feuilles épaisses à couleurs changeantes comme la gorge des pigeons, de célestes rayons d'espérance illuminèrent l'avenir pour Eugénie, qui désormais se plut à regarder ce pan de mur, ses fleurs pâles, ses clochettes bleues et ces herbes fanées, auxquelles se mêla un souvenir gracieux comme ceux de l'enfance. Le bruit que chaque feuille produisait dans cette cour sonore, en se détachant de son rameau, donnait une réponse aux secrètes interrogations de la jeune fille, qui serait restée là pendant toute la journée sans s'apercevoir de la fuite des heures. Puis vinrent de tumultueux mouvements d'âme. Elle se leva fréquemment, se mit devant son miroir, et s'y regarda comme un auteur de bonne foi contemple son œuvre pour se critiquer et se dire des injures à lui-même.

«Je ne suis pas assez belle pour lui.» Telle était la pensée d'Eugénie, pensée humble et fertile en souffrances. La pauvre fille ne se rendait pas justice; mais la modestie, ou mieux la crainte, est une des premières vertus de l'amour. Eugénie appartenait bien à ce type d'enfants fortement constitués, comme ils le sont dans la petite bourgeoisie, et dont les beautés paraissent vulgaires; mais, si elle ressemblait à Vénus de Milo, ses formes étaient ennoblies par cette suavité du sentiment chrétien, qui purifie la femme et lui donne une distinction inconnue aux sculpteurs anciens.

Elle avait une tête énorme, le front masculin, mais délicat, du Jupiter de Phidias, et des yeux gris auxquels sa chaste vie, en s'y portant tout entière, imprimait une lumière jaillissante. Les traits de son visage rond, jadis frais et rose, avaient été grossis par une petite vérole assez clémente pour n'y point laisser de traces, mais qui avait détruit le velouté de la peau, néanmoins si douce et si fine encore que le pur baiser de sa mère y traçait passagèrement une marque rouge. Son nez était un peu trop fort, mais il s'harmoniait avec une bouche d'un rouge de minium, dont les lèvres à mille raies étaient pleines d'amour et de bonté. Le col avait une rondeur parfaite. Le corsage bombé, soigneusement voilé, attirait le regard et faisait rêver; il manquait sans doute un peu de la grâce due à la toilette; mais, pour les connaisseurs, la non-flexibilité de cette haute taille devait être un charme. Eugénie, grande et forte, n'avait donc rien du joli qui plaît aux masses; mais elle était belle de cette beauté si facile à reconnaître, et dont s'éprennent seulement les artistes. Le peintre qui cherche ici-bas un type à la céleste pureté de Marie, qui demande à toute la nature féminine ces yeux modestement fiers devinés par Raphaël, ces lignes vierges, souvent dues aux hasards de la conception, mais qu'une vie chrétienne et pudique peut seule conserver ou faire acquérir; ce peintre, amoureux d'un si rare modèle, eût trouvé tout à coup dans le visage d'Eugénie la noblesse innée qui s'ignore; il eût vu sous un front calme un monde d'amour, et, dans la coupe des yeux, dans l'habitude des paupières, le je ne sais quoi divin. Ses traits, les contours de sa tête, que l'expression du plaisir n'avait jamais ni altérés ni fatigués, ressemblaient aux lignes d'horizon si doucement tranchées dans le lointain des lacs tranquilles. Cette physionomie calme, colorée, bordée de lueur comme une jolie fleur éclose, reposait l'âme, communiquait le charme de la conscience qui s'y reflétait, et commandait le regard. Eugénie était encore sur la rive de la vie où fleurissent les illusions enfantines, où se cueillent les marguerites avec des délices plus tard inconnues. Aussi se dit-elle en se mirant, sans savoir encore ce qu'était l'amour: «Je suis trop laide, il ne fera pas attention à moi.»

Puis elle ouvrit la porte de sa chambre qui donnait sur l'escalier, et tendit le cou pour écouter les bruits de la maison. «Il ne se lève pas,» pensa-t-elle en entendant la tousserie matinale de Nanon, et la bonne fille allant, venant, balayant la salle, allumant son feu, enchaînant le chien et parlant à ses bêtes dans l'écurie.

Aussitôt Eugénie descendit, et courut à Nanon qui trayait la vache.

«Nanon, ma bonne Nanon, fais donc de la crème pour le café de mon cousin.

—Mais, mademoiselle, il aurait fallu s'y prendre hier, dit Nanon, qui partit d'un gros éclat de rire. Je ne peux pas faire de la crème. Votre cousin est mignon, mignon, mais vraiment mignon. Vous ne l'avez pas vu dans sa chambrelouque de soie et d'or. Je l'ai vu, moi. Il porte du linge fin comme celui du surplis de M. le curé.

—Nanon, fais-nous donc de la galette.

—Et qui me donnera du bois pour le four, et de la farine, et du beurre? dit Nanon, laquelle, en sa qualité de premier ministre de Grandet, prenait parfois une importance énorme aux yeux d'Eugénie et de sa mère. Faut-il pas le voler, cet homme, pour fêter votre cousin? Demandez-lui du beurre, de la farine, du bois; il est votre père, il peut vous en donner. Tenez, le voilà qui descend pour voir aux provisions...»

Eugénie se sauva dans le jardin, tout épouvantée en entendant trembler l'escalier sous le pas de son père. Elle éprouvait déjà les effets de cette profonde pudeur et de cette conscience particulière de notre bonheur qui nous fait croire, non sans raison peut-être, que nos pensées sont gravées sur notre front et sautent aux yeux d'autrui. En s'apercevant enfin du froid dénûment de la maison paternelle, la pauvre fille concevait une sorte de dépit de ne pouvoir la mettre en harmonie avec l'élégance de son cousin. Elle éprouva un besoin passionné de faire quelque chose pour lui: quoi? elle n'en savait rien. Naïve et vraie, elle se laissait aller à sa nature angélique sans se défier ni de ses impressions ni de ses sentiments. Le seul aspect de son cousin avait éveillé chez elle les penchants naturels de la femme, et ils durent se déployer d'autant plus vivement qu'ayant atteint sa vingt-troisième année, elle se trouvait dans la plénitude de son intelligence et de ses désirs. Pour la première fois, elle eut dans le cœur de la terreur à l'aspect de son père, vit en lui le maître de son sort, et se crut coupable d'une faute en lui taisant quelques pensées. Elle se mit à marcher à pas précipités, en s'étonnant de respirer un air plus pur, de sentir les rayons du soleil plus vivifiants, et d'y puiser une chaleur morale, une vie nouvelle. Pendant qu'elle cherchait un artifice pour obtenir la galette, il s'élevait entre la grande Nanon et Grandet une de ces querelles aussi rares entre eux que le sont les hirondelles en hiver. Muni de ses clefs, le bonhomme était venu pour mesurer les vivres nécessaires à la consommation de la journée.

«Reste-t-il du pain d'hier?» dit-il à Nanon.

Grandet sort et vend pour 200,000 francs de ses vins en se promenant sur la place devant le café; et les deux femmes vont par pitié et les pieds nus écouter à la porte du cousin les gémissements de sa douleur. Eugénie s'enhardit à entrer à un de ses sanglots; elle le voit dans son désespoir et se retire plus attendrie que jamais.

«Que fait-il? dit Grandet à la servante Nanon.

—Il dort.

—Tant mieux, il n'a pas besoin de bougie.»

Il veut profiter de l'occasion pour un double coup d'avare. Il fait venir un de ses confidents de Saumur, le charge d'aller à Paris négocier un accommodement avec les créanciers de son frère mort. Il lui donne 500,000 francs pour les désintéresser; mais, pour gagner plus encore sur cette opération, il rassemble tout son or cerclé en barils, et va dans la nuit les changer en effets à Nantes, de façon à bénéficier encore 40,000 francs sur le prix de l'or. Puis, la rente sur l'État étant à 90 alors, il place un million sur la rente, revenu net sans impôts, et le confie le matin à son fondé de pouvoirs.

L'amour naissant continuait à éclore; le matin, le neveu et la cousine causaient ensemble dans le petit jardin, à l'ombre du noyer. Ils avaient échangé en secret un somptueux nécessaire de voyage qui lui venait de sa mère contre des pièces d'or rares recueillies par le père Grandet, et dont il faisait de temps en temps cadeau à sa fille pour les lui redemander quand il voulait les contempler ou en jouir. C'était une grande imprudence à Eugénie.—C'est ainsi que l'amour naissait. «N'y a-t-il pas, dit Balzac, de gracieuses similitudes entre les commencements de l'amour et ceux de la vie, et ne berce-t-on pas l'enfant par de doux chants et d'aimables regards? Ne lui dit-on pas de merveilleuses histoires qui lui dorent l'avenir? Pour lui, l'espérance ne déploie-t-elle pas incessamment ses ailes radieuses? Ne verse-t-il pas tour à tour des larmes de joie et de douleur? Ne se querelle-t-il pas pour des riens, pour des cailloux avec lesquels il essaye de se bâtir un mobile palais, pour des bouquets aussitôt oubliés que coupés? N'est-il pas avide de saisir le temps, d'avancer dans la vie? L'amour est notre seconde transformation. L'enfance et l'amour furent même chose entre Eugénie et Charles: ce fut la passion première avec tous ses enfantillages, d'autant plus caressants pour leurs cœurs qu'ils étaient enveloppés de mélancolie. En se débattant, à sa naissance, sous les crêpes du deuil, cet amour n'en était d'ailleurs que mieux en harmonie avec la simplicité provinciale de cette maison en ruine. En échangeant quelques mots avec sa cousine au bord du puits, dans cette cour muette; en restant dans ce jardinet, assis sur un banc moussu jusqu'à l'heure où le soleil se couchait, occupés à se dire de grands riens ou recueillis dans le calme qui régnait entre le rempart et la maison, comme on l'est sous les arcades d'une église, Charles comprit la sainteté de l'amour.»

VIII.

Le père Grandet s'était décidé à payer le voyage de son neveu pour les Indes jusqu'à l'embarquement à Nantes. Le neveu, de son côté, avait écrit à Paris de vendre tous ses objets personnels; il en avait reçu un peu d'argent; il montra de plus à son oncle des bijoux. L'oncle lui proposa d'aller les vendre pour lui dans la ville, en retenant un certain bénéfice. Charles, son neveu, donna en souvenirs quelques petits bijoux à sa tante, à son oncle et à sa cousine. Il donna à Eugénie et il en reçut le premier baiser furtif, dans le couloir, entre deux portes: «Chère Eugénie, lui murmura-t-il, un cousin est mieux qu'un frère, il peut t'épouser!

—Ainsi soit-il,» dit Nanon.

Enfin ils se jurèrent mariage et éternel amour au moment où Charles lui remit sa cassette en secret.

Charles partit. Tout était en larmes.

—Bon voyage! s'écria l'oncle délivré du fardeau des convenances.

IX.

L'oncle révisa sa fortune. Il obtint aisément le désistement des créanciers de son frère à 47 pour 100. Sa richesse à lui s'élevait alors à une inscription de cent mille livres de rente à Paris, deux millions quatre cent mille francs en or; la terre de Froidfond et tous ses biens autour de Saumur: le tout approchant de dix-sept millions. Sa parcimonie et ses ruses ne faisaient que croître. Eugénie, pendant ce temps-là, priait pour Charles.

Cependant le jour de l'épreuve était arrivé; une angoisse terrible pesait sur la mère et la fille. Elles firent tout pour distraire le père Grandet, tout fut inutile. «Pour Charles, se disait Eugénie, je souffrirais mille morts! Je n'avouerai rien!»

À cette pensée, elle jetait à sa mère des regards flamboyants de courage.

«Ôte tout cela, dit Grandet à Nanon, quand, vers onze heures, le déjeuner fut achevé; mais laisse-nous la table. Nous serons plus à l'aise pour voir ton petit trésor, dit-il en regardant Eugénie. Petit! ma foi, non. Tu possèdes, valeur intrinsèque, cinq mille neuf cent cinquante-neuf francs, et quarante de ce matin, cela fait six mille francs moins un. Eh bien! je te donnerai, moi, ce franc pour compléter la somme, parce que, vois-tu, fifille.... Eh bien! pourquoi nous écoutes-tu? Montre-moi tes talons, Nanon, et va faire ton ouvrage,» dit le bonhomme. Nanon disparut. «Écoute, Eugénie, il faut que tu me donnes ton or. Tu ne le refuseras pas à ton pépère, ma petite fifille, hein?» Les deux femmes étaient muettes. «Je n'ai plus d'or, moi. J'en avais, je n'en ai plus. Je te rendrai six mille francs en livres, et tu vas les placer comme je vais te le dire. Il ne faut plus penser au douzain. Quand je te marierai, ce qui sera bientôt, je te trouverai un futur qui pourra t'offrir le plus beau douzain dont on aura jamais parlé dans la province. Écoute donc, fifille. Il se présente une belle occasion: tu peux mettre tes six mille francs dans le gouvernement, et tu en auras tous les six mois près de deux cents francs d'intérêts, sans impôts, ni réparations, ni grêle, ni gelée, ni marée, ni rien de ce qui tracasse les revenus. Tu répugnes peut-être à te séparer de ton or, hein, fifille? Apporte-le-moi tout de même. Je te ramasserai des pièces d'or, des hollandaises, des portugaises, des roupies du Mogol, des génovines; et, avec celles que je te donnerai à tes fêtes, en trois ans tu auras rétabli la moitié de ton joli petit trésor en or. Que dis-tu, fifille? Lève donc le nez. Allons, va le chercher, le mignon. Tu devrais me baiser sur les yeux pour te dire ainsi des secrets et des mystères de vie et de mort pour les écus. Vraiment les écus vivent et grouillent comme des hommes: ça va, ça vient, ça sue, ça produit.»

Eugénie se leva; mais, après avoir fait quelques pas vers la porte, elle se retourna brusquement, regarda son père en face et lui dit:

«Je n'ai plus *mon* or.

—Tu n'as plus ton or! s'écria Grandet en se redressant sur ses jarrets comme un cheval qui entend tirer le canon à dix pas de lui.

—Non, je ne l'ai plus.

—Tu te trompes, Eugénie.

—Non.

—Par la serpette de mon père!»

Quand le tonnelier jurait ainsi, les planchers tremblaient.

«Bon saint bon Dieu! voilà madame qui pâlit, cria Nanon.

—Grandet, ta colère me fera mourir, dit la pauvre femme.

—Ta, ta, ta, ta, vous autres, vous ne mourez jamais dans votre famille! Eugénie, qu'avez-vous fait de vos pièces? cria-t-il en fondant sur elle.

—Monsieur, dit la fille aux genoux de Mme Grandet, ma mère souffre beaucoup. Voyez, ne la tuez pas.»

Grandet fut épouvanté de la pâleur répandue sur le teint de sa femme, naguère si jaune.

«Nanon, venez m'aider à me coucher, dit la mère d'une voix faible. Je meurs.»

Aussitôt Nanon donna le bras à sa maîtresse; autant en fit Eugénie, et ce ne fut pas sans des peines infinies qu'elles purent la monter chez elle, car elle tombait en défaillance de marche en marche. Grandet resta seul. Néanmoins, quelques moments après, il monta sept ou huit marches, et cria: «Eugénie, quand votre mère sera couchée, vous descendrez.

—Oui, mon père.»

Elle ne tarda pas à venir, après avoir rassuré sa mère.

«Ma fille, lui dit Grandet, vous allez me dire où est votre trésor.

—Mon père, si vous me faites des présents dont je ne sois pas entièrement maîtresse, reprenez-les,» répondit froidement Eugénie en cherchant le napoléon sur la cheminée et le lui présentant.»

Grandet saisit vivement le napoléon et le coula dans son gousset.

«Je crois bien que je ne te donnerai plus rien. Pas seulement ça! dit-il en faisant claquer l'ongle de son pouce sous sa maîtresse dent. Vous méprisez donc votre père, vous n'avez donc pas confiance en lui, vous ne savez donc pas ce que c'est qu'un père? S'il n'est pas tout pour vous, il n'est rien. Où est votre or?

—Mon père, je vous aime et vous respecte, malgré votre colère; mais je vous ferai fort humblement observer que j'ai vingt-deux ans. Vous m'avez assez souvent dit que je suis majeure, pour que je le sache. J'ai fait de mon argent ce qu'il m'a plu d'en faire, et soyez sûr qu'il est bien placé....

—Où?

—C'est un secret inviolable, dit-elle. N'avez-vous pas vos secrets?

—Ne suis-je pas le chef de ma famille? ne puis-je avoir mes affaires?

—C'est aussi mon affaire.

—Cette affaire doit être mauvaise, si vous ne pouvez pas la dire à votre père, mademoiselle Grandet.

—Elle est excellente, et je ne puis pas la dire à mon père.

—Au moins, quand avez-vous donné votre or?» Eugénie fit un signe de tête négatif. «Vous l'aviez encore le jour de votre fête, hein?» Eugénie, devenue aussi rusée par amour que son père l'était par avarice, réitéra le même signe de tête. «Mais on n'a jamais vu pareil entêtement, ni vol pareil, dit Grandet d'une voix qui alla *crescendo* et qui fit graduellement retentir la maison. Comment! ici, dans ma propre maison, chez moi, quelqu'un aura pris ton or! le seul or qu'il y avait! et je ne saurai pas qui! L'or est une chose chère. Les plus honnêtes filles peuvent faire des fautes, donner je ne sais quoi: cela se voit chez les grands seigneurs et même chez les bourgeois; mais donner de l'or, car vous l'avez donné à quelqu'un, hein?» Eugénie fut impassible. «A-t-on vu pareille fille! Est-ce moi qui suis votre père? Si vous l'avez placé, vous en avez un reçu....

—Étais-je libre, oui ou non, d'en faire ce que bon me semblait? Était-ce à moi?

—Mais tu es un enfant.

—Majeure.»

Abasourdi par la logique de sa fille, Grandet pâlit, trépigna, jura; puis trouvant enfin des paroles, il cria: «Maudit serpent de fille! Ah! mauvaise graine, tu sais bien que je t'aime, et tu en abuses. Elle égorge son père! Pardieu, tu auras jeté notre fortune aux pieds de ce va-nu-pieds qui a des bottes de maroquin. Par la serpette de mon père! je ne peux pas te déshériter, nom d'un tonneau! mais je te maudis, toi, ton cousin et tes enfants! Tu ne verras rien arriver de bon de tout cela, entends-tu? Si c'était à Charles que.... Mais, non ce n'est pas possible. Quoi! ce méchant mirliflor m'aurait dévalisé....» Il regarda sa fille qui restait muette et froide. «Elle ne bougera pas, elle ne sourcillera pas, elle est plus Grandet que je ne suis Grandet. Tu n'as pas donné ton or pour rien, au moins? Voyons, dis.» Eugénie regarda son père, en lui jetant un regard ironique qui l'offensa. «Eugénie, vous êtes chez moi, chez votre père. Vous devez, pour y rester, vous soumettre à ses ordres. Les prêtres vous ordonnent de m'obéir.» Eugénie baissa la tête. «Vous m'offensez dans ce que j'ai de plus cher, reprit-il, je ne veux vous voir que soumise. Allez dans votre chambre. Vous y demeurerez jusqu'à ce que je vous permette d'en sortir. Nanon vous y portera du pain et de l'eau. Vous m'avez entendu, marchez!»

X.

Cette réclusion inexpliquée et prolongée fit beaucoup de tort à l'avare. Son notaire et ami Cruchot força la porte et lui révéla que ses sévices pouvaient contraindre sa fille, désormais majeure, à demander la licitation de ses biens. Il frémit et se disposait à changer quand, pendant une de ses absences, Eugénie apporta secrètement la cassette de Charles sur le lit de sa mère et que les deux victimes se mirent à l'examiner.

Elles tenaient en main le portrait: «C'est tout à fait son front et sa bouche!» disait Eugénie au moment où le vigneron ouvrit la porte. Au regard que jeta son mari sur l'or, Mme Grandet cria: «Mon Dieu, ayez pitié de nous!»

Le bonhomme sauta sur le nécessaire comme un tigre fond sur un enfant endormi. «Qu'est-ce que c'est que cela? dit-il en emportant le trésor et allant se placer à la fenêtre. Du bon or! de l'or! s'écria-t-il. Beaucoup d'or! ça pèse deux livres. Ah! ah! Charles t'a donné cela contre tes belles pièces. Hein! pourquoi ne me l'avoir pas dit? C'est une bonne affaire, fifille! Tu es ma fille, je te reconnais.» Eugénie tremblait de tous ses membres.»N'est-ce pas, ceci est à Charles?» reprit le bonhomme.

—Oui, mon père, ce n'est pas à moi. Ce meuble est un dépôt sacré.

—Ta, ta, ta, il a pris ta fortune, faut te rétablir ton petit trésor.

—Mon père!...»

Le bonhomme voulut prendre son couteau pour faire sauter une plaque d'or, et fut obligé de poser le nécessaire sur une chaise. Eugénie s'élança pour le ressaisir; mais le tonnelier, qui avait tout à la fois l'œil à sa fille et au coffret, la repoussa si violemment en étendant le bras, qu'elle alla tomber sur le lit de sa mère.

«Monsieur, monsieur!» cria la mère en se dressant sur son lit.

Grandet avait tiré son couteau et s'apprêtait à soulever l'or.

«Mon père, cria Eugénie en se jetant à genoux et marchant ainsi pour arriver plus près du bonhomme et lever les mains vers lui, mon père, au nom de tous les saints et de la Vierge, au nom du Christ, qui est mort sur la croix, au nom de votre salut éternel, mon père, au nom de ma vie, ne touchez pas à ceci! Cette toilette n'est ni à vous ni à moi; elle est à un malheureux parent qui me l'a confiée, et je dois la lui rendre intacte.

—Pourquoi la regardais-tu, si c'est un dépôt? Voir, c'est pis que toucher.

—Mon père, ne la détruisez pas, ou vous me déshonorez. Mon père, entendez-vous?

—Monsieur, grâce! dit la mère.

—Mon père!» cria Eugénie d'une voix si éclatante que Nanon effrayée monta. Eugénie sauta sur un couteau qui était à sa portée et s'en arma.

—Eh bien! lui dit froidement Grandet en souriant à froid.

—Monsieur, monsieur, vous m'assassinez! dit la mère.

—Mon père, si votre couteau entame seulement une parcelle de cet or, je me perce de celui-ci. Vous avez déjà rendu ma mère mortellement malade; vous tuerez encore votre fille. Allez maintenant; blessure pour blessure!»

Grandet tint son couteau sur le nécessaire, et regarda sa fille en hésitant.

«En serais-tu donc capable, Eugénie? dit-il.

—Oui, monsieur, dit la mère.

—Elle le ferait comme elle le dit, cria Nanon. Soyez donc raisonnable, monsieur, une fois dans votre vie.»

Le tonnelier regarda l'or et sa fille alternativement pendant un instant. Mme Grandet s'évanouit. «Là, voyez-vous, mon cher monsieur? madame se meurt, cria Nanon.

—Tiens, ma fille, ne nous brouillons pas pour un coffre. Prends donc! s'écria vivement le tonnelier en jetant la toilette sur le lit. Toi, Nanon, va chercher M. Bergerin. Allons, la mère, dit-il en baisant la main de sa femme, ce n'est rien, va: nous avons fait la paix. Pas vrai, fifille? Plus de pain sec, tu mangeras tout ce que tu voudras. Ah! elle ouvre les yeux. Eh bien! la mère, mémère, timère, allons donc! Tiens, vois, j'embrasse Eugénie. Elle aime son cousin, elle l'épousera si elle veut, elle lui gardera le petit coffre. Mais vis longtemps, ma pauvre femme. Allons, remue donc! Écoute, tu auras le plus beau reposoir qui se soit jamais fait à Saumur.

—Mon Dieu, pouvez-vous traiter ainsi votre femme et votre enfant? dit d'une voix faible Mme Grandet.

—Je ne le ferai plus, plus, cria le tonnelier. Tu vas voir, ma pauvre femme.» Il alla à son cabinet, et revint avec une poignée de louis qu'il éparpilla sur le lit. «Tiens, Eugénie, tiens, ma femme, voilà pour vous, dit-il en maniant les louis. Allons, égaye-toi, ma femme; porte-toi bien; tu ne manqueras de rien, ni Eugénie non plus. Voilà cent louis d'or pour elle. Tu ne les donneras pas, Eugénie, ceux-là, hein?»

Mme Grandet et sa fille se regardèrent étonnées.

«Reprenez-les, mon père; nous n'avons besoin que de votre tendresse.

—Eh bien! c'est ça, dit-il en empochant les louis; vivons comme de bons amis. Descendons tous dans la salle pour dîner, pour jouer au loto tous les soirs à deux sous. Faites vos farces! Hein, ma femme?

—Hélas! je le voudrais bien, puisque cela peut vous être agréable, dit la mourante; mais je ne saurais me lever.

—Pauvre mère, dit le tonnelier, tu ne sais pas combien je t'aime. Et toi, ma fille!» Il la serra, l'embrassa. «Oh! comme c'est bon d'embrasser sa fille après une brouille! ma fifille! Tiens, vois-tu, mémère, nous ne faisons qu'un maintenant. Va donc serrer cela, dit-il à Eugénie en lui montrant le coffret. Va, ne crains rien. Je ne t'en parlerai plus, jamais.»

M. Bergerin, le plus célèbre médecin de Saumur, arriva bientôt.

La consultation finie, il déclara positivement à Grandet que sa femme était bien mal, mais qu'un grand calme d'esprit, un régime doux et des soins minutieux pourraient reculer l'époque de sa mort vers la fin de l'automne.

«Ça coûtera-t-il cher? dit le bonhomme; faut-il des drogues?

—Peu de drogues, mais beaucoup de soins, répondit le médecin, qui ne put retenir un sourire.

—Enfin, monsieur Bergerin, répondit Grandet, vous êtes un homme d'honneur, pas vrai? Je me fie à vous, venez voir ma femme toutes et quantes fois vous le jugerez convenable. Conservez-moi ma bonne femme; je l'aime beaucoup, voyez-vous, sans que ça paraisse, parce que, chez moi, tout se passe en dedans et me trifouille l'âme. J'ai du chagrin. Le chagrin est entré chez moi avec la mort de mon frère, pour lequel je dépense, à Paris, des sommes... les yeux de la tête, enfin! et cela ne finit point. Adieu, monsieur; si l'on peut sauver ma femme, sauvez-la, quand même il faudrait dépenser pour ça cent ou deux cents francs.»

XI.

Mme Grandet expira de ce dernier coup. Eugénie et son père restèrent seuls dans la maison. Le père ne songea qu'à se prémunir contre la fille; il lui soutira une renonciation de tous les biens maternels, et lui promit une pension de 1,200 francs.

Cela dura cinq ans. En 1827, le vieillard mourut à la porte de son cabinet plein d'or. Eugénie fut reconnue posséder trois cent mille livres de rente dans l'arrondissement de Saumur, six millions étaient placés en rentes, deux millions en or, et la totalité passait dix-huit millions!

—«Où donc est mon cousin?» dit-elle.

«À trente ans, Eugénie ne connaissait encore aucune des félicités de la vie. Sa pâle et triste enfance s'était écoulée auprès d'une mère dont le cœur méconnu, froissé, avait toujours souffert. En quittant avec joie l'existence, cette mère plaignit sa fille d'avoir à vivre, et lui laissa dans l'âme de légers remords et d'éternels regrets. Le premier, le seul amour d'Eugénie, était pour elle un principe de mélancolie. Après avoir entrevu son amant pendant quelques jours, elle lui avait donné son cœur entre deux baisers furtivement acceptés et reçus; puis il était parti, mettant tout un monde entre elle et lui. Cet amour, maudit par son père, lui avait presque coûté sa mère, et ne lui causait que des douleurs mêlées de frêles espérances. Ainsi, jusqu'alors, elle s'était élancée vers le bonheur en perdant ses forces, sans les échanger.

Dans la vie morale, aussi bien que dans la vie physique, il existe une aspiration et une respiration: l'âme a besoin d'absorber les sentiments d'une autre âme, de se les assimiler pour les lui restituer plus riches. Sans ce beau phénomène humain, point de vie au cœur; l'air lui manque alors, il souffre et dépérit. Eugénie commençait à souffrir. Pour elle, la fortune n'était ni un pouvoir ni une consolation; elle ne pouvait exister que par l'amour, par la religion, par la foi dans l'avenir. L'amour lui expliquait l'éternité. Son cœur et l'Évangile lui signalaient deux mondes à attendre. Elle se plongeait nuit et jour au sein de deux pensées infinies, qui pour elle peut-être n'en faisaient qu'une seule. Elle se retirait en elle-même, aimant et se croyant aimée. Depuis sept ans, sa passion avait tout envahi. Ses trésors n'étaient pas les millions dont les revenus s'entassaient, mais le coffret de Charles, mais les deux portraits suspendus à son lit, mais les bijoux rachetés à son père, étalés orgueilleusement sur une couche de ouate dans un tiroir du bahut; mais le dé de sa tante, duquel s'était servie sa mère, et que tous les jours elle prenait religieusement pour travailler à une broderie, ouvrage de Pénélope, entrepris seulement pour mettre à son doigt cet or plein de souvenirs.

Il ne paraissait pas vraisemblable que Mlle Grandet voulût se marier durant son deuil. Sa piété vraie était connue. Aussi la famille Cruchot, dont la politique était sagement dirigée par le vieil abbé, se contenta-t-elle de cerner l'héritière en l'entourant des soins les plus affectueux. Chez elle, tous les soirs, la salle se remplissait d'une société composée des plus chauds et des plus dévoués Cruchotins du pays, qui s'efforçaient de chanter les louanges de la maîtresse du logis sur tous les tons. Elle avait le médecin ordinaire de sa chambre, son grand aumônier, son chambellan, sa première dame d'atours, son premier ministre, son chancelier surtout, un chancelier qui voulait lui tout dire. L'héritière eut-elle désiré un porte-queue, on lui en aurait trouvé un. C'était une reine, et la plus habilement adulée de toutes les reines. La flatterie n'émane jamais des grandes âmes; elle est l'apanage des petits esprits, qui réussissent à se rapetisser encore pour mieux entrer dans la sphère vitale de la personne autour de laquelle ils gravitent. La flatterie sous-entend un intérêt. Aussi les personnes qui venaient meubler tous les soirs la salle de Mlle Grandet, nommée par elles Mlle de Froidfond, réussissaient-elles merveilleusement à l'accabler de louanges. Ce concert d'éloges, nouveau pour Eugénie, la fit d'abord rougir; mais insensiblement, et quelque grossiers que fussent les compliments, son oreille s'accoutuma si bien à entendre vanter sa beauté, que si quelque nouveau venu l'eût trouvée laide, ce reproche lui aurait été plus sensible alors que huit ans auparavant. Puis elle finit par aimer des douceurs qu'elle mettait secrètement aux pieds de son idole. Elle s'habitua donc par degrés à se laisser traiter en souveraine et à voir sa cour pleine tous les soirs. M. le président de Bonfons était le héros de ce petit cercle, où son esprit, sa personne, son instruction, son amabilité, sans cesse étaient vantés. L'un faisait observer que, depuis sept ans, il avait beaucoup augmenté sa fortune; que Bonfons valait au moins dix mille francs de rente et se trouvait enclavé, comme tous les biens des Cruchot, dans les vastes domaines de l'héritière. «Savez-vous, mademoiselle, disait un habitué, que les Cruchot ont à eux quarante mille livres de rente?—Et leurs économies, reprenait une vieille Cruchotine, Mlle de Gribeaucourt. Un monsieur de Paris est venu dernièrement offrir à M. Cruchot deux cent mille francs de son étude. Il doit la vendre, s'il peut être nommé juge de paix.—Il veut succéder à M. de Bonfons dans la présidence du tribunal, et prend ses précautions, répondit Mme d'Orsonval; car M. le président deviendra conseiller, puis président à la cour, il a trop de moyens pour ne pas arriver.—Oui, c'est un homme bien distingué, disait un autre. Ne trouvez-vous pas, mademoiselle?» M. le président avait tâché de se mettre en harmonie avec le rôle qu'il voulait jouer. Malgré ses quarante ans, malgré sa figure brune et rébarbative, flétrie comme le sont presque toutes les physionomies judiciaires, il se mettait en jeune homme, badinait avec un jonc, ne prenait point de tabac chez Mlle de Froidfond, y arrivait toujours en cravate blanche et en chemise dont le jabot à gros plis lui donnait un air de famille avec les individus du genre dindon. Il parlait familièrement à la belle héritière, et lui disait: «Notre chère Eugénie!» Enfin, hormis le nombre des personnages, en remplaçant le loto par le whist et en supprimant les figures de M. et de Mme Grandet, la scène par laquelle commence cette histoire était à peu près la même que par le passé. La meute poursuivait toujours Eugénie et ses millions; mais la meute plus nombreuse aboyait mieux, et cernait sa proie avec ensemble. Si Charles fût arrivé du fond des Indes, il eût donc retrouvé les mêmes personnages et les mêmes intérêts. Mme des Grassins, pour laquelle Eugénie était parfaite de grâce et de bonté, persistait à tourmenter les Cruchot. Mais alors, comme autrefois, la figure d'Eugénie eût dominé le tableau; comme autrefois, Charles eût encore été là le souverain. Néanmoins il y avait un progrès. Le bouquet présenté jadis à Eugénie au jour de sa fête par le président était devenu périodique. Tous les soirs il apportait à la riche héritière un gros et magnifique bouquet que Mme Cornoiller mettait ostensiblement dans un bocal, et jetait secrètement dans un coin de la cour, aussitôt les visiteurs partis. Au commencement du printemps, Mme des Grassins essaya de troubler le bonheur des Cruchotins en parlant à Eugénie du marquis de Froidfond, dont la maison ruinée pouvait se relever si l'héritière voulait lui rendre sa terre par contrat de mariage. Mme des Grassins faisait sonner haut la pairie, le titre de marquise, et, prenant le sourire de dédain d'Eugénie pour une approbation, elle allait disant que le mariage de M. le président Cruchot n'était pas aussi avancé qu'on le croyait. «Quoique M. de Froidfond ait cinquante ans, disait elle, il ne paraît pas plus âgé que ne l'est M. Cruchot; il est veuf, il a des enfants, c'est vrai; mais il est marquis, il sera pair de France, et, par le temps qui court, trouvez donc des mariages de cet acabit. Je sais de science certaine que le père Grandet, en réunissant tous ses biens à la terre de Froidfond, avait l'intention de s'enter sur les Froidfond. Il me l'a souvent dit. Il était malin, le bonhomme!

—«Comment, Nanon, dit un soir Eugénie en se couchant, il ne m'écrira pas une fois en sept ans?...»

XIII.

Balzac conduit ce roman, ou plutôt cette histoire jusqu'à la dernière ironie de la destinée. Eugénie reçoit une lettre de son cousin qui lui annonce sa fortune faite et son retour prochain. Elle se dispose à l'épouser. Mais, en route, il trouve une famille d'émigrés qui ramène une jeune personne dont le père, aimé de Charles X, peut leur promettre la faveur du roi. Il s'y attache, et après quelques semaines de séjour à Paris, il écrit une honnête défaite à sa cousine en lui renvoyant les dix mille francs qu'elle lui a prêtés et en lui redemandant sa cassette. Eugénie dévore ses larmes, et le roman du cœur finit avec le roman d'amour. Elle épouse sans goût M. le président de Bonfons, parce qu'il dirige ses affaires; et vit chastement avec lui comme une douairière de province, ensevelie dans ses inutiles trésors.

Voilà Eugénie Grandet, visitée un jour par un précoce rayon d'amour, expiant, pendant le reste de sa vie, la férocité de son père.

Voilà l'avare! bien autrement conçu que celui de *Plaute*, de *Térence* ou de *Molière*. La comédie de caractère va jusqu'au rire dans les caricatures de ces grands comiques. Chez Balzac elle va jusqu'aux larmes. Les uns se moquent ridiculement de l'avare dans le mot fameux: *Qu'allait-il faire dans cette galère?* L'autre fait détester le vice et haïr le vicieux. Mais ils écrivent en vers immortels, et Balzac n'écrit qu'en prose modelée sur le cœur humain! Je le répète avec conviction: il a dans ses innombrables romans cent fois dépassé en invention l'incomparable Molière. On ne peut pas le louer plus haut, ce mot suffirait pour sa gloire.

LAMARTINE.

(*La suite au prochain entretien.*)

CVIII^e ENTRETIEN.
BALZAC ET SES ŒUVRES.
(TROISIÈME PARTIE.)

I.

Si nous descendons plus bas dans les formules du style et dans la combinaison bourgeoise de ses romans, nous arrivons à la faute vulgaire du *Père Goriot* et de ses deux filles. On ne peint pas en couleurs plus fortes les faiblesses coupables d'un père et les ingratitudes de ses enfants. Ni Plaute, ni Térence, ni Aristophane, ni Molière, ne sont descendus jusqu'à ces profondeurs d'analyse d'un vice, et n'ont passé par le burlesque pour arriver au tragique. Shakspeare seul l'aurait pu, mais il ne l'a pas fait. Lisons rapidement le roman du *Père Goriot*.

II.

«Madame Vauquer, née de Conflans, est une vieille femme qui, depuis quarante ans, tient à Paris une pension bourgeoise établie rue Neuve-Sainte-Geneviève, entre le quartier latin et le faubourg Saint-Marceau. Cette pension, connue sous le nom de la Maison Vauquer, admet également des hommes et des femmes, des jeunes gens et des vieillards, sans que jamais la médisance ait attaqué les mœurs de ce respectable établissement. Mais aussi depuis trente ans ne s'y était-il jamais vu de jeune personne, et, pour qu'un jeune homme y demeure, sa famille doit-elle lui faire une bien maigre pension. Néanmoins, en 1819, époque à laquelle ce drame commence, il s'y trouvait une pauvre jeune fille. En quelque discrédit que soit tombé le mot *drame* par la manière abusive et tortionnaire dont il a été prodigué dans ces temps de douloureuse littérature, il est nécessaire de l'employer ici; non que cette histoire soit dramatique dans le sens vrai du mot, mais, l'œuvre accomplie, peut-être aura-t-on versé quelques larmes *intra muros* et *extra*. Sera-t-elle comprise au-delà de Paris? le doute est permis. Les particularités de cette scène pleine d'observations et de couleurs locales ne peuvent être appréciées qu'entre les buttes de Montmartre et les hauteurs de Montrouge, dans cette illustre vallée de plâtras incessamment près de tomber, et de ruisseaux noirs de boue; vallée remplie de souffrances réelles, de joies souvent fausses, et si terriblement agitée, qu'il faut je ne sais quoi d'exorbitant pour y produire une sensation de quelque durée. Cependant il s'y rencontre çà et là des douleurs que l'agglomération des vices et des vertus rend grandes et solennelles; à leur aspect, les égoïsmes, les intérêts, s'arrêtent et s'apitoient; mais l'impression qu'ils en reçoivent est comme un fruit savoureux promptement dévoré. Le char de la civilisation, semblable à celui de l'idole de Jaggernat, à peine retardé par un cœur moins facile à broyer que les autres et qui enraye sa roue, l'a brisé bientôt et continue sa marche glorieuse. Ainsi ferez-vous, vous qui tenez ce livre d'une main blanche, vous qui vous enfoncez dans un moelleux fauteuil en vous disant: Peut-être ceci va-t-il m'amuser. Après avoir lu les secrètes infortunes du père Goriot, vous dînerez avec appétit en mettant votre insensibilité sur le compte de l'auteur, en le taxant d'exagération, en l'accusant de poésie. Ah! sachez-le: ce drame n'est ni une fiction, ni un roman. *All is true*; il est si véritable que chacun peut en reconnaître les éléments chez soi, dans son cœur peut-être.

«La maison où s'exploite la pension bourgeoise appartient à Mme Vauquer. Elle est située dans le bas de la rue Neuve-Sainte-Geneviève, à l'endroit où le terrain s'abaisse vers la rue de l'Arbalète par une pente si brusque et si rude que les chevaux la montent ou la descendent rarement. Cette circonstance est favorable au silence qui règne dans ces rues serrées entre le dôme du Val-de-Grâce et le dôme du Panthéon, deux monuments qui changent les conditions de l'atmosphère en y jetant des tons jaunes, en y assombrissant tout par les teintes sévères que projettent leurs coupoles. Là, les pavés sont secs, les ruisseaux n'ont ni boue ni eau, l'herbe croît le long des murs. L'homme le plus insouciant s'y attriste comme tous les passants, le bruit d'une voiture y devient un événement, les maisons y sont mornes, les murailles y sentent la prison. Un Parisien égaré ne verrait là que des pensions bourgeoises ou des Institutions, de la misère ou de l'ennui, de la vieillesse qui meurt, de la joyeuse jeunesse contrainte à travailler. Nul quartier de Paris n'est plus horrible, ni, disons-le, plus inconnu. La rue Neuve-Sainte-Geneviève surtout est comme un cadre de bronze, le seul qui convienne à ce récit, auquel on ne saurait trop préparer l'intelligence par des couleurs brunes, par des idées graves; ainsi que, de marche en marche, le jour diminue et le chant du conducteur se creuse, alors que le voyageur descend aux Catacombes. Comparaison vraie! Qui décidera ce qui est plus horrible à voir, ou des cœurs desséchés, ou des crânes vides?

«La façade de la pension donne sur un jardinet, en sorte que la maison tombe à angle droit sur la rue Neuve-Sainte-Geneviève, où vous la voyez coupée dans sa profondeur. Le long de cette façade, entre la maison et le jardinet, règne un cailloutis en cuvette, large d'une toise, devant lequel est une allée sablée, bordée de géraniums, de lauriers-roses et de grenadiers plantés dans de grands vases en faïence bleue et blanche. On entre dans cette allée par une porte bâtarde, surmontée d'un écriteau sur lequel est écrit: Maison Vauquer, et dessous: *Pension bourgeoise des deux sexes et autres*. Pendant le jour, une porte à claire-voie, armée d'une sonnette criarde, laisse apercevoir au bout du petit pavé, sur le mur opposé à la rue, une arcade peinte en marbre vert par un artiste du quartier. Sous le renfoncement que simule cette peinture, s'élève une statue représentant l'Amour. À voir le vernis écaillé qui la couvre, les amateurs de symboles y découvriraient peut-être un mythe de l'amour parisien, qu'on guérit à quelques pas de là. Sous le socle, cette inscription à demi effacée rappelle le temps auquel remonte cet ornement par l'enthousiasme dont il témoigne pour Voltaire, rentré dans Paris en 1777:

Qui que tu sois, voici ton maître,
Il l'est, le fut, ou le doit être.

«À la nuit tombante, la porte à claire-voie est remplacée par une porte pleine. Le jardinet aussi large que la façade est longue, se trouve encaissé par le mur de la rue et par le mur mitoyen de la maison voisine, le long de laquelle pend un manteau de lierre qui la cache entièrement, et attire les yeux des passants par un effet pittoresque dans Paris. Chacun de ses murs est tapissé d'espaliers et de vignes dont les fructifications grêles et poudreuses sont l'objet des craintes annuelles de Mme Vauquer et de ses conversations avec les pensionnaires. Le long de chaque muraille règne une étroite allée qui mène à un couvert de tilleuls, mot que Mme Vauquer, quoique née de Conflans, prononce obstinément *tieuilles*, malgré les observations grammaticales de ses hôtes. Entre les deux allées latérales est un carré d'artichauts flanqué d'arbres fruitiers en quenouille, et bordé d'oseille, de laitue ou de persil. Sous le couvert de tilleuls est plantée une table ronde peinte en vert, et entourée de siéges. Là, durant les jours caniculaires, les convives assez riches pour se permettre de prendre du café, viennent le savourer par une chaleur capable de faire éclore des œufs. La façade, élevée de trois étages et surmontée de mansardes, est bâtie en moellons et badigeonnée avec cette couleur jaune qui donne un caractère ignoble à presque toutes les maisons de Paris. Les cinq croisées percées à chaque étage ont de petits carreaux et sont garnies de jalousies dont aucune n'est relevée de la même manière, en sorte que toutes leurs lignes jurent entre elles. La profondeur de cette maison comporte deux croisées, qui, au rez-de-chaussée, ont pour ornement des barreaux de fer, grillagés. Derrière le bâtiment est une cour large d'environ vingt pieds, où vivent en bonne intelligence des cochons, des poules, des lapins, et au fond de laquelle s'élève un hangar à serrer le bois. Entre ce hangar et la fenêtre de la cuisine se suspend le garde-manger, au-dessous duquel tombent les eaux grasses de l'évier. Cette cour a sur la rue Neuve-Sainte-Geneviève une porte étroite par où la cuisinière chasse les ordures de la maison en nettoyant cette sentine à grand renfort d'eau, sous peine de pestilence.

«Naturellement destiné à l'exploitation de la pension bourgeoise, le rez-de-chaussée se compose d'une première pièce éclairée par les deux croisées de la rue, et où l'on entre par une porte-fenêtre. Ce salon communique à une salle à manger qui est séparée de la cuisine par la cage d'un escalier dont les marches sont en bois et en carreaux mis en couleur et frottés. Rien n'est plus triste à voir que ce salon meublé de fauteuils et de chaises en étoffe de crin à raies alternativement mates et luisantes. Au milieu se trouve une table ronde à dessus de marbre Sainte-Anne, décorée de ce cabaret en porcelaine blanche ornée de filets d'or effacés à demi, que l'on rencontre partout aujourd'hui. Cette pièce, assez mal planchéiée, est lambrissée à hauteur d'appui. Le surplus des parois est tendu d'un papier verni représentant les principales scènes de Télémaque, et dont les classiques personnages sont coloriés. Le panneau d'entre les croisées grillagées offre aux pensionnaires le tableau du festin donné au fils d'Ulysse par Calypso. Depuis quarante ans cette peinture excite les plaisanteries des jeunes pensionnaires, qui se croient supérieurs à leur position en se moquant du dîner auquel la misère les condamne. La cheminée en pierre, dont le foyer toujours propre atteste qu'il ne s'y fait de feu que dans les grandes occasions, est ornée de deux vases pleins de fleurs artificielles, vieillies et encagées, qui accompagnent une pendule en marbre bleuâtre du plus mauvais goût. Cette première pièce exhale une odeur sans nom dans la langue, et qu'il faudrait appeler l'*odeur de pension*. Elle sent le renfermé, le moisi, le rance; elle donne froid, elle est humide au nez, elle pénètre les vêtements; elle a le goût d'une salle où l'on a dîné; elle pue le service, l'office, l'hospice. Peut-être pourrait-elle se décrire si l'on inventait un procédé pour évaluer les quantités élémentaires et nauséabondes qu'y jettent les atmosphères catarrhales et *sui generis* de chaque pensionnaire, jeune ou vieux. Eh bien, malgré ces plates horreurs, si vous le compariez à la salle à manger, qui lui est contiguë, vous trouveriez ce salon élégant et parfumé comme doit l'être un boudoir. Cette salle, entièrement boisée, fut jadis peinte en une couleur indistincte aujourd'hui, qui forme un fond sur lequel la crasse a imprimé ses couches de manière à y dessiner des figures bizarres. Elle est plaquée de buffets gluants sur lesquels sont des carafes échancrées, ternies, des ronds de moiré métallique, des piles d'assiettes en porcelaine épaisse, à bords bleus, fabriquées à Tournai. Dans un angle est placée une boîte à cases numérotées qui sert à garder les serviettes, ou tachées ou vineuses, de chaque pensionnaire. Il s'y rencontre de ces meubles indestructibles, proscrits partout, mais placés là comme le sont les débris de la civilisation aux Incurables. Vous y verriez un baromètre à capucin qui sort quand il pleut, des gravures exécrables qui ôtent l'appétit, toutes encadrées en bois noir verni à filets dorés; un cartel en écaille incrustée de cuivre; un poêle vert, des quinquets d'Argand où la poussière se combine avec l'huile, une longue table couverte en toile cirée, assez grasse pour qu'un facétieux externe y écrive son nom en se servant de son doigt comme de style, des chaises estropiées, de petits paillassons piteux en sparterie qui se déroule toujours sans se perdre jamais, puis des chaufferettes misérables à trous cassés, à charnières défaites, dont le bois se carbonise. Pour expliquer combien ce mobilier est vieux, crevassé, pourri, tremblant, rongé, manchot, borgne, invalide, expirant, il faudrait en faire une description qui retarderait trop l'intérêt de cette histoire, et que les gens pressés ne pardonneraient pas. Le carreau rouge est plein de vallées produites par le frottement ou par les mises en couleur. Enfin, là règne la misère sans poésie; une misère économe, concentrée, râpée. Si elle n'a pas de fange encore, elle a des taches; si elle n'a ni trous ni haillons, elle va tomber en pourriture.

«Cette pièce est dans tout son lustre au moment où, vers sept heures du matin, le chat de Mme Vauquer précède sa maîtresse, saute sur les buffets, y flaire le lait que contiennent plusieurs jattes couvertes d'assiettes, et fait entendre son *ronron* matinal. Bientôt la veuve se montre, attifée de son bonnet de tulle, sous lequel pend un tour de faux cheveux mal mis; elle marche en traînassant ses pantoufles grimacées. Sa face vieillotte, grassouillette, du milieu de laquelle sort un nez à bec de perroquet; ses petites mains potelées, sa personne dodue comme un rat d'église, son corsage trop plein et qui flotte, sont en harmonie avec cette salle où suinte le malheur, où s'est blottie la spéculation, et dont Mme Vauquer respire l'air chaudement fétide sans en être écœurée. Sa figure fraîche comme une première gelée d'automne, ses yeux ridés, dont l'expression passe du sourire prescrit aux danseuses à l'amer renfrognement de l'escompteur, enfin toute sa personne explique la pension, comme la pension implique sa personne. Le bagne ne va pas sans l'argousin, vous n'imagineriez pas l'un sans l'autre. L'embonpoint blafard de cette petite femme est le produit de cette vie, comme le typhus est la conséquence des exhalaisons d'un hôpital. Son jupon de laine tricotée, qui dépasse sa première jupe faite avec une vieille robe, et dont la ouate s'échappe par les fentes de l'étoffe lézardée, résume le salon, la salle à manger, le jardinet, annonce la cuisine et fait pressentir les pensionnaires. Quand elle est là, ce spectacle est complet. Âgée d'environ cinquante ans, Mme Vauquer ressemble à toutes les *femmes qui ont eu des malheurs*. Elle a l'œil vitreux, l'air innocent d'une entremetteuse qui va se gendarmer pour se faire payer plus cher, mais d'ailleurs prête à tout pour adoucir son sort, à livrer Georges ou Pichegru, si Georges ou Pichegru étaient encore à livrer. Néanmoins elle est *bonne femme au fond*, disent les pensionnaires, qui la croient sans fortune en l'entendant geindre et tousser comme eux. Qu'avait été M. Vauquer? Elle ne s'expliquait jamais sur le défunt. Comment avait-il perdu sa fortune? Dans les malheurs, répondait-elle. Il s'était mal conduit envers elle, ne lui avait laissé que les yeux pour pleurer, cette maison pour vivre, et le droit de ne compatir à aucune infortune, parce que, disait-elle, elle avait souffert tout ce qu'il est possible de souffrir. En entendant trottiner sa maîtresse, la grosse Sylvie, la cuisinière, s'empressait de servir le déjeuner des pensionnaires internes.

«Généralement les pensionnaires externes ne s'abonnaient qu'au dîner, qui coûtait trente francs par mois. À l'époque où cette histoire commence, les internes étaient au nombre de sept. Le premier étage contenait les deux meilleurs appartements de la maison. Mme Vauquer habitait le moins considérable, et l'autre appartenait à Mme Couture, veuve d'un commissaire ordonnateur de la République française. Elle avait avec elle une très-jeune personne, nommée Victorine Taillefer, à qui elle servait de mère. La pension de ces deux dames montait à dix-huit cents francs. Les deux appartements du second étaient occupés, l'un par un vieillard nommé Poiret; l'autre, par un homme âgé d'environ quarante ans, qui portait une perruque noire, se teignait les favoris, se disait ancien négociant, et s'appelait monsieur Vautrin. Le troisième étage se composait de quatre chambres, dont deux étaient louées, l'une par une vieille fille nommée mademoiselle Michonneau; l'autre, par un ancien fabricant de vermicelles, de pâtes d'Italie et d'amidon, qui se laissait nommer le père Goriot. Les deux autres chambres étaient destinées aux oiseaux de passage, à ces infortunés étudiants qui, comme le père Goriot et Mlle Michonneau, ne pouvaient mettre que quarante-cinq francs par mois à leur nourriture et à leur logement; mais Mme Vauquer souhaitait peu leur présence et ne les prenait que quand elle ne trouvait pas mieux: ils mangeaient trop de pain.»

III.

Tel est le préambule de cette admirable tragédie du *Père Goriot*; puis vient, avant l'action, le catalogue raisonné ou peint des personnages que Balzac met en scène.

Mlle Michonneau, aux yeux protégés par un *abat-jour* vert garni d'un fil d'archal, à la voix clairette d'une cigale criant dans un buisson à l'approche de l'hiver.

M. Poiret, vieillard plus semblable à une ombre, dont la canne à pomme d'ivoire jauni dans sa main soutenait mal les jambes grêles chaussées de bas bleus. En cherchant son origine, on le soupçonnait d'avoir pu être un des employés inférieurs du ministère de la Justice chargé de pourvoir aux exécutions.

Mlle Victorine Taillefer, jeune personne pâlie par l'infortune, car le bonheur est la poésie des femmes, comme la toilette en est le fond. Elle était pieusement élevée là par sa mère, veuve d'un commissaire des guerres. Le père refusait de la reconnaître. Mme Couture et Mme Vauquer maudissaient cet infâme millionnaire. Mais la pauvre Victorine, au lieu de se joindre à leurs malédictions, faisait entendre de douces paroles, alors semblables au chant du ramier blessé et dont le cri de douleur exprime encore l'amour.

Eugène de Rastignac, jeune homme pauvre, de famille noble, que l'ambition naissante poussait à l'étude et à l'intrigue.

Vautrin, homme à tout faire, que l'énergie de sa charpente et de ses favoris peints signalaient comme un aventurier équivoque, inconnu mais serviable. Mlle Victorine flottait entre le beau Rastignac et le vigoureux Vautrin.

Toutes les autres femmes de cette réunion de hasard avaient les unes envers les autres une froide indifférence mêlée de défiance.

Il manquait à ces dix-huit pensionnaires un souffre-douleur. Il se rencontra dans un ancien fabricant de vermicelle nommé le père Goriot.

«Le père Goriot, vieillard de soixante-neuf ans environ, s'était retiré chez Mme Vauquer, en 1813, après avoir quitté les affaires. Il y avait d'abord pris l'appartement occupé par Mme Couture, et donnait alors douze cents francs de pension, en homme pour qui cinq louis de plus ou de moins étaient une bagatelle. Mme Vauquer avait rafraîchi les trois chambres de cet appartement moyennant une indemnité préalable qui paya, dit-on, la valeur d'un méchant ameublement composé de rideaux en calicot jaune, de fauteuils en bois verni couverts en velours d'Utrecht, de quelques peintures à la colle, et de papiers que refusaient les cabarets de la banlieue. Peut-être l'insouciante générosité que mit à se laisser attraper le père Goriot, qui vers cette époque était respectueusement nommé M. Goriot, le fit-elle considérer comme un imbécile qui ne connaissait rien aux affaires. Goriot vint muni d'une garde-robe bien fournie, le trousseau magnifique du négociant qui ne se refuse rien en se retirant du commerce. Mme Vauquer avait admiré dix-huit chemises de demi-hollande, dont la finesse était d'autant plus remarquable que le vermicellier portait sur son jabot dormant deux épingles unies par une chaînette, et dont chacune était montée d'un gros diamant. Habituellement vêtu d'un habit bleu-barbeau, il prenait chaque jour un gilet de piqué blanc, sous lequel fluctuait son ventre proéminent, qui faisait rebondir une lourde chaîne d'or garnie de breloques. Sa tabatière, également en or, contenait un médaillon plein de cheveux qui le rendaient en apparence coupable de quelques bonnes fortunes. Ses *ormoires* (il prononçait ce mot à la manière du menu peuple) furent remplies par la nombreuse argenterie de son ménage. Les yeux de la veuve s'allumèrent quand elle l'aida complaisamment à déballer et ranger les louches, les cuillers à ragoût, les couverts, les huiliers, les saucières, plusieurs plats, des déjeuners en vermeil, enfin des pièces plus ou moins belles, pesant un certain nombre de marcs, et dont il ne voulait pas se défaire. Ces cadeaux lui rappelaient les solennités de sa vie domestique. «Ceci, dit-il à Mme Vauquer, en serrant un plat et une petite écuelle dont le couvercle représentait deux tourterelles qui se becquetaient, est le premier présent que m'a fait ma femme, le jour de notre anniversaire. Pauvre bonne! elle y avait consacré ses économies de demoiselle. Voyez-vous, madame? j'aimerais mieux gratter la terre avec mes ongles que de me séparer de cela. Dieu merci! je pourrai prendre dans cette écuelle mon café tous les matins durant le reste de mes jours. Je ne suis pas à plaindre, j'ai sur la planche du pain de cuit pour longtemps.» Enfin, Mme Vauquer avait bien vu, de son œil de pie, quelques inscriptions sur le grand-livre qui, vaguement additionnées, pouvaient faire à cet excellent Goriot un revenu d'environ huit à dix mille francs. Dès ce jour,

Mme Vauquer, née de Conflans, qui avait alors quarante-huit ans effectifs et n'en acceptait que trente-neuf, eut des idées. Quoique le larmier des yeux de Goriot fût retourné, gonflé, pendant, ce qui l'obligeait à les essuyer assez fréquemment, elle lui trouva l'air agréable et comme il faut. D'ailleurs son mollet charnu, saillant, pronostiquait autant que son long nez carré, des qualités morales auxquelles paraissait tenir la veuve, et que confirmait la face lunaire et naïvement niaise du bonhomme. Ce devait être une bête solidement bâtie, capable de dépenser tout son esprit en sentiment. Ses cheveux en ailes de pigeon, que le coiffeur de l'École polytechnique vint lui poudrer tous les matins, dessinaient cinq pointes sur son front bas, et décoraient bien sa figure. Quoique un peu rustaud, il était si bien tiré à quatre épingles, il prenait si richement son tabac, il le humait en homme si sûr de toujours avoir sa tabatière pleine de macouba, que, le jour où M. Goriot s'installa chez elle, Mme Vauquer se coucha le soir en rôtissant, comme une perdrix dans sa barde, au feu du désir qui la saisit de quitter le suaire du Vauquer pour renaître en Goriot. Se marier, vendre sa pension, donner le bras à cette fine fleur de bourgeoisie, devenir une dame notable dans le quartier, y quêter pour les indigents, faire de petites parties le dimanche à Choisy, Soissy, Gentilly; aller au spectacle à sa guise, en loge, sans attendre les billets d'auteur que lui donnaient quelques-uns de ses pensionnaires, au mois de juillet; elle rêva tout l'Eldorado des petits ménages parisiens. Elle n'avait avoué à personne qu'elle possédait quarante mille francs amassés sou à sou. Certes elle se croyait, sous le rapport de la fortune, un parti sortable. «Quant au reste, je vaux bien le bonhomme!» se dit-elle en se retournant dans son lit, comme pour s'attester à elle-même des charmes que la grosse Sylvie trouvait chaque matin moulés en creux. Dès ce jour, pendant environ trois mois, la veuve Vauquer profita du coiffeur de M. Goriot, et fit quelques frais de toilette, excusés par la nécessité de donner à sa maison un certain décorum en harmonie avec les personnes honorables qui la fréquentaient. Elle s'intrigua beaucoup pour changer le personnel de ses pensionnaires, en affichant la prétention de n'accepter désormais que les gens les plus distingués sous tous les rapports. Un étranger se présentait-il, elle lui vantait la préférence que M. Goriot, un des négociants les plus notables et les plus respectables de Paris, lui avait accordée. Elle distribua des prospectus en tête desquels se lisait: MAISON VAUQUER. «C'était, disait-elle, une des plus anciennes et des plus estimées pensions bourgeoises du pays latin. Il y existait une vue des plus agréables sur la vallée des Gobelins (on l'apercevait du troisième étage), et un *joli* jardin, au bout duquel S'ÉTENDAIT une ALLÉE de tilleuls.» Elle y parlait du bon air et de la solitude. Ce prospectus lui amena Mme la comtesse de l'Ambermesnil, femme de trente-six ans, qui attendait la fin de la liquidation et le règlement d'une pension qui lui était due, en qualité de veuve d'un général mort sur *les* champs de bataille. Mme Vauquer soigna sa table, fit du feu dans les salons pendant près de six mois, et tint si bien les promesses de son prospectus qu'*elle y mit du sien*. Aussi la comtesse disait-elle à Mme Vauquer, en l'appelant *chère amie*, qu'elle lui procurerait la baronne de Vaumerland et la veuve du colonel comte Picquoiseau, deux de ses amies, qui achevaient au Marais leur terme dans une pension plus coûteuse que ne l'était la maison Vauquer. Ces dames seraient d'ailleurs fort à leur aise quand les bureaux de la guerre auraient fini leur travail. «Mais, disait-elle, les bureaux ne terminent rien.» Les deux veuves montaient ensemble après le dîner dans la chambre de Mme Vauquer, et y faisaient de petites causettes en buvant du cassis et en mangeant des friandises réservées pour la bouche de la maîtresse. Mme de l'Ambermesnil approuva beaucoup les vues de son hôtesse sur le Goriot, vues excellentes, qu'elle avait d'ailleurs devinées dès le premier jour; elle le trouvait un homme parfait.»

IV.

Le drame du père Goriot commence avec une hideuse vérité, et finit avec une odieuse invraisemblance. C'est le roman de la canaille, depuis le forçat Vautrin, qui professe en paroles et en actions le cynisme du crime, et qui tue de sang-froid pour enrichir Eugène de Rastignac, jusqu'au père Goriot qui meurt pour favoriser le désordre de ses deux filles, et qui les étend lui-même, comme des victimes, sur le bûcher des prostitutions. Il peut exister de tels pères, me dira-t-on. Je réponds: Non! de tels pères ne seraient plus des pères, leur paternité ne produirait plus le respect, mais la honte! On ne s'intéresse plus du moment qu'on méprise; ce serait le miracle de l'infamie; or il n'est pas permis au romancier de faire des miracles. Ce roman se gâte en ce moment-là. Le livre tombe des mains honnêtes.

Voici le début du drame:

V.

Les pensionnaires accusaient le père Goriot d'un honteux libertinage. Une belle personne en robe de soie vient le matin lui faire visite, la servante s'étonne et la suit à son départ.

—Figurez-vous, madame, qu'au coin de l'Estrapade il y avait un magnifique équipage dans lequel elle est montée.

À dîner on raille le père Goriot.—C'était ma fille, dit-il, avec orgueil et simplicité.—Quelques jours après une seconde visite, d'une seconde beauté, est remarquée. Même remarque à la table d'hôte. Il réduit le prix de sa pension. Sa considération décroît.

Eugène de Rastignac, qui avait été passer les vacances dans son humble famille, revient affamé d'ambition à la pension Vauquer.

«Eugène de Rastignac était revenu dans une disposition d'esprit que doivent avoir connue les jeunes gens supérieurs, ou ceux auxquels une position difficile communique momentanément les qualités des hommes d'élite. Pendant sa première année de séjour à Paris, le peu de travail que veulent les premiers grades à prendre dans la Faculté l'avait laissé libre de goûter les délices visibles du Paris matériel. Un étudiant n'a pas trop de temps s'il veut connaître le répertoire de chaque théâtre, étudier les issues du labyrinthe parisien, savoir les usages, apprendre la langue et s'habituer aux plaisirs particuliers de la capitale; fouiller les bons et les mauvais endroits, suivre les cours qui amusent, inventorier les richesses des musées. Un étudiant se passionne alors pour des niaiseries qui lui paraissent grandioses. Il a son grand homme, un professeur du collège de France, payé pour se tenir à la hauteur de son auditoire. Il rehausse sa cravate et se pose pour la femme des premières galeries de l'Opéra-Comique. Dans ces initiations successives, il se dépouille de son aubier, agrandit l'horizon de sa vie, et finit par concevoir la superposition des couches humaines qui composent la société. S'il a commencé par admirer les voitures au défilé des Champs-Élysées par un beau soleil, il arrive bientôt à les envier. Eugène avait subi cet apprentissage à son insu, quand il partit en vacances, après avoir été reçu bachelier ès lettres et bachelier en droit. Ses illusions d'enfance, ses idées de province avaient disparu. Son intelligence modifiée, son ambition exaltée, lui firent voir juste au milieu du manoir paternel, au sein de la famille. Son père, sa mère, ses deux frères, ses deux sœurs, et une tante dont la fortune consistait en pensions, vivaient sur la petite terre de Rastignac. Ce domaine d'un revenu d'environ trois mille francs était soumis à l'incertitude qui régit le produit tout industriel de la vigne, et néanmoins il fallait en extraire chaque année douze cents francs pour lui. L'aspect de cette constante détresse qui lui était généreusement cachée, la comparaison qu'il fut forcé d'établir entre ses sœurs, qui lui semblaient si belles dans son enfance, et les femmes de Paris, qui lui avaient réalisé le type d'une beauté rêvée, l'avenir incertain de cette nombreuse famille qui reposait sur lui, la parcimonieuse attention avec laquelle il vit serrer les plus minces productions, la boisson faite pour sa famille avec les marcs du pressoir, enfin une foule de circonstances inutiles à consigner ici, décuplèrent son désir de parvenir et lui donnèrent soif des distinctions. Comme il arrive aux âmes grandes, il voulut ne rien devoir qu'à son mérite. Mais son esprit était éminemment méridional; à l'exécution, ses déterminations devaient donc être frappées des hésitations qui saisissent les jeunes gens quand ils se trouvent en pleine mer, sans savoir ni de quel côté diriger leurs forces, ni sous quel angle enfler leurs voiles. Si d'abord il voulut se jeter à corps perdu dans le travail, séduit bientôt par la nécessité de se créer des relations, il remarqua combien les femmes ont d'influence sur la vie sociale, et avisa soudain à se lancer dans le monde, afin d'y conquérir des protectrices: devaient-elles manquer à un jeune homme ardent et spirituel, dont l'esprit et l'ardeur étaient rehaussés par une tournure élégante et par une sorte de beauté nerveuse à laquelle les femmes se laissent prendre volontiers? Ces idées l'assaillirent au milieu des champs, pendant les promenades que jadis il faisait gaiement avec ses sœurs, qui le trouvèrent bien changé. Sa tante, Mme de Marcillac, autrefois présentée à la cour, y avait connu les sommités aristocratiques. Tout à coup le jeune ambitieux reconnut, dans les souvenirs dont sa tante l'avait si souvent bercé, les éléments de plusieurs conquêtes sociales, au moins aussi importantes que celles qu'il entreprenait à l'École de droit; il la questionna sur les liens de parenté qui pouvaient encore se renouer. Après avoir secoué les branches de l'arbre généalogique, la vieille dame estima que, de toutes les personnes qui pouvaient servir son neveu parmi la gent égoïste des parents riches, Mme la vicomtesse de Beauséant serait la moins récalcitrante. Elle écrivit à cette jeune femme une lettre dans l'ancien style, et la remit à Eugène, en lui disant que, s'il réussissait auprès de la vicomtesse, elle lui ferait retrouver ses autres parents. Quelques jours après son arrivée, Rastignac envoya la lettre de sa tante à Mme de Beauséant. La vicomtesse répondit par une invitation de bal pour le lendemain.»

VI.

Rastignac se lie au bal avec la comtesse de Restaud et rentre éperdu dans sa pension. À la lueur de la lumière qui passe sous la porte il entrevoit le vieillard faisant un paquet avec son linge et son argenterie de réserve, et allant le vendre à un usurier juif du quartier. Le déjeuner est retardé par l'épaisseur du brouillard. Vautrin entre le premier dans la salle en chantonnant un couplet d'opéra-comique.—Le père Goriot, dit-il à Mme Vauquer, en la lutinant, était à huit heures rue Dauphine; il a vendu une bonne pacotille d'argenterie.—Mlle Taillefer et sa maman, Mme Cantin, entrent.—D'où venez-vous si matin?—De faire nos dévotions à Saint-Étienne-du-Mont, répond Mme Cantin; ne devons-nous pas aller chez M. Taillefer, et prier Dieu d'attendrir le cœur de son père?

—Femmes innocentes, malheureuses et persécutées, dit en plaisantant Vautrin, d'ici à peu de jours je me mêlerai de vos affaires, et tout ira bien!

VII.

La jeune personne vertueuse, Sylvie, va voir son père qui la congédie comme une étrangère.—M. de Rastignac est mal accueilli par Mme de Restaud.—Il va chez Mme de Beauséant, sa cousine, il est ébloui; il commet une gaucherie en lui faisant connaître le prochain mariage de M. d'Ajuda Pinto, jeune et beau Portugais qu'elle adore. Il jette la discorde dans le cœur de Mme de Nucingen et de Mme de Restaud, en disant qu'il connaît leur père, un vieillard nommé Goriot. Il rentre confondu à la pension, raconte ses désastres à Vautrin, qui le raille et qui tâche de le pervertir. Il écrit à sa mère et à ses sœurs pour leur demander une somme nécessaire pour son avancement dans le monde.—Il apprend en détail la Vie du père Goriot.

«Jean-Joachim Goriot était, avant la révolution, un simple ouvrier vermicellier, habile, économe, et assez entreprenant pour avoir acheté le fonds de son maître, que le hasard rendit victime du premier soulèvement de 1789. Il s'était établi rue de la Jussienne, près de la Halle-aux-Blés, et avait eu le gros bon sens d'accepter la présidence de sa section, afin de faire protéger son commerce par les personnages les plus influents de cette dangereuse époque. Cette sagesse avait été l'origine de sa fortune qui commença dans la disette, fausse ou vraie, par suite de laquelle les grains acquirent un prix énorme à Paris. Le peuple se tuait à la porte des boulangers, tandis que certaines personnes allaient chercher sans émeute des pâtes d'Italie chez les épiciers. Pendant cette année, le citoyen Goriot amassa les capitaux qui plus tard lui servirent à faire son commerce avec toute la supériorité que donne une grande masse d'argent à celui qui la possède. Il lui arriva ce qui arrive à tous les hommes qui n'ont qu'une capacité relative. Sa médiocrité le sauva. D'ailleurs, sa fortune n'étant connue qu'au moment où il n'y avait plus de danger à être riche, il n'excita l'envie de personne. Le commerce de grains semblait avoir absorbé toute son intelligence. S'agissait-il de blés, de farines, de grenailles, de reconnaître leurs qualités, leurs provenances, de veiller à leur conservation, de prévoir les cours, de prophétiser l'abondance ou la pénurie des récoltes, de se procurer les céréales à bon marché, de s'en approvisionner en Sicile, en Ukraine, Goriot n'avait pas son second. À lui voir conduire ses affaires, expliquer les lois sur l'exportation, sur l'importation des grains, étudier leur esprit, saisir leurs défauts, un homme l'eût jugé capable d'être ministre d'État. Patient, actif, énergique, constant, rapide dans ses expéditions, il avait un coup d'œil d'aigle, il devançait tout, prévoyait tout, savait tout, cachait tout; diplomate pour concevoir, soldat pour marcher. Sorti de sa spécialité, de sa simple et obscure boutique sur le pas de laquelle il demeurait pendant ses heures d'oisiveté, l'épaule appuyée au montant de la porte, il redevenait l'ouvrier stupide et grossier, l'homme incapable de comprendre un raisonnement, insensible à tous les plaisirs de l'esprit, l'homme qui s'endormait au spectacle, un de ces Dolibans parisiens, forts seulement en bêtise. Ces natures se ressemblent presque toutes. À presque toutes, vous trouveriez un sentiment sublime au cœur. Deux sentiments exclusifs avaient rempli le cœur du vermicellier, en avaient absorbé l'humide, comme le commerce des grains employait toute l'intelligence de sa cervelle. Sa femme, fille unique d'un riche fermier de la Brie, fut pour lui l'objet d'une admiration religieuse, d'un amour sans bornes. Goriot avait admiré en elle une nature frêle et forte, sensible et jolie, qui contrastait singulièrement avec la sienne. S'il est un sentiment inné dans le cœur de l'homme, n'est-ce pas l'orgueil de la protection exercée à tout moment en faveur d'un être faible?

Joignez-y l'amour, cette reconnaissance vive de toutes les âmes franches pour le principe de leurs plaisirs, et vous comprendrez une foule de bizarreries morales. Après sept ans de bonheur sans nuages, Goriot, malheureusement pour lui, perdit sa femme: elle commençait à prendre de l'empire sur lui, en dehors de la sphère des sentiments. Peut-être eût-elle cultivé cette nature inerte, peut-être y eût-elle jeté l'intelligence des choses du monde et de la vie. Dans cette situation, le sentiment de la paternité se développa chez Goriot jusqu'à la déraison; il reporta ses affections trompées par la mort sur ses deux filles, qui, d'abord, satisfirent pleinement tous ses sentiments. Quelque brillantes que fussent les propositions qui lui furent faites par des négociants ou des fermiers jaloux de lui donner leurs filles, il voulut rester veuf. Son beau-père, le seul homme pour lequel il avait eu du penchant, prétendait savoir pertinemment que Goriot avait juré de ne pas faire d'infidélité à sa femme, quoique morte. Les gens de la halle, incapables de comprendre cette sublime folie, en plaisantèrent, et donnèrent à Goriot quelque grotesque sobriquet. Le premier d'entre eux qui, en buvant le vin d'un marché, s'avisa de le prononcer, reçut du vermicellier un coup de poing sur l'épaule qui l'envoya, la tête la première, sur une borne de la rue Oblin. Le dévouement irréfléchi, l'amour ombrageux et délicat que portait Goriot à ses filles était si connu, qu'un jour un de ses concurrents, voulant le faire partir du marché pour rester maître du cours, lui dit que Delphine venait d'être renversée par un cabriolet. Le vermicellier, pâle et blême, quitta aussitôt la halle. Il fut malade pendant plusieurs jours par suite de la réaction des sentiments contraires auxquels le livra cette fausse alarme. S'il n'appliqua pas sa tape meurtrière sur l'épaule de cet homme, il le chassa de la halle en le forçant, dans une circonstance critique, à faire faillite. L'éducation de ses deux filles fut naturellement déraisonnable. Riche de plus de soixante mille livres de rente, et ne dépensant pas douze cents francs pour lui, le bonheur de Goriot était de satisfaire les fantaisies de ses filles: les plus excellents maîtres furent chargés de les douer des talents qui signalent une bonne éducation; elles eurent une demoiselle de compagnie; heureusement pour elles, ce fut une femme d'esprit et de goût; elles allaient à cheval, elles avaient voiture, elles vivaient comme auraient vécu les maîtresses d'un vieux seigneur riche; il leur suffisait d'exprimer les plus coûteux désirs pour voir leur père s'empressant de les combler; il ne demandait qu'une caresse en retour de ses offrandes. Goriot mettait ses filles au rang des anges, et nécessairement au-dessus de lui, le pauvre homme! il aimait jusqu'au mal qu'elles lui faisaient. Quand ses filles furent en âge d'être mariées, elles purent choisir leurs maris suivant leurs goûts: chacune d'elles devait avoir en dot la moitié de la fortune de son père. Courtisée pour sa beauté par le comte de Restaud, Anastasie avait des penchants aristocratiques qui la portèrent à quitter la maison paternelle pour s'élancer dans les hautes sphères sociales. Delphine aimait l'argent: elle épousa Nucingen, banquier d'origine allemande qui devint baron du Saint-

Empire. Goriot resta vermicellier. Ses filles et ses gendres se choquèrent bientôt de lui voir continuer ce commerce, quoique ce fût toute sa vie. Après avoir subi pendant cinq ans leurs instances, il consentit à se retirer avec le produit de son fonds, et les bénéfices de ces dernières années; capital que Mme Vauquer, chez laquelle il était venu s'établir, avait estimé rapporter de huit à dix mille livres de rente. Il se jeta dans cette pension par suite du désespoir qui l'avait saisi en voyant ses deux filles obligées par leurs maris de refuser non-seulement de le prendre chez elles, mais encore de l'y recevoir ostensiblement.

«Ces renseignements étaient tout ce que savait un monsieur Muret sur le compte du père Goriot, dont il avait acheté le fonds. Les suppositions que Rastignac avait entendu faire par la duchesse de Langeais se trouvaient ainsi confirmées.»

Ici se termine l'exposition de cette obscure, mais effroyable tragédie parisienne.

«Vers la fin de cette première semaine du mois de décembre, Rastignac reçut deux lettres, l'une de sa mère, l'autre de sa sœur aînée. Ces écritures si connues le firent à la fois palpiter d'aise et trembler de terreur. Ces deux frêles papiers contenaient un arrêt de vie ou de mort sur ses espérances. S'il concevait quelque terreur en se rappelant la détresse de ses parents, il avait trop bien éprouvé leur prédilection pour ne pas craindre d'avoir aspiré leurs dernières gouttes de sang.»

Vautrin lui conseille d'épouser Mlle Taillefer et lui promet que son frère sera tué en duel, et qu'elle héritera des trois millions de la fortune de son père. Rastignac rougit et s'indigne. Le père Goriot apprend que Rastignac, enrichi par la tendresse de sa mère, doit aller au bal chez Mme de Restaud, sa fille Anastasie. Il lui confie ses faiblesses paternelles.

«—Mon cher monsieur, lui avait-il dit le lendemain, comment avez-vous pu croire que Mme de Restaud vous en ait voulu d'avoir prononcé mon nom? Mes deux filles m'aiment bien. Je suis un heureux père. Seulement, mes deux gendres se sont mal conduits envers moi. Je n'ai pas voulu faire souffrir ces chères créatures de mes dissensions avec leurs maris, et j'ai préféré les voir en secret. Ce mystère me donne mille jouissances que ne comprennent pas les autres pères qui peuvent voir leurs filles quand ils veulent. Moi, je ne le peux pas, comprenez-vous? Alors je vais, quand il fait beau, dans les Champs-Élysées, après avoir demandé aux femmes de chambre si mes filles sortent. Je les attends au passage, le cœur me bat quand les voitures arrivent, je les admire dans leur toilette, elles me jettent en passant un petit rire qui me dore la nature comme s'il y tombait un rayon de quelque beau soleil. Et je reste, elles doivent revenir. Je les vois encore! l'air leur a fait du bien, elles sont roses. J'entends dire autour de moi: Voilà une belle femme! Ça me réjouit le cœur. N'est-ce pas mon sang! J'aime les chevaux qui les traînent, et je voudrais être le petit chien qu'elles ont sur leurs genoux. Je vis de leurs plaisirs. Chacun a sa façon d'aimer, la mienne ne fait pourtant de mal à personne, pourquoi le monde s'occupe-t-il de moi? Je suis heureux à ma manière. Est-ce contre les lois que j'aille voir mes filles, le soir, au moment où elles sortent de leurs maisons pour se rendre au bal? Quel chagrin pour moi si j'arrive trop tard, et qu'on me dise: Madame est sortie! Un soir j'ai attendu jusqu'à trois heures du matin pour voir Nasie, que je n'avais pas vue depuis deux jours. J'ai manqué crever d'aise! Je vous en prie, ne parlez de moi que pour dire combien mes filles sont bonnes. Elles veulent me combler de toutes sortes de cadeaux; je les en empêche, je leur dis: Gardez donc votre argent! Que voulez-vous que j'en fasse? Il ne me faut rien. En effet, mon cher monsieur, que suis-je? un méchant cadavre dont l'âme est partout où sont mes filles. Quand vous aurez vu Mme de Nucingen, vous me direz celle des deux que vous préférez, dit le bonhomme après un moment de silence en voyant Eugène qui se disposait à partir pour aller aux Tuileries en attendant l'heure de se présenter chez Mme de Beauséant.»

Mme de Restaud l'invite à dîner pour le lendemain.

Le lendemain il y dîne en effet, tête à tête avec Mme de Restaud. Ils vont ensuite aux Italiens. Il aperçoit dans une loge en face l'autre fille du père Goriot, la baronne de Nucingen, éclatante de luxe et de beauté. M. d'Ajuda Pinto le présente à elle. Ils s'amorcent mutuellement par des galanteries de paroles qui sont des trahisons pour la plus jeune des deux sœurs, des serments pour la plus âgée. À son retour à la pension, le père Goriot l'attend et s'enivre de ses confidences.

«—Ma foi! dit-il d'un air en apparence insouciant, à quoi cela me servirait-il d'être mieux? Je ne puis guère vous expliquer ces choses-là; je ne sais pas dire deux paroles de suite comme il faut. Tout est là, ajouta-t-il en se frappant le cœur. Ma vie, à moi, est dans mes deux filles. Si elles s'amusent, si elles sont heureuses, bravement mises, si elles marchent sur des tapis, qu'importe de quel drap je sois vêtu et comment est l'endroit où je me couche? Je n'ai point froid si elles ont chaud, je ne m'ennuie jamais si elles rient. Je n'ai de chagrins que les leurs. Quand vous serez père, quand vous direz, en oyant gazouiller vos enfants: C'est sorti de moi! que vous sentirez ces petites créatures tenir à chaque goutte de votre sang, dont elles ont été la fine fleur, car c'est ça! vous vous croirez attaché à leur peau, vous croirez être agité vous-même par leur marche. Leur voix me répond partout. Un regard d'elles, quand il est triste, me fige le sang. Un jour vous saurez que l'on est bien plus heureux de leur bonheur que du sien propre. Je ne peux pas vous expliquer ça: c'est des mouvements intérieurs qui répandent l'aise partout. Enfin, je vis trois fois. Voulez-vous que je vous dise une drôle de chose? Eh bien, quand j'ai été père, j'ai compris Dieu. Il est tout entier partout, puisque la création est sortie de lui. Monsieur, je suis ainsi avec mes filles. Seulement j'aime mieux mes filles que Dieu n'aime le monde, parce que le monde n'est pas si beau que Dieu, et que mes filles sont plus belles que moi. Elles me tiennent si bien à l'âme, que j'avais idée que vous les verriez ce soir. Mon Dieu! un homme qui rendrait ma petite Delphine aussi heureuse qu'une femme l'est quand elle est bien aimée, mais je lui cirerais ses bottes, je lui ferais ses commissions. J'ai su par sa femme de chambre que ce petit monsieur de Marsay est un mauvais chien. Il m'a pris des envies de lui tordre le cou. Ne pas aimer un bijou de femme, une voix de rossignol, et faite comme un modèle! Où a-t-elle eu les yeux, d'épouser cette grosse souche d'Alsacien? Il leur fallait à toutes deux de jolis jeunes gens bien aimables. Enfin, elles ont fait à leur fantaisie.»

VIII.

En sortant de cet entretien, Rastignac va à son cours; il rencontre, dans le jardin du Luxembourg, son camarade de pension Bianchon, élève en médecine. Bianchon est commun, mais il est honnête et modéré.

«—Ma foi! répond-il à Rastignac, que de succès et d'avenir! Tu poses la question qui se trouve à l'entrée de la vie pour tout le monde, et tu veux couper le nœud gordien avec l'épée. Pour agir ainsi, mon cher, il faut être Alexandre, sinon on va au bagne. Moi, je suis heureux de la petite existence que je me créerai en province, où je succéderai tout bêtement à mon père. Les affections de l'homme se satisfont dans le plus petit cercle aussi pleinement que dans une immense circonférence. Napoléon ne dînait pas deux fois, et ne pouvait pas avoir plus de maîtresses qu'en prend un étudiant en médecine quand il est interne aux Capucins. Notre bonheur, mon cher, tiendra toujours entre la plante de nos pieds et notre occiput; et qu'il coûte un million par an ou cent louis, la perception intrinsèque en est la même au-dedans de nous. Je conclus à la vie du Chinois.

—Merci, tu m'as fait du bien, Bianchon! Nous serons toujours amis.»

Rastignac est tenté, mais non corrompu encore. La noblesse du sang lutte en lui contre l'influence de Vautrin. Mme de Nucingen, gênée dans ses dépenses par son mari, lui fait d'amères confidences et lui persuade d'aller jouer pour elle *ses derniers cent francs* à la roulette. Il gagne trente-six fois sa mise et rapporte 7,000 francs à Mme de Nucingen. Vautrin le ressaisit et lui conseille de déclarer son amour à Mlle Taillefer. Rastignac s'en laisse aimer. Quand Vautrin voit Rastignac engagé, il cherche une querelle au frère unique de la jeune fille et le tue d'un coup d'épée au front, sous le nom du colonel Franceschini. La nouvelle se répand. Rastignac soupçonne Lucile du meurtre. Il jure qu'il n'épousera jamais Mlle Taillefer. Vautrin invite toute la pension au spectacle. Au retour il est arrêté comme forçat libéré. Goriot vend jusqu'à ses derniers couverts d'argent pour complaire à ses filles, et il expire pendant qu'elles vont au bal. La scène est horrible, mais invraisemblable, comme toute la fin du roman. On voit que l'auteur se trouble et se corrompt lui-même. Ce livre, qui commence avec un inimitable talent, finit comme un mauvais mélodrame.

Voilà le *Père Goriot*.

L'impression est funèbre, on ne s'en sauve que par l'incrédulité.

IX.
LE LIS DANS LA VALLÉE.

C'est une oasis dans les œuvres de Balzac. Il est las de cynisme et d'horreur. Il se retire à la campagne, en Touraine, et s'abandonne au courant d'amour qui l'emporte à ses rêveries. Il rêve beau.

Voici le *Lis*.

Il commence par une espèce de préface.

À MADAME LA COMTESSE NATHALIE DE MANERVILLE.

«Je cède à ton désir. Le privilége de la femme que nous aimons plus qu'elle ne nous aime est de nous faire oublier à tout propos les règles du bon sens. Pour ne pas voir un pli se former sur vos fronts, pour dissiper la boudeuse expression de vos lèvres que le moindre refus attriste, nous franchissons miraculeusement les distances, nous donnons notre sang, nous dépensons l'avenir. Aujourd'hui tu veux mon passé, le voici. Seulement, sache-le bien, Nathalie: en t'obéissant, j'ai dû fouler aux pieds des répugnances inviolées. Mais pourquoi suspecter les soudaines et longues rêveries qui me saisissent parfois en plein bonheur? pourquoi ta jolie colère de femme aimée, à propos d'un silence? Ne pouvais-tu jouer avec les contrastes de mon caractère sans en demander les causes? As-tu dans le cœur des secrets qui, pour se faire absoudre, aient besoin des miens? Enfin, tu l'as deviné, Nathalie, et peut-être vaut-il mieux que tu saches tout: oui, ma vie est dominée par un fantôme, il se dessine vaguement au moindre mot qui le provoque, il s'agite souvent de lui-même au-dessus de moi. J'ai d'imposants souvenirs ensevelis au fond de mon âme, comme ces productions marines qui s'aperçoivent par les temps calmes, et que les flots de la tempête jettent par fragments sur la grève. Quoique le travail que nécessitent les idées pour être exprimées ait contenu ces anciennes émotions qui me font tant de mal quand elles se réveillent trop soudainement, s'il y avait dans cette confession des éclats qui te blessassent, souviens-toi que tu m'as menacé si je ne t'obéissais pas; ne me punis donc pas de t'avoir obéi. Je voudrais que ma confidence redoublât ta tendresse. À ce soir.

FÉLIX.

«À quel talent nourri de larmes devrons-nous un jour la plus émouvante élégie, la peinture des tourments subis en silence par les âmes dont les racines tendres encore ne rencontrent que de durs cailloux dans le sol domestique, dont les premières floraisons sont déchirées par des mains haineuses, dont les fleurs sont atteintes par la gelée au moment où elles s'ouvrent? Quel poëte nous dira les douleurs de l'enfant dont les lèvres sucent un sein amer, et dont les sourires sont réprimés par le feu dévorant d'un œil sévère? La fiction qui représenterait ces pauvres cœurs opprimés par les êtres placés autour d'eux pour favoriser les développements de leur sensibilité serait la véritable histoire de ma jeunesse. Quelle vanité pouvais-je blesser, moi, nouveau-né? quelle disgrâce physique ou morale me valait la froideur de ma mère? étais-je donc l'enfant du devoir, celui dont la naissance est fortuite, ou celui dont la vie est un reproche? Mis en nourrice à la campagne, oublié par ma famille pendant trois ans, quand je revins à la maison paternelle, je comptais pour si peu de chose que j'y subissais la compassion des gens. Je ne connais ni le sentiment ni l'heureux hasard à l'aide desquels j'ai pu me relever de cette première déchéance: chez moi l'enfant ignore, et l'homme ne sait rien. Loin d'adoucir mon sort, mon frère et mes deux sœurs s'amusèrent à me faire souffrir. Le pacte en vertu duquel les enfants cachent leurs peccadilles, et qui leur apprend déjà l'honneur, fut nul à mon égard; bien plus, je me vis souvent puni pour les fautes de mon frère, sans pouvoir réclamer contre cette injustice; la courtisanerie, en germe chez les enfants, leur conseillait-elle de contribuer aux persécutions qui m'affligeaient, pour se ménager les bonnes grâces d'une mère également redoutée par eux? était-ce un effet de leur penchant à l'imitation? était-ce besoin d'essayer leurs forces, ou manque de pitié? Peut-être ces causes réunies me privèrent-elles de la douceur de la fraternité. Déjà déshérité de toute affection, je ne pouvais rien aimer, et la nature m'avait fait aimant! Un ange recueille-t-il les soupirs de cette sensibilité sans cesse rebutée? Si dans quelques âmes les sentiments méconnus tournent en haine, dans la mienne ils se concentrèrent et s'y creusèrent un lit d'où, plus tard, ils jaillirent sur ma vie. Suivant les caractères, l'habitude de trembler relâche les fibres, engendre la crainte; et la crainte oblige à toujours céder. De là vient une faiblesse qui abâtardit l'homme et lui communique je ne sais quoi d'esclave. Mais ces continuelles tourmentes m'habituèrent à déployer une force qui s'accrut par son exercice et prédisposa mon âme aux résistances morales. Attendant toujours une douleur nouvelle, comme les martyrs attendaient un nouveau coup, tout mon être dut exprimer une résignation morne sous laquelle les grâces et les mouvements de l'enfance furent étouffés, attitude qui passa pour un symptôme d'idiotie et justifia les sinistres pronostics de ma mère. La certitude de ces injustices excita prématurément dans mon âme la fierté, ce fruit de la raison, qui sans doute arrêta les mauvais penchants qu'une semblable éducation encourageait. Quoique délaissé par ma mère, j'étais parfois l'objet de ses scrupules, parfois elle parlait de mon instruction et manifestait le désir de s'en occuper; il me passait alors des frissons horribles en songeant aux déchirements que me causerait un contact journalier avec elle. Je bénissais mon abandon, et me trouvais heureux de pouvoir rester dans le jardin à jouer avec des cailloux, à observer des insectes, à regarder le bleu du firmament. Quoique l'isolement dût me porter à la rêverie, mon goût pour les contemplations vint d'une aventure qui vous peindra mes premiers malheurs. Il était si peu question de moi que souvent la gouvernante oubliait de me faire coucher. Un soir, tranquillement blotti sous un figuier, je regardais une étoile avec cette passion curieuse qui saisit les enfants, et à laquelle ma précoce mélancolie ajoutait une sorte d'intelligence sentimentale. Mes sœurs s'amusaient et criaient; j'entendais leur lointain tapage comme un accompagnement à mes idées. Le bruit cessa, la nuit vint. Par hasard, ma mère s'aperçut de mon absence. Pour éviter un reproche, notre gouvernante, une terrible Mlle Caroline, légitima les fausses appréhensions de ma mère en prétendant que j'avais la maison en horreur; que si elle n'eût pas attentivement veillé sur moi, je me serais enfui déjà; je n'étais pas imbécile, mais sournois; parmi tous les enfants soumis à ses soins, elle n'en avait jamais rencontré dont les dispositions fussent aussi mauvaises que les miennes. Elle feignit de me chercher et m'appela, je répondis; elle vint au figuier où elle savait que j'étais.—Que faisiez-vous donc là? me dit-elle.— Je regardais une étoile.—Vous ne regardiez pas une étoile, dit ma mère qui nous écoutait du haut de son balcon; connaît-on l'astronomie à votre âge?— Ah! madame, s'écria Mlle Caroline, il a lâché le robinet du réservoir, le jardin est inondé. Ce fut une rumeur générale. Mes sœurs s'étaient amusées à tourner ce robinet pour voir couler l'eau; mais, surprises par l'écartement d'une gerbe qui les avait arrosées de toutes parts, elles avaient perdu la tête et s'étaient enfuies sans avoir pu fermer le robinet. Atteint et convaincu d'avoir imaginé cette espièglerie, accusé de mensonge quand j'affirmais mon innocence, je fus sévèrement puni. Mais, châtiment horrible! je fus persiflé sur mon amour pour les étoiles, et ma mère me défendit de rester au jardin le soir. Les défenses tyranniques aiguisent encore plus une passion chez les enfants que chez les hommes; les enfants ont sur eux l'avantage de ne penser qu'à la chose défendue, qui leur offre des attraits irrésistibles. J'eus donc souvent le fouet pour mon étoile. Ne pouvant me confier à personne, je lui disais mon chagrin dans ce délicieux ramage intérieur par lequel un enfant bégaye ses premières idées, comme naguère il a bégayé ses premières paroles. À l'âge de douze ans, au collége, je la contemplais encore en éprouvant d'indicibles délices, tant les impressions reçues au matin de la vie laissent de profondes traces au cœur.

«De cinq ans plus âgé que moi, Charles fut aussi bel enfant qu'il est bel homme; il était le privilégié de mon père, l'amour de ma mère, l'espoir de ma famille, partant le roi de la maison. Bien fait et robuste, il avait un précepteur. Moi, chétif et malingre, à cinq ans je fus envoyé comme externe dans une pension de la ville, conduit le matin et ramené le soir par le valet de chambre de mon père. Je partais en emportant un panier peu fourni, tandis que mes camarades apportaient d'abondantes provisions. Ce contraste entre mon dénûment et leur richesse engendra mille souffrances. Les célèbres rillettes et rillons de Tours formaient l'élément principal du repas que nous faisions au milieu de la journée, entre le déjeuner du matin et le dîner de la maison, dont l'heure coïncidait avec notre rentrée. Cette préparation, si prisée par quelques gourmets, paraît rarement à Tours sur les tables aristocratiques; si j'en entendis parler avant d'être mis en pension, je n'avais jamais eu le bonheur de voir étendre pour moi cette brune confiture sur une tartine de pain; mais elle n'aurait pas été de mode à la pension, mon envie n'en eût pas été moins vive, car elle était devenue comme une idée fixe, semblable au désir qu'inspiraient à l'une des plus élégantes duchesses de Paris les ragoûts cuisinés par les portières, et qu'en sa qualité de femme, elle satisfit. Les enfants devinent la convoitise dans les regards aussi bien que vous y lisez l'amour: je devins alors un excellent sujet de moquerie. Mes camarades, qui presque tous appartenaient à la petite bourgeoisie, venaient me présenter leurs excellentes rillettes en me demandant si je savais comme elles se faisaient, où elles se vendaient, pourquoi je n'en avais pas. Ils se pourléchaient en vantant les rillons, ces résidus de porc sautés dans sa graisse et qui ressemblent à des truffes cuites; ils douanaient mon panier, n'y trouvaient que des fromages d'Olivet, ou des fruits secs, et m'assassinaient d'un:—*Tu n'as donc pas de quoi?* qui m'apprit à mesurer la différence mise entre mon frère et moi. Ce contraste entre mon abandon et le bonheur des autres a souillé les roses de mon enfance, et flétri ma verdoyante jeunesse. La première fois que, dupe d'un sentiment généreux, j'avançai la main pour accepter la friandise tant souhaitée qui me fut offerte d'un air hypocrite, mon mystificateur retira sa tartine aux rires des camarades prévenus de ce dénouement. Si les esprits les plus distingués sont accessibles à la vanité, comment ne pas absoudre l'enfant qui pleure de se voir méprisé, goguenardé! À ce jeu, combien d'enfants seraient devenus gourmands, quêteurs, lâches! Pour éviter les persécutions, je me battis. Le courage du désespoir me rendit redoutable, mais je fus un objet de haine, et restai sans ressources contre les traîtrises. Un soir, en sortant, je reçus dans le dos un coup de mouchoir roulé, plein de cailloux. Quand le valet de chambre, qui me vengea rudement, apprit cet événement à ma mère, elle s'écria:—Ce maudit enfant ne nous donnera que des chagrins! J'entrai dans une horrible défiance de moi-même, en trouvant là les répulsions que j'inspirais en famille. Là, comme à la maison, je me repliai sur moi-même. Une seconde tombée de neige retarda la floraison des germes semés en mon âme. Ceux que je voyais aimés étaient de francs polissons, ma fierté s'appuya sur cette observation, je demeurai seul. Ainsi se continua l'impossibilité d'épancher les sentiments dont mon cœur était gros. En me voyant toujours assombri, haï, solitaire, le maître confirma les soupçons erronés que ma famille avait de ma mauvaise nature. Dès que je sus écrire et lire, ma mère me fit exporter à Pont-Levoy, collége dirigé par les Oratoriens, qui recevaient les enfants de mon âge dans une classe nommée la classe des *Pas latins*, où restaient aussi les écoliers de qui l'intelligence tardive se refusait au rudiment. Je demeurai là huit ans, sans voir personne, et menant une vie de paria. Voici comment et pourquoi. Je n'avais que trois francs par mois pour mes menus plaisirs, somme qui suffisait à peine aux plumes, canifs, règles, encre et papier dont il fallait nous pourvoir. Ainsi, ne pouvant acheter ni les échasses, ni les cordes, ni aucune des choses nécessaires aux amusements du collége, j'étais banni des jeux; pour y être admis, j'aurais dû flagorner les riches ou flatter les forts de ma division. La moindre de ces lâchetés, que se permettent si facilement les enfants, me faisait bondir le cœur. Je séjournais sous un arbre, perdu dans de plaintives rêveries, je lisais là les livres que nous distribuait mensuellement le bibliothécaire. Combien de douleurs étaient cachées au fond de cette solitude monstrueuse! quelles angoisses engendrait mon abandon! Imaginez ce que mon âme tendre dut ressentir à la première distribution de prix où j'obtins les deux plus estimés, le prix de thème et celui de version! En venant les recevoir sur le théâtre au milieu des acclamations et des fanfares, je n'eus ni mon père ni ma mère pour me fêter, alors que le parterre était rempli par les parents de tous mes camarades. Au lieu de baiser le distributeur, suivant l'usage, je me précipitai dans son sein et j'y fondis en larmes. Le   soir, je brûlai mes couronnes dans le poêle. Les parents demeuraient en ville pendant la semaine employée par les exercices qui précédaient la distribution des prix, ainsi mes camarades décampaient tous joyeusement le matin; tandis que moi, de qui les parents étaient à quelques lieues de là, je restais dans les cours avec les outre-mer, nom donné aux écoliers dont les familles se trouvaient aux îles ou à l'étranger. Le soir, durant la prière, les barbares nous vantaient les bons dîners faits avec leurs parents. Vous verrez toujours mon malheur s'agrandissant en raison de la circonférence des sphères sociales où j'entrerai. Combien d'efforts n'ai-je pas tentés pour infirmer l'arrêt qui me condamnait à ne vivre qu'en moi! Combien d'espérances longtemps conçues avec mille élancements d'âme et détruites en un jour! Pour décider mes parents à venir au collége, je leur écrivais des épîtres pleines de sentiments, peut-être emphatiquement exprimés, mais ces lettres auraient-elles dû m'attirer les reproches de ma mère qui me réprimandait avec ironie sur mon style? Sans me décourager, je promettais de remplir les conditions que ma mère et mon père mettaient à leur arrivée, j'implorais l'assistance de mes sœurs à qui j'écrivais aux jours de leur fête et de leur naissance, avec l'exactitude des pauvres enfants délaissés, mais avec une vaine persistance. Aux approches de la distribution des prix, je redoublais mes prières, je parlais de triomphes pressentis. Trompé par le silence de mes parents, je les attendais en m'exaltant le cœur, je les annonçais à mes camarades; et quand, à l'arrivée des familles, le pas du vieux portier qui appelait les écoliers retentissait dans les cours, j'éprouvais alors des palpitations maladives. Jamais ce vieillard ne prononça mon nom. Le jour où je m'accusai d'avoir maudit l'existence, mon confesseur me montra le ciel où fleurissait la palme promise pour les *Beati qui lugent*! du Sauveur. Lors de ma première communion, je me jetai donc dans les mystérieuses profondeurs de la prière, séduit par les idées religieuses dont les féeries morales enchantent les jeunes esprits. Animé d'une ardente foi, je priais Dieu de renouveler en ma faveur les miracles fascinateurs que je lisais dans le Martyrologe. À cinq ans je m'envolais dans une étoile, à douze ans j'allais frapper aux portes du sanctuaire. Mon extase fit éclore en moi des songes inénarrables qui meublèrent mon imagination, enrichirent ma tendresse et fortifièrent mes facultés pensantes. J'ai souvent attribué ces sublimes visions à des anges chargés de façonner mon âme à de divines destinées; elles ont doué mes veux de la faculté de voir l'esprit intime des choses; elles ont préparé mon cœur aux magies qui font le poëte malheureux, quand il a le fatal pouvoir de comparer ce qu'il sent à ce qui est, les grandes choses voulues au peu qu'il obtient; elles ont écrit dans ma tête un livre où j'ai pu lire ce que je devais exprimer, elles ont mis sur mes lèvres le charbon de l'improvisateur.

«Mon père conçut quelques doutes sur la portée de l'enseignement oratorien, et vint m'enlever de Pont-Levoy pour me mettre à Paris dans une institution située au Marais. J'avais quinze ans. Examen fait de ma capacité, le rhétoricien de Pont-Levoy fut jugé digne d'être en troisième. Les douleurs que j'avais éprouvées en famille, à l'école, au collège, je les retrouvais sous une nouvelle forme pendant mon séjour à la pension Lepître. Mon père ne m'avait point donné d'argent. Quand mes parents savaient que je pouvais être nourri, vêtu, gorgé de latin, bourré de grec, tout était résolu. Durant le cours de ma vie collégiale, j'ai connu mille camarades environ, et n'ai rencontré chez aucun l'exemple d'une pareille indifférence. Attaché fanatiquement aux Bourbons, M. Lepître avait eu des relations avec mon père à l'époque où des royalistes dévoués essayèrent d'enlever au Temple la reine Marie-Antoinette; ils avaient renouvelé connaissance; M. Lepître se crut donc obligé de réparer l'oubli de mon père; mais la somme qu'il me donna mensuellement fut médiocre, car il ignorait les intentions de ma famille. La pension était installée à l'ancien hôtel Joyeuse, où, comme dans toutes les anciennes demeures seigneuriales, il se trouvait une loge de suisse. Pendant la récréation qui précédait l'heure où le *gâcheux* nous conduisait au lycée Charlemagne, les camarades opulents allaient déjeuner chez notre portier, nommé Doisy. M. Lepître ignorait ou souffrait le commerce de Doisy, véritable contrebandier que les élèves avaient intérêt à choyer; il était le secret chaperon de nos écarts, le confident des rentrées tardives, notre intermédiaire entre les loueurs de livres défendus. Déjeuner avec une tasse de café au lait était un goût aristocratique, expliqué par le prix excessif auquel montèrent les denrées coloniales sous Napoléon. Si l'usage du sucre et du café constituait un luxe chez les parents, il annonçait parmi nous une supériorité vaniteuse qui aurait engendré notre passion, si la pente à l'imitation, si la gourmandise, si la contagion de la mode n'eussent pas suffi. Doisy nous faisait crédit, il nous supposait à tous des sœurs ou des tantes qui approuvent le point d'honneur des écoliers et payent leurs dettes. Je résistai longtemps aux blandices de la buvette. Si mes juges eussent connu la force des séductions, les héroïques aspirations de mon âme vers le stoïcisme, les rages contenues pendant ma longue résistance, ils eussent essuyé mes pleurs au lieu de les faire couler. Mais, enfant, pouvais-je avoir cette grandeur d'âme qui fait mépriser le mépris d'autrui?»

On retrouve dans cette épître la plupart des circonstances racontées par sa sœur dans le commencement de cet entretien. Ce sont des pages des *Confessions* de J.-J. Rousseau, à la déclamation près.

X.

Ce style consacré continue ainsi jusqu'au retour de Balzac en Touraine, où ses parents le ramènent après le retour de Napoléon de l'île d'Elbe en 1815. Sa famille, royaliste, exige qu'il aille la représenter au bal que la bourgeoisie de Tours offre au duc d'Angoulême. Il y va; il y aperçoit une femme miraculeuse de beauté, qui s'assied à côté de lui pendant le tumulte de la fête. Elle le fascine tellement qu'il effleure involontairement d'un mouvement de tête ses blanches épaules. Elle se lève et s'éloigne avec un mouvement d'indignation concentrée.

Quelque temps après un ami de sa famille lui propose de visiter avec lui les bords de la rivière. Voici cette délicieuse description qui le ramène à son idéal. Ni Rousseau, ni Chateaubriand, ni Byron, ni Goëthe, ne le dépassent.

Lisez-la tout entière.

«Donc, un jeudi matin je partis de Tours par la barrière Saint-Éloy, je traversai les ponts Saint-Sauveur, j'arrivai dans Poncher en levant le nez à chaque maison, et gagnai la route de Chinon. Pour la première fois de ma vie, je pouvais m'arrêter sous un arbre, marcher lentement ou vite à mon gré sans être questionné par personne. Pour un pauvre être écrasé par les différents despotismes qui, peu ou prou, pèsent sur toutes les jeunesses, le premier usage du libre arbitre, exercé même sur des riens, apportait à l'âme je ne sais quel épanouissement. Beaucoup de raisons se réunirent pour faire de ce jour une fête pleine d'enchantements. Dans mon enfance mes promenades ne m'avaient pas conduit à plus d'une lieue hors la ville. Mes courses aux environs de Pont-Levoy, ni celles que je fis dans Paris, ne m'avaient point gâté sur les beautés de la nature champêtre. Néanmoins il me restait, des premiers souvenirs de ma vie, le sentiment du beau qui respire dans le paysage de Tours avec lequel je m'étais familiarisé. Quoique complétement neuf à la poésie des sites, j'étais donc exigeant à mon insu, comme ceux qui, sans avoir la pratique d'un art, en imaginent tout d'abord l'idéal. Pour aller au château de Frapesle, les gens à pied ou à cheval abrégent la route en passant par les landes dites de Charlemagne, terres en friche, situées au sommet du plateau qui sépare le bassin du Cher et celui de l'Indre, et où mène un chemin de traverse que l'on prend à Champy. Ces landes plates et sablonneuses, qui vous attristent durant une lieue environ, joignent par un bouquet de bois le chemin de Saché, nom de la commune d'où dépend Frapesle. Ce chemin, qui débouche sur la route de Chinon, bien au-delà de Ballan, longe une plaine ondulée sans accidents remarquables, jusqu'au petit pays d'Artanne. Là se découvre une vallée qui commence à Montbazon, finit à la Loire, et semble bondir sous les châteaux posés sur ces doubles collines, une magnifique coupe d'émeraude au fond de laquelle l'Indre se roule par des mouvements de serpent. À cet aspect, je fus saisi d'un étonnement voluptueux que l'ennui des landes ou la fatigue du chemin avait préparé.—Si cette femme, la fleur de son sexe, habite un lieu dans le monde, ce lieu, le voici! À cette pensée je m'appuyai contre un noyer sous lequel, depuis ce jour, je me repose toutes les fois que je reviens dans ma chère vallée. Sous cet arbre, confident de mes pensées, je m'interroge sur les changements que j'ai subis pendant le temps qui s'est écoulé depuis le dernier jour où j'en suis parti. Elle demeurait là, mon cœur ne me trompait point: le premier castel que je vis au penchant d'une lande était son habitation. Quand je m'assis sous mon noyer, le soleil de midi faisait pétiller les ardoises de son toit et les vitres de ses fenêtres. Sa robe de percale produisait le point blanc que je remarquai dans ses vignes sous un hallebergier. Elle était, comme vous le savez déjà, sans rien savoir encore, LE LIS DE CETTE VALLÉE où elle croissait pour le ciel, en la remplissant du parfum de ses vertus. L'amour infini, sans autre aliment qu'un objet à peine entrevu dont mon âme était remplie, je le trouvais exprimé par ce long ruban d'eau qui ruisselle au soleil entre deux rives vertes, par ces lignes de peupliers qui parent de leurs dentelles mobiles ce val d'amour, par les bois de chênes qui s'avancent entre les vignobles sur des coteaux que la rivière arrondit toujours différemment, et par ces horizons estompés qui fuient en se contrariant. Si vous voulez voir la nature belle et vierge comme une fiancée, allez là par un jour de printemps; si vous voulez calmer les plaies saignantes de votre cœur, revenez-y par les derniers jours de l'automne: au printemps, l'amour y bat des ailes à plein ciel; en automne on y songe à ceux qui ne sont plus. Le poumon malade y respire une bienfaisante fraîcheur, la vue s'y repose sur des touffes dorées qui communiquent à l'âme leurs paisibles douceurs. En ce moment, les moulins situés sur les chutes de l'Indre donnaient une voix à cette vallée frémissante, les peupliers se balançaient en riant, pas un nuage au ciel, les oiseaux chantaient, les cigales criaient, tout y était mélodie. Ne me demandez plus pourquoi j'aime la Touraine: je ne l'aime ni comme on aime son berceau, ni comme on aime une oasis dans le désert; je l'aime comme un artiste aime l'art; je l'aime moins que je ne vous aime; mais sans la Touraine, peut-être ne vivrais-je plus. Sans savoir pourquoi, mes yeux revenaient au point blanc, à la femme qui brillait dans ce jardin comme au milieu des buissons éclatait la clochette d'un convolvulus, flétrie si l'on y touche. Je descendis, l'âme émue, au fond de cette corbeille, et vis bientôt un village que la poésie qui surabondait en moi me fit trouver sans pareil. Figurez-vous trois moulins posés parmi des îles gracieusement découpées, couronnées de quelques bouquets d'arbres au milieu d'une prairie d'eau; quel autre nom donner à ces végétations aquatiques, si vivaces, si bien colorées, qui tapissent la rivière, surgissent au-dessus, ondulent avec elle, se laissent aller à ses caprices et se plient aux tempêtes de la rivière fouettée par la roue des moulins? Çà et là, s'élèvent des masses de gravier sur lesquelles l'eau se brise en y formant des franges où reluit le soleil. Les amaryllis, le nénufar, le lis d'eau, les joncs, les flox, décorent les rives de leurs magnifiques tapisseries. Un pont tremblant composé de poutrelles pourries, dont les piles sont couvertes de fleurs, dont les garde-fous, plantés d'herbes vivaces et de mousses veloutées, se penchent sur la rivière et ne tombent point; des barques usées, des filets de pêcheurs, le chant monotone d'un berger, les canards qui voguaient entre les îles ou s'épluchaient sur le jard, nom du gros sable que charrie la Loire; des garçons meuniers, le bonnet sur l'oreille, occupés à charger leurs mulets; chacun de ces détails rendait cette scène d'une naïveté surprenante. Imaginez au-delà du pont deux ou trois fermes, un colombier, des tourterelles, une trentaine de masures séparées par des jardins, par des haies de chèvrefeuilles, de jasmins et de clématites; puis du fumier fleuri devant toutes les portes, des poules et des coqs par les chemins: voilà le village du Pont-du-Ruan, joli village surmonté d'une vieille église pleine de caractère, une église du temps des croisades, et comme les peintres en cherchent pour leurs tableaux. Encadrez le tout de noyers antiques, de jeunes peupliers aux feuilles d'or pâle, mettez de gracieuses fabriques au milieu de longues prairies où l'œil se perd sous un ciel chaud et vaporeux, vous aurez une idée d'un des mille points de vue de ce beau pays. Je suivis le chemin de Saché sur la gauche de la rivière, en observant les détails des collines qui meublent la rive opposée. Puis enfin j'atteignis un parc orné d'arbres centenaires qui m'indiqua le château de Frapesle. J'arrivai précisément à l'heure où la cloche annonçait le déjeuner. Après le repas, mon hôte, ne soupçonnant pas que j'étais venu de Tours à pied, me fit parcourir les alentours de sa terre où de toutes parts je vis la vallée sous toutes ses formes: ici par une échappée, là tout entière; souvent mes yeux furent attirés à l'horizon par la belle lame d'or de la Loire où, parmi les roulées, les voiles dessinaient de fantasques figures qui fuyaient emportées par le vent. En gravissant une crête, j'admirai pour la première fois le château d'Azay, diamant taillé à facettes, serti par l'Indre, monté sur des pilotis masqués de fleurs. Puis je vis dans un fond les masses romantiques du château de Saché, mélancolique séjour plein d'harmonies, trop graves pour les gens superficiels, chères aux poëtes dont l'âme est endolorie. Aussi, plus tard, en aimai-je le silence, les grands arbres chenus, et ce je ne sais quoi mystérieux épandu dans son vallon solitaire! Mais chaque fois que je retrouvais au penchant de la côte voisine le mignon castel aperçu, choisi par mon premier regard, je m'y arrêtais complaisamment.

«—Hé! me dit mon hôte en lisant dans mes yeux l'un de ces pétillants désirs toujours si naïvement exprimés à mon âge, vous sentez de loin une jolie femme comme un chien flaire le gibier.

«Je n'aimai pas ce dernier mot, mais je demandai le nom du castel et celui du propriétaire.

«—Ceci est Clochegourde, me dit-il, une jolie maison appartenant au comte de Mortsauf, le représentant d'une famille historique en Touraine, dont la fortune date de Louis XI, et dont le nom indique l'aventure à laquelle il doit et ses armes et son illustration. Il descend d'un homme qui survécut à la potence. Aussi les Mortsauf portent-ils *d'or, à la croix de sable alezée potencée et contre-potencée, chargée en cœur d'une fleur de lys d'or au pied nourri*, avec: *Dieu saulve le Roi notre Sire*, pour devise. Le comte est venu s'établir sur ce domaine au retour de l'émigration. Ce bien est à sa femme, une demoiselle de Lenoncourt, de la maison de Lenoncourt-Givry qui va s'éteindre: madame de Mortsauf est fille unique. Le peu de fortune de cette famille contraste si singulièrement avec l'illustration des noms, que, par orgueil ou par nécessité peut-être, ils restent toujours à Clochegourde et n'y voient personne. Jusqu'à présent leur attachement aux Bourbons pouvait justifier leur solitude; mais je doute que le retour du roi change leur manière de vivre. En venant m'établir ici, l'année dernière, je suis allé leur faire une visite de politesse; ils me l'ont rendue et nous ont invités à dîner; l'hiver nous a séparés pour quelques mois; puis les événements politiques ont retardé notre retour, car je ne suis à Frapesle que depuis peu de temps. Madame de Mortsauf est une femme qui pourrait occuper partout la première place.

«—Vient-elle souvent à Tours?

«—Elle n'y va jamais. Mais, dit-il en se reprenant, elle y est allée dernièrement, au passage du duc d'Angoulême qui s'est montré fort gracieux pour monsieur de Mortsauf.

«—C'est elle! m'écriai-je.

«—Qui, elle?

«—Une femme qui a de belles épaules.

«—Vous rencontrerez en Touraine beaucoup de femmes qui ont de belles épaules, dit-il en riant. Mais si vous n'êtes pas fatigué, nous pouvons passer la rivière, et monter à Clochegourde, où vous aviserez à reconnaître vos épaules.

«J'acceptai, non sans rougir de plaisir et de honte. Vers quatre heures nous arrivâmes au petit château que mes yeux caressaient depuis longtemps. Cette habitation, qui fait un bel effet dans le paysage, est en réalité modeste. Elle a cinq fenêtres de face; chacune de celles qui terminent la façade exposée au midi s'avance d'environ deux toises, artifice d'architecture qui simule deux pavillons et donne de la grâce au logis; celle du milieu sert de porte, et on en descend par un double perron dans des jardins étagés qui atteignent à une étroite prairie située le long de l'Indre. Quoiqu'un chemin communal sépare cette prairie de la dernière terrasse ombragée par une allée d'acacias et de vernis du Japon, elle semble faire partie des jardins; car le chemin est creux, encaissé d'un côté par la terrasse, et bordé de l'autre par une haie normande. Les pentes bien ménagées mettent assez de distance entre l'habitation et la rivière pour sauver les inconvénients du voisinage des eaux sans en ôter l'agrément. Sous la maison se trouvent des remises, des écuries, des resserres, des cuisines, dont les diverses ouvertures dessinent des arcades. Les toits sont gracieusement contournés aux angles, décorés de mansardes à croisillons sculptés et de bouquets en plomb sur les pignons. La toiture, sans doute négligée pendant la révolution, est chargée de cette rouille produite par les mousses plates et rougeâtres qui croissent sur les maisons exposées au midi. La porte-fenêtre du perron est surmontée d'un campanile où reste sculpté l'écusson des Blamont-Chauvry: *écartelé de gueules à un pal de vair, flanqué de deux mains appaumées de carnation et d'or à deux lances de sable mises en chevron.* La devise: *Voyez tous, nul ne touche!* me frappa vivement. Les supports, qui sont un griffon et un dragon de gueules enchaînées d'or, faisaient un joli effet sculptés. La Révolution avait endommagé la couronne ducale et le cimier, qui se compose d'un palmier de sinople fruité d'or. Senart, secrétaire du comité du salut public, était bailli de Saché avant 1781, ce qui explique ces dévastations.

«Ces dispositions donnent une élégante physionomie à ce castel ouvragé comme une fleur, et qui semble ne pas peser sur le sol. Vu de la vallée, le rez-de-chaussée semble être au premier étage; mais, du côté de la cour, il est de plain-pied avec une large allée sablée donnant sur un boulingrin animé par plusieurs corbeilles de fleur. À droite et à gauche, les clos de vignes, les vergers et quelques pièces de terres labourables plantées de noyers, descendent rapidement, enveloppent la maison de leurs massifs, et atteignent les bords de l'Indre, que garnissent en cet endroit des touffes d'arbres dont les verts ont été nuancés par la nature elle-même. En montant le chemin qui côtoie Clochegourde, j'admirais ces masses si bien disposées, j'y respirais un air chargé de bonheur. La nature morale a-t-elle donc, comme la nature physique, ses communications électriques et ses rapides changements de température? Mon cœur palpitait à l'approche des événements secrets qui devaient le modifier à jamais, comme les animaux s'égayent en prévoyant un beau temps. Ce jour si marquant dans ma vie ne fut dénué d'aucune des circonstances qui pouvaient le solenniser. La nature s'était parée comme une femme allant à la rencontre du bien-aimé, mon âme avait pour la première fois entendu sa voix, mes yeux l'avaient admirée aussi féconde, aussi variée que mon imagination me la représentait dans mes rêves de collége dont je vous ai dit quelques mots, inhabiles à vous en expliquer l'influence, car ils ont été comme une Apocalypse où ma vie me fut figurativement prédite: chaque événement heureux ou malheureux s'y rattache par des images bizarres, liens visibles aux yeux de l'âme seulement. Nous traversâmes une première cour entourée des bâtiments nécessaires aux exploitations rurales, une grange, un pressoir, des étables, des écuries. Averti par les aboiements du chien de garde, un domestique vint à notre rencontre, et nous dit que monsieur le comte, parti pour Azay dès le matin, allait sans doute revenir, et que madame la comtesse était au logis. Mon hôte me regarda. Je tremblais qu'il ne voulût pas voir madame de Mortsauf en l'absence de son mari, mais il dit au domestique de nous annoncer. Poussé par une avidité d'enfant, je me précipitai dans la longue antichambre qui traverse la maison.

«—Entrez donc, Messieurs, dit alors une voix d'or.

«Quoique madame de Mortsauf n'eût prononcé qu'un mot au bal, je reconnus sa voix qui pénétra mon âme et la remplit comme un rayon de soleil remplit et dore le cachot d'un prisonnier. En pensant qu'elle pouvait se rappeler ma figure, je voulus m'enfuir; il n'était plus temps, elle apparut sur le seuil de la porte, nos yeux se rencontrèrent. Je ne sais qui d'elle ou de moi rougit le plus fortement. Assez interdite pour ne rien dire, elle revint s'asseoir à sa place devant un métier à tapisserie, après que le domestique eut approché deux fauteuils; elle acheva de tirer son aiguille afin de donner un prétexte à son silence, compta quelques points et releva la tête, à la fois douce et altière, vers monsieur de Chessel en lui demandant à quelle heureuse circonstance elle devait sa visite. Quoique curieuse de savoir la vérité sur mon apparition, elle ne nous regarda ni l'un ni l'autre; ses yeux furent constamment attachés sur la rivière; mais à la manière dont elle écoutait, vous eussiez dit que, semblable aux aveugles, elle savait reconnaître les agitations de l'âme dans les imperceptibles accents de la parole. Et cela était vrai. Monsieur de Chessel dit mon nom et fit ma biographie. J'étais arrivé depuis quelques mois à Tours, où mes parents m'avaient ramené chez eux quand la guerre avait menacé Paris. Enfant de la Touraine à qui la Touraine était inconnue, elle voyait en moi un jeune homme affaibli par des travaux immodérés, envoyé à Frapesle pour s'y divertir, et auquel il avait montré sa terre, où je venais pour la première fois. Au bas du coteau seulement, je lui avais appris ma course de

Tours à Frapesle, et craignant pour ma santé déjà si faible, il s'était avisé d'entrer à Clochegourde en pensant qu'elle me permettrait de m'y reposer. M. de Chessel disait la vérité, mais un hasard heureux semble si fort cherché que madame de Mortsauf garda quelque défiance; elle tourna sur moi des yeux froids et sévères qui me firent baisser les paupières, autant par je ne sais quel sentiment d'humiliation que pour cacher des larmes que je retins entre mes cils. L'imposante châtelaine me vit le front en sueur; peut-être aussi devina-t-elle les larmes, car elle m'offrit ce dont je pouvais avoir besoin, en exprimant une bonté consolante qui me rendit la parole. Je rougissais comme une jeune fille en faute, et d'une voix chevrotante comme celle d'un vieillard, je répondis par un remercîment négatif.

«—Tout ce que je souhaite, lui dis-je en levant les yeux sur les siens que je rencontrai pour la seconde fois, mais pendant un moment aussi rapide qu'un éclair, c'est de n'être pas renvoyé d'ici; je suis tellement engourdi par la fatigue, que je ne pourrais marcher.

«—Pourquoi suspectez-vous l'hospitalité de notre beau pays? me dit-elle. Vous nous accorderez sans doute le plaisir de dîner à Clochegourde? ajouta-t-elle en se tournant vers son voisin.

«Je jetai sur mon protecteur un regard où éclatèrent tant de prières qu'il se mit en mesure d'accepter cette proposition, dont la formule voulait un refus. Si l'habitude du monde permettait à M. de Chessel de distinguer ces nuances, un jeune homme sans expérience croit si fermement à l'union de la parole et de la pensée chez une belle femme, que je fus bien étonné quand, en revenant le soir, mon hôte me dit:—Je suis resté, parce que vous en mouriez d'envie; mais si vous ne raccommodez pas les choses, je suis brouillé peut-être avec mes voisins. Ce *si vous ne raccommodez pas les choses* me fit longtemps rêver. Si je plaisais à Mme de Mortsauf, elle ne pourrait pas en vouloir à celui qui m'avait introduit chez elle. M. de Chessel me supposait donc le pouvoir de l'intéresser, n'était-ce pas me le donner? Cette explication corrobora mon espoir en un moment où j'avais besoin de secours.

«—Ceci me semble difficile, répondit-il, Mme de Chessel nous attend.

«—Elle vous a tous les jours, reprit la comtesse, et nous pouvons l'avertir. Est-elle seule?

«—Elle a M. l'abbé de Quélus.

«—Eh bien, dit-elle en se levant pour sonner, vous dînez avec nous.

«Cette fois M. de Chessel la crut franche et me jeta des regards complimenteurs. Dès que je fus certain de rester pendant une soirée sous ce toit, j'eus à moi comme une éternité. Pour beaucoup d'êtres malheureux, demain est un mot vide de sens, et j'étais alors au nombre de ceux qui n'ont aucune foi dans le lendemain; quand j'avais quelques heures à moi, j'y faisais tenir toute une vie de voluptés. Mme de Mortsauf entama sur le pays, sur les récoltes, sur les vignes, une conversation à laquelle j'étais étranger. Chez une maîtresse de maison, cette façon d'agir atteste un manque d'éducation ou son mépris pour celui qu'elle met ainsi comme à la porte du discours; mais ce fut embarras chez la comtesse. Si d'abord je crus qu'elle affectait de me traiter en enfant, si j'enviai le privilége des hommes de trente ans qui permettait à M. de Chessel d'entretenir sa voisine de sujets aussi graves auxquels je ne comprenais rien, si je me dépitai en me disant que tout était pour lui; à quelques mois de là, je sus combien est significatif le silence d'une femme, et combien de pensées couvre une diffuse conversation. D'abord j'essayai de me mettre à mon aise dans mon fauteuil, puis je reconnus les avantages de ma position en me laissant aller au charme d'entendre la voix de la comtesse. Le souffle de son âme se déployait dans les replis des syllabes, comme le son se divise sous les clefs d'une flûte; il expirait onduleusement à l'oreille d'où il précipitait l'action du sang. Sa façon de dire les terminaisons en *i* faisait croire à quelque chant d'oiseau; le *ch* prononcé par elle était comme une caresse, et la manière dont elle attaquait le *t* accusait le despotisme du cœur. Elle étendait ainsi, sans le savoir, le sens des mots, et vous entraînait l'âme dans un monde surhumain. Combien de fois n'ai-je pas laissé continuer une discussion que je pouvais finir, combien de fois ne me suis-je pas fait injustement gronder pour écouter ces concerts de voix humaine, pour aspirer l'air qui sortait de sa lèvre chargée de son âme, pour étreindre cette lumière parlée avec l'ardeur que j'aurais mise à serrer la comtesse sur mon sein! Quel chant d'hirondelle joyeuse, quand elle pouvait rire! mais quelle voix de cygne appelant ses compagnes, quand elle parlait de ses chagrins! L'inattention de la comtesse me permit de l'examiner. Mon regard se régalait en glissant sur la belle parleuse, il pressait sa taille, baisait ses pieds, et se jouait dans les boucles de sa chevelure. Cependant j'étais en proie à une terreur que comprendront ceux qui, dans leur vie, ont éprouvé les joies illimitées d'une passion vraie. J'avais peur qu'elle ne me surprît les yeux attachés à la place de ses épaules que j'avais si ardemment embrassées. Cette crainte avivait la tentation, et j'y succombais, je les regardais! mon œil déchirait l'étoffe, je revoyais la lentille qui marquait la naissance de la jolie raie par laquelle son dos était partagé, mouche perdue dans du lait, et qui depuis le bal flamboyait toujours le soir dans ces ténèbres où semble ruisseler le sommeil des jeunes gens dont l'imagination est ardente, dont la vie est chaste.

«Je puis vous crayonner les traits principaux qui partout eussent signalé la comtesse aux regards; mais le dessin le plus correct, la couleur la plus chaude n'en exprimeraient rien encore. Sa figure est une de celles dont la ressemblance exige l'introuvable artiste de qui la main sait peindre le reflet des feux intérieurs, et sait rendre cette vapeur lumineuse que nie la science, que la parole ne traduit pas, mais que voit un amant. Ses cheveux fins et cendrés la faisaient souvent souffrir, et ces souffrances étaient sans doute causées par de subites réactions du sang vers la tête. Son front arrondi, proéminent comme celui de la Joconde, paraissait plein d'idées inexprimées, de sentiments contenus, de fleurs noyées dans des eaux amères. Ses yeux verdâtres, semés de points bruns, étaient toujours pâles; mais s'il s'agissait de ses enfants, s'il lui échappait de ces vives effusions de joie ou de douleur, rares dans la vie des femmes résignées, son œil lançait alors une lueur subtile qui semblait s'enflammer aux sources de la vie et devait les tarir; éclair qui m'avait arraché des larmes quand elle me couvrit de son dédain formidable et qui lui suffisait pour abaisser les paupières aux plus hardis. Un nez grec, comme dessiné par Phidias et réuni par un double arc à des lèvres élégamment sinueuses, spiritualisait son visage de forme ovale, et dont le teint, comparable au tissu des camélias blancs, se rougissait aux joues par de jolis tons roses. Son embonpoint ne détruisait ni la grâce de sa taille, ni la rondeur voulue pour que ses formes demeurassent belles quoique développées. Vous comprendrez soudain ce genre de perfection, lorsque vous saurez qu'en s'unissant à l'avant-bras les éblouissants trésors qui m'avaient fasciné paraissaient ne devoir former aucun pli. Le bas de sa tête n'offrait point ces creux qui font ressembler la tête de certaines femmes à des troncs d'arbres, ses muscles n'y dessinaient point de cordes, et partout les lignes s'arrondissaient en flexuosités désespérantes pour le regard comme pour le pinceau. Un duvet follet se mourait le long de ses joues, dans les méplats du col, en y retenant la lumière qui s'y faisait soyeuse. Ses oreilles petites et bien contournées étaient, suivant son expression, des oreilles d'esclave et de mère. Plus tard, quand j'habitai son cœur, elle me disait: «Voici M. de Mortsauf!» et avait raison, tandis que je n'entendais rien encore, moi dont l'ouïe possède une remarquable étendue. Ses bras étaient beaux, sa main aux doigts recourbés était longue, et, comme dans les statues antiques, la chair dépassait ses ongles à fines côtes. Je vous déplairais en donnant aux tailles plates l'avantage sur les tailles rondes, si vous n'étiez pas une exception. La taille ronde est un signe de force, mais les femmes ainsi construites sont impérieuses, volontaires, plus voluptueuses que tendres. Au contraire, les femmes à taille plate sont dévouées, pleines de finesse, enclines à la mélancolie; elles sont mieux femmes que les autres. La taille plate est souple et molle, la taille ronde est inflexible et jalouse. Vous savez, maintenant comment elle était faite. Elle avait le pied d'une femme comme il faut, ce pied qui marche peu, se fatigue promptement et réjouit la vue quand il dépasse la robe. Quoiqu'elle fût mère de deux enfants, je n'ai jamais rencontré dans son sexe personne de plus jeune fille qu'elle. Son air exprimait une simplesse, jointe à je ne sais quoi d'interdit et de songeur qui ramenait à elle comme le peintre ramène à la figure où son génie a traduit un monde de sentiments. Ses qualités visibles ne peuvent d'ailleurs s'exprimer que par des comparaisons. Rappelez-vous le parfum chaste et sauvage de cette bruyère que nous avons cueillie en revenant de la villa Diodati, cette fleur dont vous avez tant loué le noir et le rose; vous devinerez comment cette femme pouvait être élégante loin du monde, naturelle dans ses expressions, recherchée dans les choses qui devenaient siennes, à la fois rose et noire. Son corps avait la verdeur que nous admirons dans les feuilles nouvellement dépliées, son esprit avait la profonde concision du sauvage, elle était enfant par le sentiment, grave par la souffrance, châtelaine et bachelette. Aussi plaisait-elle sans artifice, par sa manière de s'asseoir, de se lever, de se taire ou de jeter un mot. Habituellement recueillie, attentive comme la sentinelle sur qui repose le salut de tous et qui épie le malheur, il lui échappait parfois des sourires qui trahissaient en elle un naturel rieur enseveli sous le maintien exigé par sa vie. Sa coquetterie était devenue un mystère, elle faisait rêver au lieu d'inspirer l'attention galante que sollicitent les femmes, et laissait apercevoir sa première nature de flamme vive, ses premiers rêves bleus, comme on voit le ciel par des éclaircies de nuages. Cette révélation involontaire rendait pensifs ceux qui ne sentaient pas une larme intérieure séchée par le feu des désirs. La rareté de ses gestes, et surtout celle de ses regards (excepté ses enfants, elle ne regardait personne), donnait une incroyable solennité à ce qu'elle faisait ou disait, quand elle faisait ou disait une chose avec cet air que savent prendre les femmes au moment où elles compromettent leur dignité par un aveu. Ce jour-là Mme de Mortsauf avait une robe rose à mille raies, une collerette à large ourlet, une ceinture noire et des brodequins de même couleur. Ses cheveux simplement tordus sur sa tête étaient retenus par un peigne d'écaille. Telle était l'imparfaite esquisse promise. Mais la constante émanation de son âme sur les siens, cette essence nourrissante épandue à flots comme le soleil émet sa lumière; mais sa nature intime, son attitude aux heures sereines, sa résignation aux heures nuageuses; tous ces tournoiements de la vie où le caractère se déploie, tiennent, comme les effets du ciel, à des circonstances inattendues et fugitives qui ne se ressemblent entre elles que par le fond d'où elles détachent, et dont la peinture sera nécessairement mêlée aux événements de cette histoire; véritable épopée domestique, aussi grande aux yeux du sage que le sont les tragédies aux yeux de la foule, et dont le récit vous attachera autant pour la part que j'y ai prise, que par sa similitude avec un grand nombre de destinées féminines.

«Tout à Clochegourde portait le cachet d'une propreté vraiment anglaise. Le salon où restait la comtesse était entièrement boisé, peint en gris de deux nuances. La cheminée avait pour ornement une pendule contenue dans un bloc d'acajou surmonté d'une coupe, et deux grands vases en porcelaine blanche à filets d'or, d'où s'élevaient des bruyères du Cap. Une lampe était sur la console. Il y avait un trictrac en face de la cheminée. Deux larges embrasses en coton retenaient les rideaux de percale blanche, sans franges. Des housses grises, bordées d'un galon vert, recouvraient les siéges, et la tapisserie tendue sur le métier de la comtesse disait assez pourquoi son meuble était ainsi caché. Cette simplicité arrivait à la grandeur. Aucun appartement, parmi ceux que j'ai vus depuis, ne m'a causé des impressions aussi fertiles, aussi touffues que celles dont j'étais saisi, dans ce salon de Clochegourde, calme et recueilli comme la vie de la comtesse, et où l'on devinait la régularité conventuelle de ses occupations. La plupart de mes idées, et même les plus audacieuses en science ou en politique, sont nées là, comme les parfums émanent des fleurs; mais là verdoyait la plante inconnue qui jeta sur mon âme sa féconde poussière; là brillait la chaleur solaire qui développa mes bonnes et dessécha mes mauvaises qualités. De la fenêtre, l'œil embrassait la vallée depuis la colline où s'étale Pont-de-Ruan, jusqu'au château d'Azay, en suivant les sinuosités de la côte opposée que varient les tours de Frapesle, puis l'église, le bourg et le vieux manoir de Saché, dont les masses dominent la prairie. En harmonie avec cette vie reposée et sans autres émotions que celles données par la famille, ces lieux communiquaient à l'âme leur sérénité. Si je l'avais rencontrée là pour la première fois, entre le comte et ses deux enfants, au lieu de la trouver splendide dans sa robe de bal, je ne lui aurais pas ravi ce délirant baiser dont j'eus alors des remords en croyant qu'il détruirait l'avenir de mon amour! Non, dans les noires dispositions où me mettait le malheur, j'aurais plié le genou, j'aurais baisé ses brodequins, j'y aurais laissé quelques larmes, et je serais allé me jeter dans l'Indre. Mais après avoir effleuré le frais jasmin de sa peau et bu le lait de cette coupe pleine d'amour, j'avais dans l'âme le goût et l'espérance de voluptés humaines; je voulais vivre et attendre l'heure du plaisir comme le sauvage épie l'heure de la vengeance; je voulais me suspendre aux arbres, ramper dans les vignes, me tapir dans l'herbe; je voulais avoir pour complices le silence de la nuit, la lassitude de la vie, la chaleur du soleil, afin d'achever la pomme délicieuse où j'avais déjà mordu. M'eût-elle demandé la fleur qui chante ou les richesses enfouies par les compagnons de Morgan l'exterminateur, je les lui aurais apportées, afin d'obtenir les richesses certaines et la fleur muette que je souhaitais! Quand cessa le rêve où m'avait plongé la longue contemplation de mon idole, et pendant lequel un domestique vint et lui parla, je l'entendis causant du comte. Je pensai seulement alors qu'une femme devait appartenir à son mari. Cette pensée me donna des vertiges. Puis j'eus une rageuse et sombre curiosité de voir le possesseur de ce trésor. Deux sentiments me dominèrent, la haine et la peur: une haine qui ne connaissait aucun obstacle et les mesurait tous sans les craindre; une peur vague, mais réelle du combat, de son issue, et d'ELLE surtout. En proie à d'indicibles pressentiments, je redoutais ces poignées de main qui déshonorent, j'entrevoyais les difficultés élastiques où se heurtent les plus rudes volontés et où elles s'émoussent; je craignais cette force d'inertie qui dépouille aujourd'hui la vie sociale des dénoûments que recherchent les âmes passionnées.»

La première entrevue avec Mme de Warens et la première journée des Charmettes n'ont pas ce fini de description. Le siècle a fait des pas. Il a autant de charmes, et plus de pudeur.

XI.

On dîne, et on se sépare.

«Le contentement qui enflait toutes mes voiles m'empêcha de voir les inextricables difficultés mises entre elle et moi par la vie si cohérente de la solitude de la campagne. J'étais près d'elle, à sa droite, je lui servais à boire. Oui, bonheur inespéré! je frôlais sa robe, je mangeais son pain. Au bout de trois heures, ma vie se mêlait à sa vie! Enfin, nous étions liés par ce terrible baiser, espèce de secret qui nous inspirait une honte mutuelle. Je fus d'une lâcheté glorieuse: je m'étudiais à plaire au comte, qui se prêtait à toutes mes courtisaneries; j'aurais caressé le chien, j'aurais fait la cour aux moindres désirs des enfants; je leur aurais apporté des cerceaux, des billes d'agate; je leur aurais servi de cheval, je leur en voulais de ne pas s'emparer déjà de moi comme d'une chose à eux. L'amour a ses intuitions comme le génie a les siennes, et je voyais confusément que la violence, la maussaderie, l'hostilité, ruineraient mes espérances.»

XII.

Balzac accepte l'hospitalité d'un château voisin d'où il voit de près Clochegourde. Il se promène, rencontre M. de Mortsauf, se lie avec lui et acquiert son amitié. Les scènes douces et amères qui suivent ce moment sont remarquablement écrites, mais ressemblent à toutes. On peut dire que le chef-d'œuvre finit là. Le reste est beau, mais vulgaire; la femme n'a ni assez de vertu pour congédier l'amant, ni assez d'amour pour s'y livrer tout entière. Cela n'est plus chaud, cela devient tiède; la tiédeur amène la froideur, et la dernière partie du roman fait douter de la première. Évidemment cela me ressemble, quand, voulant associer l'hypocrisie du monde au délire de la passion, j'écrivis ce livre, à moitié vrai, à moitié faux, intitulé *Raphaël*. Le public se sentit trompé et m'abandonna. Je l'avais mérité; la passion est belle, mais c'est à condition d'être sincère. Il en est ainsi du *Lis dans la vallée*. Où renoncez à peindre l'amour, ou sacrifiez-le à la vertu. Ces caractères hermaphrodites commencent par le charme et finissent par le dégoût.

Mais la première moitié du *Lis dans la vallée* ressemble au Cantique des Cantiques terminé par une homélie de courtisans ambitieux de la cour de Charles X. On ne s'intéresse plus à personne; et on sent que l'auteur se désintéresse à la fin de lui-même.

XIII.

Balzac revint enfin à son véritable type: la vérité. Il écrivit le chapitre le plus vaste, le plus divers et le plus véridique de sa Comédie humaine, les *Parents pauvres*. Ce fut son œuvre capitale, hélas! interrompue par la mort. C'était un homme de la race de Shakspeare, dont la séve était variée, large et profonde comme le monde. Il mourut, comme lui, entre cinquante et soixante ans, heureux à la fin de sa carrière, retiré du monde dans son repos, soigné par une femme aimée, et ne regrettant rien que ses rêves.

On fut longtemps à le juger, il était trop au-dessus de ses juges.

En laissant de côté ces livres futiles et un peu cyniques, les *Contes drolatiques*, écrits dans le commencement de sa vie pour avoir du pain et un habit, qu'il ne faut pas compter pour des monuments, mais excuser comme des haillons de misère, son caractère était probe et religieux au fond, comme les leçons de sa mère et les souvenirs de sa sœur. On sentait en lui l'homme de bonne maison, incapable de s'avilir, si ce n'est par plaisanterie passagère. Il aimait les Bourbons et l'aristocratie de la Restauration par tradition paternelle. La démagogie lui soulevait le cœur. On n'en voit pas trace dans ses innombrables livres. Il était gentilhomme de cœur, incapable de flatter une populace ou une cour. Il aurait eu plutôt des indulgences et des faiblesses pour les vices d'en haut; car il était pédant par la grandeur et jamais par la bassesse. Je l'ai vu plusieurs fois professer ces doctrines, même contre sa popularité. Il renonçait à être populaire pour rester juste et honorable. L'incorruptibilité était son essence; écrivain léger et trop indulgent pour lui-même en matière légère, mais au fond un honnête homme. Il concédait beaucoup au métier, rien à l'honneur.

Tel était Balzac.

XIV.

Quant à son talent, il est incomparable.

Les romanciers français n'ont pas une sphère bien arrêtée dans laquelle on puisse délimiter l'action de leur plume. Les uns, tels que les romanciers du siècle de Louis XIV, *Télémaque*, les œuvres de Mlle de Scudéry, *la Princesse de Clèves*, etc., débordent dans le large lit des aventures fabuleuses et des poëmes épiques. Les autres, tels que l'abbé Prévost, serrent de plus près la réalité et la nature; ils écrivent les mémoires imaginaires d'*un Homme de qualité*, le *Doyen de Killerine*, ou les amours beaucoup trop cyniques de *Manon Lescaut* et du *Chevalier des Grieux*; d'autres, tels que J.-J. Rousseau, Chateaubriand dans *Atala* ou *René*, et, de nos jours, Mme Sand, se livrent, sous la forme de roman, au lyrisme le plus transcendant de leur génie, et, pour flatter tantôt l'aristocratie, tantôt la religion, tantôt la démocratie du temps, chantent depuis les licencieuses amours de la *Nouvelle Héloïse* ou depuis les ridicules systèmes d'éducation de l'*Émile*, éminemment propre à former un peuple de marquis, jusqu'aux rêveries grotesques et féroces d'un socialisme et d'un communisme qui nient la nature, et qui prétendent refaire le monde mieux que le Créateur. Admirables prosateurs, détestables philosophes, préparant, pour désaltérer le peuple, non de l'eau salubre, mais de l'opium ivre de rêves et de convulsions!

Ainsi, à l'exception de l'abbé Prévost qui n'eut d'autre modèle que la nature, et de Chateaubriand, dans *René*, qui n'eut d'ivresse que celle du sentiment, presque tous les romanciers français suivirent servilement les mœurs de l'époque et n'écrivirent que pour un jour. Prenez le premier de ces romans, *Télémaque*, justement haï de Louis XIV, et essayez de construire sur ce modèle une société politique qui se tienne debout!

XV.

Balzac naquit, et, doué par la nature d'un talent immense et d'un esprit juste, il secoua ces haillons de la pensée dont on avait voulu faire un costume national, il rentra dans la voie droite de l'abbé Prévost, et n'aspira qu'à un seul titre, celui d'*historiographe de la nature et de la société*.

Il le poursuivit laborieusement, passant avec un égal succès de la peinture la plus hideuse du vice jusqu'à la *Recherche de l'absolu*, cette pierre philosophale de la philosophie, jusqu'au *Lis dans la vallée*, cette perle de l'amour pur. Parcourez ces cent volumes de ses œuvres jetés avec profusion de sa main jamais lasse, et concluez avec moi qu'un seul homme en France était capable d'exécuter ce qu'il avait conçu, la *Comédie humaine*, ce poëme épique de la vérité!

On dit, je le sais, et je me le suis dit moi-même en finissant la lecture de ce merveilleux artiste: Il est parfait, mais il est triste; on sort, avec des larmes dans les yeux, de cette lecture.—Balzac est triste, c'est vrai; mais il est profond.—Est-ce que le monde est gai?

Molière était triste, et c'est pourquoi il fut Molière.

LAMARTINE

FIN DU TOME DIX-HUITIÈME.

Paris.—Typographie de Firmin Didot frères, imprimeurs de l'Institut et de la Marine, 56, rue Jacob.

Notes

1: Boileau répare cet oubli, du moins en partie, dans sa lettre de réconciliation à Charles Perrault; mais il y semble encore mettre la Fontaine sur la ligne de Voiture et de Sarazin.

2: Parfois même, on parle de quatre, en y joignant celle de Vida.

3: Herder, *Idées sur la philosophie de l'histoire de l'humanité*, livre XIII, chapitre 5, page 490, de la traduction de M. Edgar Quinet.

4: Barthélemy Saint-Hilaire.

5: Barthélemy Saint-Hilaire.

6: «Le corps est un instrument dont l'âme se sert à sa volonté... De là... l'extrême différence du corps et de l'âme, parce qu'il n'y a rien de plus différent de celui qui se sert de quelque chose, que la chose même dont il se sert.» Bossuet, *Connaissance de Dieu et de soi-même*, page 73, a, éd. de 1836.

7: Barthélemy Saint-Hilaire.

8: *Barthélemy Saint-Hilaire.*

9: Barthélemy Saint-Hilaire.

Milton Keynes UK
Ingram Content Group UK Ltd.
UKHW010709240424
441619UK00004B/383